La quête de Malory

Nora Roberts

Les trois clés – 1
La quête
de Malory

Traduit de l'américain
par Julie Guinard

Titre original :
KEY OF LIGHT
Jove Books, a division of Penguin Group Inc., New York.

Pour Kathy Onorato, mon ange gardien.

C'est en créant, et en vivant
Une réalité plus intense,
Que nous donnons forme à notre imaginaire
Et accédons à la vie ainsi représentée.

Lord BYRON

1

L'orage se déchaînait sur les montagnes, déversant des torrents de pluie qui martelaient le sol d'un claquement métallique. Des éclairs zébraient le ciel, feux d'artillerie aussitôt suivis de coups de tonnerre semblables au grondement des canons. L'air crépitait d'une sorte de malfaisance jubilatoire, un courroux mauvais à la puissance bouillonnante.

Le temps s'accordait à merveille avec l'humeur de Malory Price. Elle venait de se demander ce qui pouvait encore mal tourner, et voilà que la nature, dans sa colère maternelle, répondait à cette question désabusée et purement rhétorique.

Un grésillement inquiétant stridulait quelque part dans sa chère petite Mazda, or il lui restait dix-neuf mensualités à payer. Pour s'en acquitter, il fallait qu'elle garde son travail.

Elle détestait son travail.

Cela n'entrait pas dans son grand projet de vie, qu'elle avait commencé à esquisser dès l'âge de huit ans. Vingt ans plus tard, l'ébauche s'était transformée en une liste aussi longue qu'organisée, avec titres, sous-titres et renvois. Elle la révisait méticuleusement le 1er janvier de chaque année.

Malory était censée aimer son travail. C'était écrit, noir sur blanc, dans le chapitre « Carrière ».

Elle travaillait à La Galerie depuis sept ans, les trois derniers en tant que gérante, ce qui était parfaitement au programme. Elle adorait être entourée d'œuvres d'art, avoir quasiment toute latitude quant à leur achat, leur promotion et les expositions organisées à La Galerie.

En fait, elle avait fini par avoir l'impression que La Galerie lui appartenait et savait pertinemment que le reste des employés, les clients, les artistes et les artisans partageaient ce sentiment.

James P. Horace était certes propriétaire de cette petite galerie d'art très chic, mais il ne remettait jamais en question les décisions de Malory et, lors de ses rares visites, il la complimentait toujours pour ses acquisitions, le décor, les ventes.

Cela avait été parfait, tout à fait conforme à ce qu'attendait Malory de sa vie.

Mais tout avait changé le jour où James avait abjuré cinquante-trois ans de confortable célibat et s'était trouvé une épouse jeune et sexy. Une femme qui avait décidé de s'approprier La Galerie.

Peu importait que la nouvelle Mme Horace ne connût rien à l'art, aux affaires, aux relations publiques et à la gestion du personnel. James était fou de sa Pamela, et le métier de rêve de Malory s'était transformé en un cauchemar quotidien.

Pourtant, elle s'était résignée, songea Malory en fronçant les sourcils devant son pare-brise sombre et ruisselant. Elle avait établi une stratégie : elle attendrait tout simplement la disparition de Pamela. Elle resterait calme et maîtresse d'elle-même jusqu'à ce que cette petite dinde cesse de sévir et que la voie soit de nouveau libre.

Mais cette excellente stratégie n'avait pas résisté longtemps. Malory avait perdu patience le jour où Pamela avait annulé des ordres qu'elle avait donnés pour une exposition d'objets en verre soufflé et avait fait de La Galerie un capharnaüm de tissus hideux.

Malory pouvait tolérer certaines choses, mais pas d'être giflée en pleine figure par un goût épouvantable sur son propre terrain. Néanmoins, traiter de « bimbo myope » et d'« arriviste plébéienne » la femme de son patron ne constituait pas la meilleure des sécurités d'emploi.

Un éclair fendit le ciel, et Malory tressaillit. Son accès d'humeur irraisonné avait été une bien mauvaise manœuvre. Pour couronner le tout, elle avait renversé du café sur le tailleur Escada de Pamela. Mais par accident.

Enfin, presque.

James avait beau l'apprécier, Malory savait que son travail ne tenait plus qu'à un fil. Quand ce fil casserait, elle serait fichue. On ne trouvait pas de galeries d'art à la pelle dans une jolie petite ville comme Pleasant Valley. Elle devrait soit chercher un travail dans un autre domaine, soit déménager.

Aucune de ces solutions ne la tentait. Elle adorait Pleasant Valley et le grandiose décor montagneux de l'ouest de la Pennsylvanie. Elle aimait vivre dans cette petite ville où l'alliance de pittoresque et de sophistication attirait les touristes et les foules de citadins qui s'y réfugiaient le week-end, fuyant Pittsburgh.

Petite déjà, alors qu'elle grandissait dans la banlieue de Pittsburgh, Pleasant Valley était exactement le genre d'endroit où elle s'imaginait vivre. À quatorze ans, après y avoir passé un week-end prolongé avec ses parents, elle avait décidé qu'un jour elle se fondrait dans la vie paisible de cette ville. De même qu'elle avait décidé, en pénétrant dans La Galerie en ce lointain matin d'automne, qu'elle ferait un jour partie de ce lieu.

Naturellement, à l'époque, c'étaient ses propres tableaux qu'elle imaginait accrochés là, mais elle avait dû rayer cet alinéa de sa liste. Elle ne serait jamais une artiste. Mais elle voulait absolument, c'était vital, vivre dans et pour l'art.

Toutefois, si elle devait quitter La Galerie, elle n'avait pas envie de retourner à Pittsburgh. Elle tenait à conserver son superbe appartement à cinq cents mètres de La Galerie, avec sa vue sur les Appalaches, son vieux plancher en bois, ses murs qu'elle avait tapissés d'œuvres d'art soigneusement sélectionnées.

Elle poussa un long soupir. Ses espoirs devenaient aussi sombres que le ciel ardoise. Il fallait dire qu'elle avait été un vrai panier percé. À quoi bon laisser son argent à la banque alors qu'on pouvait le transformer en une chose ravissante à regarder ou à porter ? Jusqu'à ce qu'on s'en serve, l'argent n'était que du papier. Or Malory utilisait énormément de papier.

Elle était à découvert. Encore une fois. Elle avait dépassé les capacités de ses cartes de crédit. Encore une fois. Mais sa garde-robe était fabuleuse. Et le début de sa collection d'œuvres d'art aussi. Elle devrait tout vendre, pièce après pièce et vraisemblablement à perte, pour garder son appartement, si Pamela déterrait la hache de guerre.

Mais la soirée qui l'attendait lui procurerait peut-être des ouvertures. Elle n'avait d'abord pas eu l'intention de se rendre au cocktail de Warrior's Peak. Certes, en toute autre circonstance, elle aurait été ravie d'avoir l'occasion de découvrir l'intérieur de cette grande et vieille demeure un peu effrayante, perchée sur la corniche, et de côtoyer d'éventuels protecteurs des arts.

Mais l'invitation était trop étrange. Écrite d'une cursive élégante sur un épais papier grège, avec en guise d'en-tête un logo représentant une clé en or ouvragée, elle comportait l'énoncé suivant :

Veuillez honorer Warrior's Peak
de votre plaisante compagnie
le 4 septembre à 20 heures.
Vous êtes la clé. La serrure attend.

Quelle drôle de formulation! se dit Malory tandis qu'une bourrasque de vent se levait, secouant la Mazda. Avec la chance qu'elle avait, ce devait être une quelconque arnaque de vente pyramidale.

La maison était abandonnée depuis des années. Elle avait été achetée récemment par une entreprise appelée Triad – sans doute une société qui désirait transformer l'imposant manoir en hôtel ou en club de luxe.

Cela n'expliquait pas pourquoi on avait invité la gérante de La Galerie, et non le propriétaire et son envahissante épouse. Cet affront avait exaspéré Pamela, ce qui avait un peu consolé Malory. Néanmoins, elle avait failli refuser. Elle n'avait pas de petit ami (un autre des aspects désastreux de sa vie), et se rendre toute seule à travers la montagne dans une maison qui ressemblait à un manoir hanté hollywoodien ne la tentait guère.

Mais James avait été enchanté à l'idée qu'elle pourrait lui décrire en détail l'intérieur de la maison. Et si elle profitait de l'occasion pour semer quelques petites allusions discrètes à La Galerie, cela ne ferait pas de mal aux affaires. Séduire deux ou trois clients compenserait peut-être l'incident Escada et le commentaire désobligeant qu'elle avait adressé à Pamela.

La route de plus en plus étroite serpentait à travers la forêt dense et sombre. L'ambiance était décidément sinistre, digne d'un film fantastique. Si elle tombait en panne dans le noir, avec le vent et la pluie qui se déchaînaient autour d'elle, elle aurait vite fait d'imaginer des cavaliers sans tête en attendant la dépanneuse qu'elle ne pouvait pas s'offrir.

Une seule solution : ne pas tomber en panne.

Il y eut un nouvel éclair, suivi immédiatement d'un coup de tonnerre, et elle agrippa le volant en serrant les dents. Elle ne devait plus être très loin. Elle savait que, dressé au sommet de la corniche, Warrior's Peak surveillait la vallée. Cela faisait des kilomètres qu'elle n'avait pas croisé d'autre voiture.

Soudain, elle vit sur sa droite une grille en fer forgé ouverte, flanquée de deux imposants piliers de pierre. Elle ralentit et contempla bêtement les guerriers grandeur nature armés d'épées qui se dressaient sur chacun des piliers. Dans son humeur, ils lui parurent plus humains que minéraux. Elle dut lutter contre la tentation de sortir de la voiture pour en avoir le cœur net.

Elle s'était à peine engagée dans l'allée, qu'elle appuya brusquement sur la pédale de frein, faisant une embardée sur le gravier. Le cœur battant, elle contempla le cerf majestueux qui se dressait à quelques centimètres du pare-chocs.

Pendant un moment, elle le prit pour une sculpture, puis songea qu'aucune personne saine d'esprit n'aurait installé une statue en plein milieu d'une allée réservée aux voitures. Mais comment pouvait-on être sain d'esprit et vivre dans cette maison sur la corniche ?

Les yeux du cerf brillaient d'un bleu saphir intense dans l'éclat des phares. Sa tête couronnée remua légèrement. Orgueilleusement, se dit Malory, fascinée. La pluie glissait sur son corps, qui parut argenté dans la lumière de l'éclair suivant. Il la regardait, sans crainte ni surprise. Avec une sorte de dédain amusé, aurait-on dit, à supposer qu'une telle chose fût possible. Puis il s'éloigna tranquillement et disparut dans le rideau de pluie et les lambeaux de brouillard.

— Eh bien… chuchota Malory en frissonnant.

Un deuxième murmure impressionné lui échappa lorsqu'elle aperçut la maison, derrière l'endroit où s'était tenu le cerf.

Elle avait vu des photos de ce manoir, elle avait contemplé sa silhouette massive qui dominait la corniche. Mais se trouver devant cette maison en plein orage était une tout autre affaire. L'édifice tenait à la fois de la forteresse, du château et du manoir hanté.

Il était noir, en obsidienne, avec des saillies et des tourelles, des faîtes et des remparts répartis ici et là, comme si un enfant très malin et très pervers les avait disposés au gré de son caprice. D'innombrables fenêtres longues et étroites, toutes éclairées, trouaient la pierre noire et luisante.

Tel un fossé rempli d'eau, une langue de brouillard ceinturait la base de la maison. Le temps d'un éclair, Malory aperçut, au sommet d'une des flèches les plus élevées, une bannière blanche sur laquelle se détachait le dessin de la drôle de clé.

Elle avança encore un peu. Des gargouilles en pierre semblaient ramper au-dessus des avant-toits. L'eau de pluie s'écoulait de leurs gueules béantes, débordait de leurs pattes griffues.

Elle s'arrêta et envisagea très sérieusement de faire demi-tour et de rentrer chez elle.

« Trêve d'enfantillages, espèce de peureuse ! se dit-elle. Où est passé ton sens de l'aventure ? »

Elle entendit frapper brièvement contre sa vitre et sursauta. Elle tourna la tête, et un cri s'étrangla dans sa gorge. Un visage blafard et anguleux, à moitié dissimulé sous une capuche noire, se tenait devant elle.

« Allons, les gargouilles ne prennent pas vie », se réprimanda-t-elle en descendant prudemment sa vitre de deux centimètres.

L'inconnu lui sourit, et sa voix tonna dans la nuit.

— Bienvenue à Warrior's Peak, mademoiselle. Laissez vos clés sur le contact, je vais garer votre voiture.

Avant qu'elle ne songe à verrouiller les portières, il avait ouvert la sienne. Elle sortit et se retrouva abritée sous le plus immense parapluie qu'elle eût jamais vu.

— Je vais vous accompagner jusqu'à la porte.

Quel était cet accent ? Anglais ? Irlandais ? Écossais ?

— Merci.

La double porte d'entrée, parée d'énormes heurtoirs en argent en forme de tête de dragon, était assez large pour laisser passer un semi-remorque.

Quel accueil ! songea Malory avant qu'une des portes ne s'ouvre, déversant chaleur et lumière sur le perron.

Une femme ravissante apparut. Ses longs cheveux roux très lisses encadraient un visage pâle aux traits parfaits, et ses yeux verts pétillaient avec gaieté. Elle était grande et mince, vêtue d'une longue robe noire fluide. Une amulette en argent ornée d'une grosse pierre translucide pendait entre ses seins.

Avec un sourire éblouissant, elle tendit à Malory une main couverte de bagues. Elle semblait sortir d'un conte de fées.

— Bienvenue, mademoiselle Price. Bel orage, n'est-ce pas ? Mais il ne fait pas bon se trouver dehors, j'imagine. Venez.

Elle garda la main de Malory dans la sienne tandis qu'elle la faisait entrer dans le hall, éclairé par un lustre en cristal aux branches en argent. Le sol en mosaïque représentait les guerriers de l'entrée, ainsi que ce qui semblait être des personnages mythologiques. Malory ne pouvait s'agenouiller pour les observer de près, comme elle aurait aimé le faire, et lorsque ses yeux se posèrent sur les tableaux qui tapissaient les murs jaune d'or, elle retint à grand-peine un cri d'extase.

— Je suis très heureuse que vous ayez pu venir ce soir, reprit la femme. Je m'appelle Rowena. Venez, je vais vous conduire dans le salon. Nous avons fait un bon feu de cheminée. C'est un peu tôt dans la saison, mais avec cette humidité, une flambée s'imposait… La route n'était pas trop mauvaise ?

— Difficile, mais stimulante, mademoiselle…

— Appelez-moi Rowena.

— Rowena. Pourrais-je me rafraîchir avant de me mêler aux autres invités ?

— Naturellement. Voici le cabinet de toilette, dit la maîtresse de maison en désignant une porte sous l'immense escalier. Le salon est la première pièce sur votre droite. Prenez votre temps.

— Merci.

« Cabinet de toilette » était un euphémisme. Six chandeliers posés sur une console en marbre éclairaient et parfumaient la pièce vaste et somptueuse. Des essuie-mains bordeaux bordés de dentelle écrue étaient disposés à côté du lavabo. Le robinet doré en col de cygne étincelait. Ici, le sol en mosaïque représentait une sirène assise sur un rocher, qui souriait à la mer en peignant ses cheveux couleur de flamme.

Après avoir pris soin de s'enfermer, Malory se baissa pour examiner le travail de près. C'était admirable. Certainement ancien, et brillamment exécuté.

Elle se redressa, se lava les mains avec le savon qui sentait le romarin et prit un instant pour contempler la collection de tableaux de nymphes et de sirènes fixés au mur, avant de sortir son nécessaire de maquillage.

Elle ne pouvait pas faire grand-chose pour ses cheveux. Elle les avait tirés en arrière et attachés sur la nuque avec une pince, mais le vent avait ébouriffé ses boucles blond foncé. Après tout, c'était un style. Pas aussi raffiné que celui de son hôtesse, mais cela lui allait assez bien. Elle se poudra le nez et remit un peu de rouge à lèvres rose pâle. Un bon investissement. La subtilité allait parfaitement à son teint laiteux.

Elle avait payé son tailleur un prix exorbitant, certes, mais une femme avait bien droit à quelques faiblesses, se dit-elle en lissant sa jupe d'une main. Et puis, le bleu ardoise était parfaitement assorti à ses yeux, et cette coupe ajustée lui donnait un air à la fois professionnel et élégant. Elle referma son sac et redressa le menton.

— Allez, Mal. Au boulot.

Elle sortit en s'obligeant à ne pas se pâmer devant chaque peinture. Ses talons résonnaient sur le carrelage. Elle aimait ce bruit. Puissant. Féminin.

En passant sous la première arcade sur sa droite, elle ne put étouffer un petit cri d'admiration.

Elle n'avait jamais rien vu de tel ailleurs que dans un musée : des antiquités si amoureusement entretenues que leurs surfaces brillaient comme des miroirs, des tonalités intenses et riches prouvant un flair d'artiste, des tapis, des coussins, des draperies aussi extraordinaires que l'étaient les tableaux et les sculptures.

Elle ne rêva plus alors que de passer des heures dans ce lieu et de se repaître de cette merveilleuse lumière, de ces somptueuses couleurs. Le malaise qu'elle avait ressenti en parvenant aux abords de la maison était complètement oublié.

— J'ai mis cinq bonnes minutes avant d'arrêter d'écarquiller les yeux, après être entrée.

Malory eut un sursaut et se retourna vivement. Une femme se tenait à côté de la fenêtre. Ses épais cheveux bruns étaient coupés au carré et bouffaient entre sa mâchoire et ses épaules. Elle devait mesurer un peu moins d'un mètre quatre-vingts – soit quinze bons centimètres de plus que le petit mètre soixante-deux de Malory –, et sa taille était mise en valeur par un élégant pantalon noir et une veste qui lui arrivait aux genoux.

Elle traversa la pièce pour rejoindre Malory, une flûte de champagne à la main. Ses yeux au regard franc étaient d'un brun sombre et profond. Elle avait un nez droit et fin, une bouche large, dépourvue de maquillage. Quand elle sourit, une discrète fossette apparut sur sa joue.

— Je m'appelle Dana. Dana Steele.

— Malory Price. Enchantée. J'aime beaucoup votre veste.

— Merci. Je suis soulagée de vous voir. Cet endroit est magnifique, mais, toute seule, je ne m'y sentais pas très rassurée. Il est presque 20 h 15, ajouta-t-elle en tapotant le cadran de sa montre. Les autres invités auraient déjà dû arriver.

— Où est la femme qui m'a accueillie ? Rowena ?

Dana pinça les lèvres et jeta un coup d'œil vers la porte.

— Elle va et vient sans faire de bruit, fluide, sublime et mystérieuse. Il paraît que nos hôtes nous rejoindront bientôt.

— Qui sont-ils ?

— Je n'en ai pas la moindre idée. Dites-moi, ne vous ai-je pas déjà rencontrée dans Pleasant Valley ?

— C'est possible. Je suis la gérante de La Galerie. Pour l'instant…

— Ah, bien sûr. J'y ai vu une ou deux expositions. Et parfois, je passe juste y jeter un coup d'œil cupide. Je travaille à la bibliothèque…

Elle s'interrompit, et Malory et elle se tournèrent toutes deux vers Rowena, qui venait de réapparaître.

— Je vois que vous avez fait connaissance. Parfait. Que puis-je vous offrir à boire, mademoiselle Price ?

— La même chose que Dana.

— Bien.

Aussitôt surgit une serveuse en uniforme qui portait deux flûtes sur un plateau d'argent.

— Je vous en prie, grignotez quelque chose et installez-vous confortablement.

— J'espère que le mauvais temps n'a pas découragé les autres invités, dit Dana.

Rowena sourit.

— Je suis certaine que toutes les personnes attendues seront là sous peu. Si vous voulez bien m'excuser une petite minute…

Sur ce, elle disparut de nouveau.

— C'est franchement bizarre, commenta Dana en prenant un canapé. Délicieux, mais bizarre.

— Fascinant, ajouta Malory.

Elle but une petite gorgée de champagne, en passant un doigt sur une sculpture en bronze qui représentait une fée allongée.

— Je continue à me demander pourquoi j'ai reçu cette invitation.

Dana hocha la tête et prit un autre amuse-gueule.

— Personne d'autre de la bibliothèque n'a été invité. Personne que je connaisse non plus, d'ailleurs. Je commence à regretter de ne pas avoir demandé à mon frère de m'accompagner. Il est doué pour repérer les embrouilles.

Malory sourit malgré elle.

— Vous ne vous exprimez pas comme une bibliothécaire. Et vous n'en avez pas non plus l'air.

— J'ai brûlé toutes mes robes Laura Ashley il y a dix ans.

Dana haussa une épaule désinvolte. Agitée, presque agacée, elle pianota sur sa flûte.

— Je leur donne encore dix minutes, et je m'en vais.

— Si vous partez, moi aussi.

Dana s'approcha de la fenêtre et regarda la pluie tomber contre le carreau.

— Quelle soirée épouvantable ! À vrai dire, la journée tout entière a été épouvantable. Faire le trajet jusqu'ici pour deux coupes de champagne et trois canapés, c'est la cerise sur le gâteau.

— Comme je vous comprends ! Je ne suis venue ce soir que dans l'espoir de nouer des relations pour La Galerie. Histoire de protéger mon job, ajouta Malory en levant sa flûte et en feignant de porter un toast. Le job en question étant récemment devenu très précaire.

— Le mien aussi. Entre les réductions budgétaires et le copinage, mon poste a été « réajusté », et je ne travaille plus que vingt-cinq heures par semaine. Comment espèrent-ils que je vive avec ça ? Et comme par hasard, mon propriétaire vient d'augmenter mon loyer.

— Ma voiture fait un drôle de bruit, et j'ai dépensé l'argent réservé à son entretien pour ces chaussures.

Dana les regarda.

— Elles sont superbes. Mon ordinateur m'a lâchée ce matin.

Cette surenchère commençait à amuser Malory. Elle se détourna de la toile qu'elle admirait et haussa les sourcils.

— J'ai traité la jeune épouse de mon patron de bimbo et j'ai renversé du café sur son tailleur.

— Là, vous gagnez.

Dans un esprit de camaraderie, Dana fit tinter sa flûte contre celle de Malory.

— Et si nous allions chercher notre déesse galloise pour lui demander ce qui se passe ici ?

— Vous pensez donc qu'elle vient du pays de Galles ?

— Exactement. Je…

Elle se tut en entendant un bruit de talons sur le carrelage.

Malory remarqua d'abord les cheveux : noirs et courts, avec une frange épaisse si rectiligne qu'elle avait dû être tracée à la règle. En dessous brillaient de grands yeux fauves. La nouvelle venue avait un visage triangulaire, rosi par l'excitation, la nervosité ou un excellent maquillage. À voir la manière dont elle triturait son petit sac noir, Malory penchait pour la nervosité.

La jeune femme portait une jolie robe courte d'un rouge éclatant qui dévoilait des jambes superbes perchées sur des talons d'au moins dix centimètres.

— Bonsoir.

Sa voix était presque un souffle, et son regard voletait à travers la pièce.

— Euh… elle a dit que je devais entrer.

— Joignez-vous à la fête – si l'on peut appeler ça ainsi. Je suis Dana Steele, et voici ma compagne non moins éberluée, Malory Price.

— Je m'appelle Zoé McCourt.

Elle avança timidement d'un pas, comme si elle craignait que quelqu'un ne lui dise qu'il y avait eu une erreur et ne la jette dehors.

— Seigneur ! Cette maison… on se croirait dans un film ! C'est… enfin, c'est magnifique et tout, mais j'ai toujours l'impression que ce type effrayant en smoking va débouler.

— Vincent Price [1] ? Je n'ai aucun lien de parenté avec lui, soit dit en passant, déclara Malory en souriant. Si je comprends bien, vous n'êtes pas plus au courant que nous de ce qui se passe ici ce soir ?

— Non. À mon avis, j'ai été invitée par erreur, mais…

Elle s'interrompit en voyant un serveur arriver avec une flûte sur un plateau.

— Oh, merci, fit-elle en prenant la flûte précautionneusement. Oui, c'est indubitablement une erreur. Mais je ne pouvais pas rater l'occasion de venir. Où sont les autres invités ?

— Bonne question, fit Dana en inclinant la tête, tandis que Zoé buvait une petite gorgée de champagne. Vous êtes de Pleasant Valley ?

— Oui. Enfin, depuis trois ans seulement.

— Connaissez-vous d'autres personnes qui aient reçu une invitation pour ce soir ? demanda Malory.

— Non. Justement, j'ai interrogé les gens autour de moi, et c'est sûrement ce qui m'a valu de me faire virer. On a le droit de se servir d'amuse-gueule ?

— Vous avez été virée ? répéta Malory en échangeant un regard avec Dana. Drôle de coïncidence…

---

1. Vincent Price est l'un des grands noms du cinéma fantastique d'après guerre (*NdT*).

— Carly, la propriétaire du salon de coiffure où je travaillais, m'a fichue dehors, expliqua Zoé en s'approchant du plateau de canapés. Elle m'a entendue parler de cette soirée avec une cliente, et ça l'a mise hors d'elle. Hum, ce truc est absolument divin.

Un peu plus détendue qu'à son arrivée, elle poursuivit :

— Ça faisait des mois que Carly me cherchait noise. Je suppose qu'elle était vexée de ne pas avoir reçu d'invitation. Bref, la voilà qui m'annonce qu'il manque vingt dollars dans la caisse. Je n'ai jamais rien volé de ma vie, je vous le jure.

Elle but une nouvelle gorgée de champagne.

— Et hop, elle me vire. Mais peu importe. Je trouverai un autre boulot. De toute façon, ça ne me plaisait pas, de bosser là-bas.

Elle avait beau parler d'un ton assuré et désinvolte, l'appréhension se lisait dans ses yeux.

— Vous êtes coiffeuse, alors ? demanda Malory.

— Oui. Conseillère en coiffure et cosmétique, pour faire chic. Je ne suis pas le genre de fille qu'on invite à des soirées mondaines dans des manoirs, c'est pourquoi je pense qu'il s'agit d'une erreur.

Malory réfléchit et secoua la tête.

— Je ne crois pas que Rowena soit le genre de personne à commettre des erreurs.

— Alors, je ne sais pas. Je ne voulais pas venir, puis je me suis dit que ça me changerait les idées. Mais vous avez bien failli ne pas me voir : ma voiture a encore refusé de démarrer. Heureusement, j'ai pu emprunter celle de la baby-sitter.

— Vous avez un bébé ? demanda Dana.

— Ce n'est plus un bébé. Simon a neuf ans. C'est un chouette garçon. Et je m'en ficherais pas mal d'avoir perdu mon boulot si je n'avais pas un enfant à élever. Je ne les ai pas volés, ces vingt dollars de merde…

Elle s'interrompit et devint écarlate.

— Pardon, je suis désolée. Il faut croire que le champagne me délie la langue.

— Ne vous inquiétez pas pour ça, dit Dana en posant une main sur son bras. Vous voulez qu'on vous dise quelque chose d'étrange ? Mon boulot vient d'être réduit d'un tiers, et mon salaire avec. Je ne sais pas ce que je vais devenir. Quant à Malory, elle pense qu'elle ne va pas tarder à perdre son emploi.

— C'est vrai ? s'exclama Zoé en les dévisageant tour à tour. C'est dingue, comme coïncidence !

— Et personne parmi les gens que nous connaissons n'a été invité ce soir, ajouta Malory, avant de baisser la voix pour conclure : À mon avis, il n'y aura que nous trois, d'ailleurs.

— Je suis bibliothécaire, vous êtes coiffeuse, Malory tient une galerie d'art, résuma Dana. Qu'avons-nous en commun ?

— Chacune de nous est sans emploi ou en situation précaire, fit Malory en fronçant les sourcils. Ce seul fait est étrange si l'on considère que Pleasant Valley ne compte que cinq mille habitants. Quelle est la probabilité pour que trois personnes perdent leur job en même temps dans la même petite ville ? Nous sommes toutes d'ici. Nous sommes toutes des femmes. Et nous avons toutes à peu près le même âge, non ? J'ai vingt-huit ans.

— Vingt-sept, dit Dana.

— Et moi, j'aurai vingt-sept ans en décembre, dit Zoé en frissonnant. C'est vraiment trop bizarre.

Elle posa sa flûte de champagne, soudain dégrisée.

— Je suggère que nous allions chercher Rowena et que nous lui posions quelques questions, déclara Dana. On se serre les coudes, les filles, d'accord ?

Zoé déglutit et hocha la tête.

— À partir de maintenant, je suis votre nouvelle meilleure amie. Et on va se tutoyer, ajouta-t-elle.

— Quel plaisir de vous voir, mesdemoiselles.

Au son de cette voix, les trois jeunes femmes se retournèrent d'un même mouvement. Un homme se tenait sur le seuil.

Il sourit et pénétra dans la pièce.

— Bienvenue à Warrior's Peak.

2

L'espace d'un instant, Malory crut que l'un des guerriers de la grille avait pris vie. L'homme possédait la même beauté virile, la même carrure puissante que les statues. Ses cheveux, noirs comme l'orage, bouclaient autour de son visage aux traits fermes et décidés.

Il avait des yeux bleu nuit. Elle sentit leur pouvoir, un éclair de chaleur le long de sa peau, quand leurs regards se croisèrent. Elle n'était pas le genre de femme à se monter la tête, mais l'orage, l'ambiance, la férocité de son regard lui donnèrent l'impression qu'il lisait dans ses pensées.

Puis il détourna les yeux, et le charme fut rompu.

— Je m'appelle Pitte. Merci infiniment d'honorer de votre présence ce qui est, pour l'instant, notre demeure.

Il prit la main de Malory et la porta à ses lèvres. Son geste était à la fois courtois et digne.

— Mademoiselle Price.

Pitte s'approcha ensuite de Zoé et lui baisa également la main, avant d'en faire autant avec Dana.

— Mademoiselle McCourt... Mademoiselle Steele.

Un coup de tonnerre fit sursauter Malory. « Allons, se dit-elle, ce n'est qu'un homme. Et ce n'est qu'une maison. » Il fallait qu'elle se ressaisisse.

— Vous avez une demeure très intéressante, monsieur Pitte, déclara-t-elle.

— N'est-ce pas ? Asseyez-vous donc. Ah, Rowena. Je crois que vous avez déjà rencontré ma compagne, mesdemoiselles.

Il prit le bras de Rowena lorsqu'elle vint à ses côtés. Ils formaient un couple parfaitement assorti.

— Prenons place, suggéra Rowena en désignant les fauteuils placés devant la cheminée. Mettons-nous à l'aise.

— Je crois que nous serions à l'aise si vous nous disiez pourquoi nous avons été convoquées ici, déclara Dana en faisant un pas sur ses bottes à talons hauts.

— Certainement, mais rien de tel qu'un bon feu et du champagne pour braver la tempête. Dites-moi, mademoiselle Price, que pensez-vous de notre collection d'œuvres d'art ?

— J'avoue qu'elle est impressionnante.

Malory jeta un coup d'œil à Dana derrière elle et laissa Rowena la conduire vers un siège devant la cheminée.

— Vous avez dû consacrer énormément de temps à rassembler toutes ces œuvres.

Rowena éclata de rire.

— Énormément, en effet. Pitte et moi apprécions la beauté sous toutes ses formes. En fait, on pourrait même dire que nous la révérons. Vous aussi, sans doute, étant donné votre profession.

— L'art est une réponse en soi.

— En effet. L'art représente la lumière de toute ombre. Et, mademoiselle Steele, il faut absolument que vous voyiez la bibliothèque avant de repartir. J'espère que vous l'apprécierez.

Elle fit distraitement signe au domestique qui entrait avec un seau à champagne en cristal.

— Que serait le monde sans littérature ? poursuivit-elle.

— La littérature est le monde.

Curieuse, prudente, Dana s'assit.

— Je crois qu'il y a eu une erreur, intervint Zoé, qui demeurait en retrait. Je ne connais rien à l'art avec un grand A. Quant aux livres... enfin, je lis, bien sûr, mais...

— Asseyez-vous, je vous en prie, dit Pitte en l'emmenant gentiment vers un fauteuil. Détendez-vous. Je suis persuadé que votre fils va bien.

Elle se crispa, et ses yeux fauves lancèrent des éclairs.

— Évidemment qu'il va bien.

— La maternité est une forme d'art, ne croyez-vous pas, mademoiselle McCourt ? Une œuvre en cours de réalisation, du type le plus essentiel, le plus vital. Une œuvre qui requiert de la générosité et du courage.

— Avez-vous des enfants ?

— Non, je n'ai pas reçu ce don, répondit Pitte en effleurant Rowena.

Puis il leva son verre.

— À la vie. Et à tous ses mystères.

Ses yeux étincelaient par-dessus le bord du verre.

— Vous n'avez rien à craindre. Personne ici ne souhaite autre chose pour vous que la fortune, le bonheur et le succès.

— Pourquoi ? demanda Dana. Vous ne nous connaissez pas, bien que vous sembliez vous être renseignés à notre sujet.

— Vous êtes une femme intelligente et directe, mademoiselle Steele. Une femme qui cherche des réponses.

— Et je n'en obtiens aucune.

Il sourit.

— Mon espoir le plus cher est que vous découvriez toutes les réponses. Pour commencer, j'aimerais vous raconter une histoire. C'est une soirée propice aux récits.

Il se cala dans son siège. Comme celle de Rowena, sa voix était mélodieuse et forte, sensuelle et teintée d'un accent indéfinissable. Le genre de voix idéal pour raconter une histoire par une nuit d'orage.

28

Malory se détendit légèrement. Qu'avait-elle de mieux à faire, après tout, que de boire du champagne, confortablement installée dans cette maison fantastique, en écoutant un étrange et séduisant inconnu ?

Et puis, qui sait ? Peut-être pourrait-elle faire venir Pitte à La Galerie et lui proposer des œuvres à ajouter à sa collection.

— Il y a bien longtemps, dans un pays montagneux tapissé de verdoyantes forêts, vivait un jeune dieu. Fils unique, il était adoré de ses parents. Fort et doté d'une grande beauté physique, il avait également un cœur vaillant et généreux. Il était destiné à suivre les dignes traces de son père et avait été élevé pour devenir le dieu-roi, au jugement sûr et aux actes rapides.

« Les dieux avaient béni ce monde dans lequel régnait la paix. Partout on pouvait se repaître de beauté, de musique, de l'art sous toutes ses formes, de contes et de danses. C'était un lieu empreint d'harmonie et d'équilibre.

Pitte s'interrompit pour boire une gorgée de vin et les dévisagea l'une après l'autre.

— Derrière le Rideau du pouvoir, à travers le voile du Rideau des rêves, les dieux surveillaient le monde des mortels. Les dieux mineurs avaient le droit de se mêler aux mortels et de s'accoupler à leur guise avec eux. C'est ainsi que naquirent les fées, les esprits, les sylphes et autres êtres magiques. Certains trouvèrent le royaume des mortels plus à leur goût que celui des dieux et le peuplèrent. Certains, bien sûr, furent corrompus par les pouvoirs, par le monde des mortels, et changèrent. Telle est la loi de la nature, même chez les dieux.

Pitte se pencha pour prendre un canapé au caviar.

— Vous connaissez des histoires de magie et de sorcellerie, des contes de fées et des récits fantastiques. En tant que spécialiste des livres, mademoiselle Steele, avez-vous déjà réfléchi à la façon dont ces contes sont devenus partie intégrante de la culture ? À la racine de vérité d'où ils ont jailli ?

Dana frissonna, déjà fascinée.

— Si, par exemple, Arthur des Celtes a existé en tant que roi guerrier, comme beaucoup de spécialistes et de scientifiques le croient, son image n'est-elle pas largement plus exaltante et plus puissante si on l'imagine à Camelot avec son ami et conseiller Merlin, l'archétype du druide celte ? N'est-il pas plus passionnant de penser qu'il a été conçu avec l'aide de la sorcellerie et couronné roi souverain parce que, jeune homme, il a tiré de la roche Excalibur, l'épée magique ?

— J'adore cette légende, intervint Zoé. Enfin, excepté la fin, qui me paraît plutôt injuste. Mais je me demande si…

Elle se tut, et Pitte l'encouragea :

— Je vous en prie, continuez.

— Eh bien, j'ai l'impression que la magie a dû exister autrefois, avant que l'instruction ne nous convainque du contraire, termina-t-elle rapidement, mal à l'aise d'être le centre de l'attention. Je veux juste dire que peut-être… cette magie, nous l'avons enfermée quelque part parce que nous nous sommes mis à raisonner et à avoir besoin de logique et de réponses scientifiques à tout.

— Voilà qui est bien dit, approuva Rowena. Une fois ses jouets remisés au fond du placard, l'enfant oublie leur magie en grandissant. Croyez-vous à l'émerveillement, mademoiselle McCourt ? Aux miracles ?

— J'ai un fils de neuf ans. Il me suffit de le regarder pour croire aux miracles. Et je préférerais que vous m'appeliez Zoé.

Le visage de Rowena s'éclaira.

— Merci. Pitte ?

— Ah, oui. Le conte n'est pas terminé. Comme le voulait la tradition, en atteignant sa majorité, le jeune dieu fut envoyé de l'autre côté du Rideau pendant une semaine, afin de côtoyer les mortels, d'apprendre leurs coutumes, d'étudier leurs faiblesses et leurs forces, leurs qualités et leurs défauts. Il rencontra là-bas une jeune fille d'une grande beauté et d'une grande vertu. En la voyant, il l'aima ; en l'aimant, il voulut la posséder. Mais elle lui était interdite par les règles de son royaume, et il sombra dans l'accablement. Il cessa de manger, de boire et ne s'intéressa à aucune des jeunes déesses qu'on lui présenta. Ses parents, troublés de le voir dans un tel désarroi, faiblirent. S'ils ne pouvaient donner leur fils au monde des mortels, ils pouvaient élever la jeune fille au leur.

— Ils l'ont kidnappée ? demanda Malory.

— Non, répondit Rowena en remplissant les flûtes, car l'amour ne peut être volé. L'amour résulte d'un choix. Or le jeune dieu voulait l'amour.

— L'a-t-il eu ? s'enquit Zoé.

— La jeune mortelle choisit le dieu-roi, l'aima et renonça à son monde pour rejoindre celui de son aimé.

Pitte posa les mains sur ses genoux.

— La colère gronda dans le royaume des dieux, dans le monde des mortels et dans l'univers intermédiaire des fées et des elfes. Aucun mortel n'avait le droit de franchir le Rideau. Or cette loi essentielle venait d'être transgressée. Une femme mortelle avait été emmenée de son monde vers celui des dieux pour épouser leur futur roi sans raison plus importante que l'amour.

— Qu'y a-t-il de plus important que l'amour ? demanda Malory.

Cette question lui valut un regard calme de Pitte.

— Certains répondraient rien, d'autres diraient l'honneur, la vérité, la loyauté. Quoi qu'il en soit, pour la première fois de mémoire de dieux, il y eut dissension et rébellion. L'équilibre était anéanti. Le jeune dieu-roi, couronné à présent, était fort et le supporta, ainsi que sa femme mortelle, qui était belle et sincère. Certains fléchirent et acceptèrent ce bouleversement, d'autres se mirent à comploter.

Sa voix avait pris soudain un accent outré, et sa froide indignation rappela de nouveau à Malory les statues de pierre.

— Les combats livrés franchement pouvaient être étouffés, mais les autres, fomentés en secret, sapaient les fondations du monde.

« Il advint que la femme du dieu-roi donna naissance à trois enfants, trois filles, des demi-déesses aux âmes mortelles. À leur naissance, leur père leur offrit à chacune une précieuse amulette, pour les protéger. Elles découvrirent le monde de leur père, et celui de leur mère. Leur beauté et leur innocence adoucirent bien des cœurs, apaisèrent bien des courroux. Pendant plusieurs années, la paix régna de nouveau. Et les filles du dieu-roi devinrent de belles jeunes femmes très attachées les unes aux autres, douées chacune d'un talent qui mettait en valeur ceux des deux autres et les complétait.

Il marqua une pause, puis reprit :

— Elles ne faisaient de mal à personne, n'apportaient que lumière et beauté de part et d'autre du Rideau. Mais dans les ténèbres, certains les jalousaient et convoitaient ce qu'elles possédaient. Par la sorcellerie, malgré toutes les précautions, elles furent emmenées dans le demi-monde. Le sort qui leur fut jeté les plongea dans le sommeil éternel. Endormies, elles furent renvoyées de l'autre côté du Rideau, leurs âmes mortelles emprisonnées dans un écrin fermé par trois verrous. Jusqu'à ce jour, même le pouvoir de leur père n'a pu les briser. Tant que les clés, la première, la deuxième et la troisième, n'ouvriront pas les serrures, les trois jeunes filles resteront enfermées dans un sommeil enchanté, et leurs âmes pleureront dans une prison de verre.

— Où se trouvent les clés ? demanda Malory. Et pourquoi la boîte ne peut-elle s'ouvrir par enchantement, puisque c'est ainsi qu'elle a été fermée ?

— L'endroit où se trouvent les clés est une énigme. Beaucoup de formules magiques ont été invoquées, beaucoup de sorts ont été jetés pour ouvrir l'écrin, et tous ont échoué. Mais il existe des indices. Les âmes étant mortelles, seules des mains mortelles peuvent tourner les clés.

— Mon invitation disait que j'étais la clé, fit Malory en jetant un coup d'œil vers Dana et Zoé, qui hochèrent la tête en signe d'approbation. Qu'avons-nous à voir avec cette légende ?

— J'ai quelque chose à vous montrer, dit Pitte en se levant. J'espère que cela va vous intéresser.

— La tempête a l'air de s'aggraver, je ferais mieux de rentrer chez moi, remarqua Zoé en se tournant vers la fenêtre avec inquiétude.

— De grâce, faites-moi le plaisir de rester.

— Nous repartirons toutes ensemble, déclara Malory en posant une main rassurante sur le bras de Zoé. Voyons juste ce que Pitte veut nous montrer.

Elle suivit leurs hôtes et ajouta :

— J'espère que vous m'inviterez une autre fois. J'adorerais admirer votre collection d'œuvres d'art au complet. Et peut-être me ferez-vous l'honneur de venir à La Galerie ?

— Nous serions ravis que vous reveniez, répondit Pitte. Ce sera un plaisir pour Rowena de discuter de notre collection avec quelqu'un qui la comprend et l'apprécie.

Il se tourna vers une voûte.

— J'espère que cet objet en particulier vous émouvra.

Au-dessus d'une autre cheminée dans laquelle crépitait un feu, un tableau montait jusqu'au plafond. Les couleurs en étaient si éclatantes, si intenses, le style si audacieux et si fort que le cœur de Malory fit un bond. Le tableau représentait trois ravissantes jeunes femmes vêtues d'amples robes saphir, rubis et émeraude. Celle qui était en bleu, avec ses boucles dorées qui cascadaient jusqu'à sa taille, était assise sur un banc près d'un bassin et tenait une petite harpe d'or. À ses pieds, agenouillée sur des dalles d'argent, la fille en rouge posait une main sur le genou de sa sœur – car il était évident pour Malory que les trois jeunes femmes ne pouvaient qu'être sœurs – et tenait un rouleau manuscrit et une plume d'oie. À côté d'elles se trouvait la fille en vert, avec un petit chiot noir dans les bras et une fine dague en argent à la taille.

Elles étaient entourées de fleurs et d'arbres d'où pendaient une profusion de fruits qui ressemblaient à des pierres précieuses. Dans le ciel céruléen voletaient des oiseaux et des fées.

Fascinée, Malory s'approchait déjà pour observer le tableau de plus près quand son cœur manqua un battement. La fille en bleu avait son visage.

Elle était plus jeune. Et incontestablement plus belle. Sa peau était plus lumineuse, son regard plus intense et plus bleu, sa chevelure plus claire et plus voluptueuse, mais la ressemblance était frappante. Autant que celle des deux autres sœurs avec ses compagnes, Zoé et Dana, constata Malory en se ressaisissant.

— C'est un tableau magnifique, commenta-t-elle d'une voix calme, malgré le bourdonnement dans ses oreilles. Un véritable chef-d'œuvre.

— Mais… elles nous ressemblent ! s'étonna Zoé en venant se placer à côté de Malory. Comment est-ce possible ?

— Bonne question, fit Dana d'un ton soupçonneux. Comment avons-nous pu servir de modèles à ces portraits, qui sont visiblement ceux des trois sœurs dont vous venez de nous raconter l'histoire ?

— Ce tableau a été peint bien longtemps avant votre naissance, répondit Rowena. Et même avant celle de vos grands-parents et de vos arrière-grands-parents.

Elle s'approcha du tableau et se tint dessous, les bras croisés.

— On peut vérifier son ancienneté grâce à des tests, n'est-ce pas, Malory ?

— Oui. Il est possible d'estimer approximativement son âge, mais quel qu'il soit, cela ne répond pas à la question de Zoé.

— En effet, admit Rowena avec un sourire approbateur et amusé. Que voyez-vous d'autre dans ce tableau ?

Malory sortit de son sac une paire de lunettes à monture noire et rectangulaire. Elle les chaussa et se pencha.

— Une clé, dans le coin droit du ciel. De loin, elle ressemble à un oiseau. Une autre clé là, sur la branche d'un arbre, presque cachée par le feuillage et les fruits. Et une troisième, à peine visible sous la surface du bassin. On distingue une ombre dans les arbres. La silhouette d'un homme… ou d'une femme, peut-être. Une forme sombre, qui observe. Une autre ombre glisse sur le carrelage en argent, au premier plan. Un serpent. Ah, et là, à l'arrière-plan…

Perdue dans la contemplation de la toile, elle monta sur la marche de l'âtre presque sans s'en rendre compte.

— Il y a un couple, un homme et une femme qui s'étreignent. La femme est richement vêtue, de mauve, ce qui symbolise une femme de haut rang. L'homme porte des vêtements de soldat. De guerrier. Un corbeau vole dans le ciel juste au-dessus d'eux – symbole d'une catastrophe imminente. D'ailleurs, le ciel à cet endroit est plus sombre, avec des éclairs. Une menace. Les sœurs n'ont pas conscience du danger. Elles regardent devant elles, unies, leurs couronnes étincellent dans le soleil qui baigne cette partie du tableau. On devine entre elles la solidarité et l'affection, et la colombe blanche, ici, sur le rebord du bassin, incarne leur pureté. Elles portent toutes une amulette, de la même forme et de la même dimension, dont la pierre reflète la couleur

35

de leur robe. Elles forment une entité, tout en ayant chacune leur propre personnalité. C'est fabuleux. On croirait presque les voir respirer.

— Vous avez un œil pénétrant, déclara Pitte en touchant le bras de Rowena. Cette toile est le joyau de notre collection.

— Mais vous n'avez toujours pas répondu à la question, insista Dana.

— La magie n'a pas pu rompre le sortilège qui a enfermé les âmes des filles du roi dans un écrin de verre. On a fait appel à des enchanteurs, à des magiciens et à des sorcières de tous les mondes, mais rien n'a pu conjurer le maléfice. Un autre sort a donc été jeté : dans ce monde, à chaque génération, naissent trois femmes destinées à se réunir en un même lieu et en même temps. Elles ne sont pas sœurs, ce ne sont pas des déesses, ce sont de simples mortelles. Et elles sont les seules à pouvoir libérer les innocentes.

— Et vous voulez nous faire croire que nous sommes ces femmes, sous prétexte que nous ressemblons par hasard aux trois sœurs de ce tableau ? s'exclama Dana en fronçant les sourcils.

Quelque chose lui chatouillait la gorge, mais ce n'était pas l'envie de rire.

— Rien n'arrive par hasard. Et le fait que vous le sachiez ou non n'y change pas grand-chose, déclara Pitte en tendant une main vers elles. Vous êtes les élues, et je suis chargé de vous l'annoncer…

— Eh bien, c'est fait. Maintenant, nous allons…

— Je suis également chargé de vous faire la proposition suivante, coupa Pitte. Vous aurez toutes les trois, chacune à votre tour, une phase de la lune pour trouver l'une des trois clés. Si, dans les vingt-huit jours, la première d'entre vous échoue, ce sera terminé. En revanche, si elle réussit, la deuxième pourra commencer sa quête. Mais si elle échoue dans le délai imparti, ce sera terminé.

Si les trois clés sont rapportées en ce lieu avant la fin de la troisième lune, vous recevrez une récompense.

— Une récompense ?

— Un million de dollars. Chacune.

— Rien que ça ! s'écria Dana avec ironie, avant de se tourner vers ses deux compagnes. Allons, les filles, ça ne tient pas debout. C'est facile de nous promettre des sommes pareilles pour nous lancer sur la piste de trois clés qui n'existent même pas !

— Mais si elles existaient, répliqua Zoé, les yeux brillants, ne voudrais-tu pas essayer de les trouver ? Avoir une chance de gagner cet argent ?

— Quelle chance ? Le monde est vaste, tu sais. Comment pourrait-on y dénicher trois petites clés en or ?

— Chacune de vous recevra des indications quand son tour viendra, déclara Rowena en désignant une petite commode. Mais vous pourrez travailler ensemble, toutes les trois. En fait, nous l'espérons. Vous devez impérativement être d'accord. Si l'une de vous refuse, tout est annulé. Si vous relevez le défi selon les conditions établies, vous recevrez, quoi qu'il advienne, vingt-cinq mille dollars. Vous les conserverez, que vous réussissiez ou que vous échouiez.

— Une petite minute, fit Malory en retirant ses lunettes. Vous dites que si nous acceptons simplement de chercher ces trois clés, nous recevrons vingt-cinq mille dollars ? Sans autre engagement de notre part ?

— Cette somme sera déposée sur le compte de votre choix, promit Pitte. Immédiatement.

— Mon Dieu ! s'exclama Zoé en battant des mains. Mon Dieu ! répéta-t-elle en s'asseyant lourdement. C'est un rêve !

— C'est une arnaque, oui, rétorqua Dana. Où est le piège ? Où est la clause écrite en tout petits caractères ?

— Si vous échouez, la pénalité sera une année de votre vie.

— Quoi ? Nous passerons un an en prison, vous voulez dire ? s'écria Malory.

— Non. Une année de votre vie sera supprimée.

— Pouf ! fit Dana en claquant des doigts. Comme par enchantement.

— Les clés existent, dit Rowena. Pas dans cette maison, mais dans cette région du monde. Nous n'avons pas le droit de vous en révéler davantage, bien que nous puissions vous guider quelque peu. La quête n'est pas simple, c'est pourquoi vous serez récompensées de l'avoir tentée. Je vous en prie, prenez le temps d'y réfléchir. Pitte et moi allons vous laisser en discuter en privé.

Elle fit signe à une domestique d'apporter une table roulante sur laquelle était servi du café, puis ils quittèrent la pièce.

Dana prit un petit gâteau à la crème sur la table roulante et décréta :

— Ils sont complètement cinglés, ces deux-là. Si vous envisagez une seconde d'entrer dans le jeu de ces illuminés, votre place est ici, dans cet asile de fous.

— Laisse-moi juste te rappeler une chose, dit Malory en ajoutant deux sucres dans une tasse de café. Vingt-cinq mille dollars. Chacune.

— Tu ne crois pas sérieusement qu'ils vont débourser une somme pareille simplement parce qu'on va leur dire : « Ah, oui, d'accord, on veut bien les chercher, ces clés qui ouvrent la boîte renfermant les âmes d'un trio de demi-déesses. »

— Il n'y a qu'une manière de le savoir.

— Elles nous ressemblent, intervint Zoé, qui était restée figée sous le tableau et le contemplait fixement. Elles nous ressemblent tellement...

— C'est vrai, et ça donne la chair de poule, fit Dana. Nous ne nous connaissions pas avant ce soir, et ce n'est vraiment pas rassurant de penser que quelqu'un nous a observées, a pris des photos de nous ou nous a dessinées ou je ne sais quoi, afin de pouvoir réaliser ce tableau.

— Cela ne ressemble pas à un tableau fait à la va-vite, objecta Malory en tendant une tasse à Dana. C'est une œuvre magistrale, d'une qualité exceptionnelle. La personne qui l'a peinte a passé énormément de temps sur cette toile. Cela représente un travail considérable. S'il s'agit d'une escroquerie, elle est drôlement élaborée. D'ailleurs, à quoi bon nous escroquer, nous ? Personnellement, je suis fauchée. Et vous ?

— À peu de choses près, moi aussi, reconnut Dana.

— Moi, j'ai quelques économies, dit Zoé, mais elles vont vite me filer entre les doigts si je ne retrouve pas rapidement un travail. Ces gens-là ne sont sûrement pas intéressés par le peu que nous possédons.

— Nous sommes donc bien d'accord. Tu veux du café, Zoé ?

— Oui, merci.

Zoé se tourna vers les deux autres et écarta les mains.

— Écoutez, vous ne me connaissez pas et vous n'avez aucune raison d'être sensibles à mes arguments, mais franchement, je ne cracherais pas sur cet argent. Vingt-cinq mille dollars, ce serait un miracle, pour moi. Ça me donnerait la possibilité de faire ce que j'ai vraiment envie de faire. D'ouvrir mon propre petit salon. Nous n'avons qu'à dire oui. Et chercher des clés, pourquoi pas ? Cela n'a rien d'illégal.

— Il n'y a pas de clés, insista Dana.

— Et s'il y en avait ? répliqua Zoé en posant sa tasse sans y goûter. Avec vingt-cinq mille dollars, on peut se permettre d'y croire un peu. Et je ne parle même pas du million…

Elle émit un petit rire éberlué.

— Rien que d'y penser, j'ai l'estomac qui fait des sauts périlleux.

— Ça ne me déplairait pas de jouer à la chasse au trésor, renchérit Malory. Ça pourrait être amusant. Mais j'avoue que ma priorité est plutôt financière. Moi aussi, je pourrais avoir ma propre galerie d'art. Un petit truc modeste, bien sûr.

Cet élément ne devait intervenir que dix ans plus tard d'après son plan de vie, mais elle savait s'adapter.

Dana secoua la tête.

— Il doit y avoir anguille sous roche. Personne ne vous donne de l'argent parce que vous promettez que vous allez faire quelque chose.

— Peut-être que Pitte et Rowena croient vraiment à cette histoire, ajouta Malory. Dans ce cas, vingt-cinq mille dollars, c'est de la roupie de sansonnet. Je vous rappelle qu'il s'agit d'âmes, quand même.

Incapable de s'en empêcher, elle retourna vers le tableau.

— Une âme vaut bien un million.

L'excitation lui donnait envie de sauter sur place. Jamais elle n'avait vécu ce genre d'aventure.

— Ils ont de l'argent, ils sont excentriques, et ils y croient. Alors, pourquoi pas ?

— Tu es prête à te lancer ? demanda Zoé en lui saisissant le bras. Tu vas accepter ?

— Ce n'est pas tous les jours qu'on est payé pour travailler pour les dieux. Allez, Dana, laisse-toi convaincre.

Dana avait les sourcils froncés.

— Nous risquons les pires ennuis. Ça sent déjà le roussi.

— Que ferais-tu, toi, avec vingt-cinq mille dollars ? demanda doucement Malory en lui offrant un autre petit-four.

— J'ouvrirais une petite librairie.

Elle poussa un soupir nostalgique, signe qu'elle commençait à fléchir.

— J'y servirais du thé l'après-midi, du vin le soir. J'organiserais des lectures. Mon Dieu…

— C'est curieux, nous traversons toutes les trois une crise professionnelle et nous aspirons toutes à avoir un endroit à nous…

Zoé coula un œil soupçonneux vers le tableau.

— Vous ne trouvez pas cela bizarre ?

— Pas plus bizarre que de se retrouver dans cette forteresse et de discuter d'une chasse au trésor. Je ne sais pas quoi vous dire… marmonna Dana. Si je refuse, vous serez toutes les deux déçues, et si j'accepte, j'aurai l'impression d'être une imbécile… Eh bien, conclut-elle en soupirant, il faut croire que j'en suis une.

— C'est oui ?

Zoé poussa un petit cri de joie et se jeta dans les bras de Dana.

— C'est formidable ! Mon Dieu, c'est fou !

— Calme-toi, pouffa Dana en tapotant le dos de Zoé. Je crois que le moment est venu de lancer le grand slogan : « Une pour toutes, toutes pour une ! »

— J'en ai un meilleur, dit Malory, qui reprit sa tasse et la leva pour porter un toast. « Envoyez la monnaie. »

À cet instant précis, la porte se rouvrit. Rowena entra la première, suivie de Pitte.

— Nous avons décidé d'accepter le…

Zoé s'interrompit et regarda Dana.

— Le défi.

— Bien, fit Rowena en s'asseyant et en croisant les jambes. Vous allez donc lire attentivement les contrats.

— Les contrats ? répéta Malory.

— Naturellement. Un nom a du pouvoir. Écrire son nom revient à s'engager, c'est pourquoi vous devez signer un contrat. Lorsque ce sera fait, nous choisirons la première clé.

Pitte sortit des papiers d'un secrétaire et tendit un jeu de documents à chacune des trois jeunes femmes.

— Ces contrats sont simples et couvrent les conditions que nous avons évoquées. N'oubliez pas de préciser le nom de votre banque, pour que nous puissions vous verser l'argent.

— Cela ne vous ennuie pas que nous n'y croyions pas ? demanda Malory en désignant le tableau du menton.

— Vous nous donnez votre parole que vous acceptez les conditions. C'est suffisant pour l'instant, répondit Rowena.

— Ça m'a l'air rudement correct, pour une affaire aussi extraordinaire, commenta Dana, tout en se promettant de montrer le contrat à un avocat dès le lendemain matin.

Pitte lui tendit un stylo en répondant :

— Aussi correct que vous l'êtes. Quand votre heure viendra, je sais que vous ferez tout ce qui est en votre pouvoir.

Un éclair illumina la pièce pendant que les contrats étaient signés, puis contresignés.

— Vous êtes les élues, décréta Rowena en se levant. À présent, tout repose sur vous. Pitte ?

Il retourna vers le secrétaire et prit un coffret en bois marqueté.

— Vous trouverez à l'intérieur trois disques. L'un d'eux possède le symbole d'une clé. Celle qui le choisira commencera la quête.

— Pourvu que ce ne soit pas moi, fit Zoé.

Avec un petit rire gêné, elle essuya ses paumes moites sur ses cuisses.

— Excusez-moi, ça me rend un tantinet nerveuse, toute cette affaire.

Elle ferma les yeux et prit un disque, qu'elle garda serré dans ses doigts.

— On regardera toutes les trois ensemble, d'accord ? suggéra-t-elle en se tournant vers les deux autres.

— D'accord. J'y vais.

Dana prit un disque et le plaqua contre elle pendant que Malory en faisait autant.

— Voilà.

Elles se tinrent en cercle, puis regardèrent leurs disques.

— Hum.

Malory s'éclaircit la gorge.

— C'est mon jour de chance, murmura-t-elle en voyant la clé en or gravée sur le disque blanc qu'elle avait pioché.

— Vous êtes la première, dit Rowena en s'approchant d'elle. Votre cycle commence demain matin au lever du soleil et se termine à minuit dans vingt-huit jours.

— Mais j'ai droit à un indice, n'est-ce pas ? Une carte ou quelque chose ?

Rowena ouvrit la petite commode et y prit un papier qu'elle tendit à Malory. Puis elle prononça les mots qui y étaient écrits :

— Tu chercheras beauté, vérité et courage. Isolé, un des trois éléments ne saurait subsister. Deux sans le troisième sont incomplets. Cherche en toi et découvre ce qui te reste encore à apprendre. Trouve ce que convoite tout particulièrement l'obscurité. Cherche au-dehors, là où la lumière l'emporte sur l'ombre. Des larmes d'argent sont versées pour le chant qu'elle crée, car elle est issue des âmes. Regarde au-delà, regarde à travers, vois où s'épanouit la beauté et où chante la déesse. Tu rencontreras peut-être la peur, tu rencontreras peut-être des tourments, mais à cœur vaillant rien d'impossible. Dès que tu auras trouvé ce que tu cherches, l'amour rompra le sortilège, le cœur forgera la clé et l'amènera à la lumière.

Malory attendit un instant.

— C'est tout ? C'est ça, mon indice ?

— Comme je suis contente de ne pas être tombée la première ! se félicita Zoé.

— Vous ne pouvez rien me dire de plus ? insista Malory. Pitte et vous savez déjà où se trouvent les clés, n'est-ce pas ?

— Nous n'avons pas le droit de vous en révéler plus, mais vous avez déjà tout ce dont vous avez besoin, dit Rowena.

Puis elle posa les mains sur les épaules de Malory et l'embrassa sur les joues.

— Vous avez ma bénédiction.

Plus tard, alors que Rowena se réchauffait les mains devant la cheminée, face au tableau, Pitte vint se placer derrière elle, lui toucha la joue, et elle tourna la tête vers lui.

— Je fondais de plus grands espoirs avant leur arrivée, lui avoua-t-il.

— Elles sont intelligentes, ingénieuses. Les élues sont toujours capables.

— Pourtant, nous restons ici, année après année, siècle après siècle, millénaire après millénaire.

— Arrête, dit-elle doucement.

Elle se retourna, glissa les bras autour de sa taille et se pressa contre lui.

— Ne désespère pas, mon tendre amour, avant que cela ne commence réellement.

— Tant de commencements, et jamais de fin…

Il inclina la tête et l'embrassa sur le front.

— Cet endroit m'oppresse.

— Nous avons fait tout ce que nous pouvions faire, dit-elle en posant la joue contre sa poitrine. Aie confiance en elles. Elles me plaisent, ajouta-t-elle en lui prenant la main pour sortir.

— Elles sont assez intéressantes, admit-il. Pour des mortelles.

Quand ils franchirent la porte, le feu dans la cheminée s'éteignit, ainsi que toutes les lumières, ne laissant qu'une traînée d'or dans les ténèbres.

3

James se montra tout à fait gentil, voire paternaliste. Mais Malory n'en était pas moins virée.

Elle avait beau s'y être préparée et disposer des miraculeux vingt-cinq mille dollars sur son compte bancaire (ce qu'on lui avait confirmé le matin même), cela ne rendait pas la nouvelle plus facile à accepter.

— Les choses évoluent, lui dit d'une voix douce James P. Horace, toujours aussi soigné avec son nœud papillon et ses lunettes à monture invisible.

Depuis toutes ces années qu'elle le connaissait, Malory ne l'avait jamais entendu élever la voix. Il pouvait se montrer distrait, parfois négligent quand il s'agissait des affaires, mais il était d'une gentillesse à toute épreuve.

— J'aime à me considérer comme une sorte de substitut de père, et à ce titre, je souhaite ce qu'il y a de mieux pour toi.

— Bien sûr, James, mais...

— Si nous n'avançons pas dans une direction ou une autre, nous stagnons. Je sais que ce sera sans doute difficile pour toi au début, Malory, mais tu comprendras vite que c'est la meilleure chose qui te soit arrivée.

« Combien de clichés un homme peut-il débiter avant de porter le coup de grâce ? » songea Malory.

— Il faut que tu élargisses tes horizons. La Galerie est devenue trop étriquée pour toi. Tu dois prendre des risques.

La gorge serrée, elle répondit :

— J'adore La Galerie, James…

— Je sais, et tu seras toujours la bienvenue ici. Mais il est temps que je te pousse hors du nid.

« Que vais-je devenir ? Où vais-je aller ? » Les questions se bousculaient dans l'esprit de Malory, qui n'entendit même pas le petit discours de clôture de James.

Puis son ex-patron déposa un baiser bienveillant sur sa joue, lui tapota la tête et se leva.

Toute sa vie allait être bouleversée. Or elle ne se sentait pas prête. Elle n'avait pas de projets, pas de ligne de conduite, pas de plan pour la suite des événements.

L'avenir la terrifiait. Et ce licenciement donnait un sacré coup à son amour-propre.

Après avoir rassemblé ses affaires dans un carton, elle alla faire ses adieux et accueillit avec gratitude les encouragements chaleureux de ses collègues, en particulier ceux de Tod Grist, son ami, confident et associé dans le dénigrement d'autrui. Puis elle rentra chez elle en essayant de refouler la panique qui la tenaillait.

Elle était jeune, cultivée, travailleuse. Elle avait un compte en banque conséquent et la vie entière devant elle, semblable à une toile vierge. À elle d'en choisir les couleurs et de se mettre à l'œuvre.

Mais pour l'instant, il fallait qu'elle se change les idées. Et n'avait-elle pas justement une mission fascinante à exécuter ? Ce n'était pas tous les jours qu'on vous demandait de trouver une clé mystérieuse et d'aider à sauver des âmes.

Elle jouerait le jeu, jusqu'à ce qu'elle ait fait le point sur son avenir professionnel. Après tout, elle avait donné sa parole. Elle allait devoir la tenir. D'une façon ou d'une autre. Dès qu'elle aurait noyé son chagrin dans un bac de glace Ben & Jerry.

Au coin de la rue, elle se retourna vers La Galerie, le cœur lourd. Les yeux embués de larmes, elle poussa un long soupir nostalgique…

… et atterrit durement sur les fesses.

L'objet non identifié qui était entré en collision avec elle envoya voler son carton, avant de lui retomber lourdement dessus. Elle entendit un grognement, suivi d'une sorte de jappement. Le souffle coupé par le poids de la créature sur sa poitrine, elle contempla la gueule noire et hirsute qui frétillait à quelques centimètres de son nez. À l'instant où une énorme langue lui balayait le visage, une voix cria :

— Moe ! Descends ! Au pied ! Mon Dieu, je suis désolé !

Malory reprit son souffle et détourna la tête pour échapper à la langue intruse. Brusquement, la masse qui la clouait au sol se mit à avoir des pattes. Puis une deuxième tête.

Celle-ci était humaine et nettement plus séduisante que la première derrière les lunettes de soleil qui glissaient sur un long nez droit.

— Ça va ? Vous n'êtes pas blessée ?

L'inconnu repoussa le chien, puis s'accroupit entre eux.

— Vous pouvez vous asseoir ?

Il l'aidait déjà à passer à la station assise, nettement plus gracieuse. Le chien essaya de s'en mêler, mais il fut repoussé du coude.

— Toi, couché, espèce de grosse bête stupide. Pas vous, ajouta-t-il avec un petit sourire charmant, en écartant les cheveux de Malory de son visage. Je suis désolé, il est inoffensif, mais complètement idiot et très maladroit.

— Que… qu'est-ce que c'est ?

— Un chien. Selon la rumeur, en tout cas. Il s'appelle Moe. Je pense que c'est un croisement entre un cocker et un mammouth. Je suis vraiment navré. C'est ma faute, j'ai relâché ma vigilance, et il m'a échappé.

Le chien, si c'en était bien un, était accroupi et remuait une queue épaisse comme le bras de Malory, l'air innocent.

— Vous ne vous êtes pas cogné la tête, j'espère ?

— Je ne crois pas, non.

Le propriétaire de Moe la dévisageait avec une calme intensité qui lui fit monter le sang à la tête.

— Qu'est-ce qu'il y a ? demanda-t-elle en fronçant les sourcils.

Flynn ne répondit pas. Elle était belle comme un cœur avec ses boucles blondes, sa peau laiteuse, sa bouche rose et charnue qui faisait la moue et ses grands yeux bleus fascinants. Il réprima l'envie de passer la main dans la masse de ses cheveux dorés.

— Qu'est-ce que vous regardez comme ça ?

— Je m'assure que vous n'avez pas de petites étoiles dans les yeux – des yeux superbes, au passage. La chute a tout de même été brutale. Au fait, je m'appelle Flynn.

— J'en ai un peu assez d'être assise sur le trottoir. Est-ce que vous pourriez...

— Ah. Oui.

Il se leva, lui prit les mains et l'aida à se remettre debout.

Il était plus grand qu'elle ne l'aurait cru et, machinalement, elle recula, afin de ne pas avoir à lever la tête pour soutenir son regard. Le soleil faisait briller ses épais cheveux bruns aux reflets auburn. Il avait gardé ses mains dans les siennes et les serrait assez fermement pour qu'elle sente les légères callosités de ses doigts.

— Vous êtes sûre que tout va bien ? Vous n'avez pas la tête qui tourne ? Vous êtes tombée de haut.

— Je sais, oui.

Douloureusement consciente de la partie de son anatomie qui avait heurté le trottoir en premier, Malory s'accroupit et entreprit de ramasser le contenu de son carton.

— Laissez-moi faire.

Il s'accroupit à côté d'elle, en pointant un doigt vers le chien qui commençait à se rapprocher d'eux avec la discrétion d'un éléphant dans la savane africaine.

— Reste tranquille, toi, sinon c'est la punition.

— Ce n'est pas la peine de m'aider. Reprenez juste votre chien.

Elle ramassa prestement sa pochette de maquillage d'urgence et la jeta dans le carton. En voyant qu'elle s'était cassé un ongle, elle éprouva l'envie stupide de pleurer. Estimant qu'il valait mieux crier que fondre en larmes, elle reprit avec colère :

— Vous n'avez rien à faire sur la voie publique avec un chien de cette taille si vous êtes incapable de le maîtriser.

— Vous avez raison, absolument raison. Euh… ce doit être à vous, je suppose ?

Il lui tendait un soutien-gorge noir sans bretelles.

Mortifiée, Malory le lui arracha des mains et le fourra dans le carton.

— Allez-vous-en, maintenant. Le plus loin possible, s'il vous plaît.

— Écoutez, laissez-moi porter ce…

— Portez plutôt votre stupide chien, répliqua-t-elle.

Sur ce, elle s'éloigna avec autant de dignité que les circonstances le lui permettaient.

Flynn la regarda partir tandis que Moe venait appuyer contre lui sa considérable masse. Il lui caressa distraitement la tête, tout en admirant la démarche indignée et féminine de la créature en jupe courte.

— Ravissante, dit-il à voix haute, avant de s'engouffrer dans un bâtiment un peu plus loin dans la rue.

Il jeta un coup d'œil à Moe.

— Bon travail, face de nouille.

Après une douche brûlante et une glace aux pépites de chocolat – et aux vertus thérapeutiques –, Malory se rendit à la bibliothèque. Elle n'avait convenu d'aucun rendez-vous avec Dana, la veille, mais elles étaient censées être associées, et Malory estimait que c'était à elle de prendre l'initiative, étant la première à s'engager dans la quête.

Il fallait qu'elles se réunissent pour discuter de l'indice et élaborer un plan d'action. Malory n'espérait pas sérieusement toucher le million de dollars, mais elle ne s'avouerait pas vaincue avant d'avoir essayé.

La partie principale de la bibliothèque était spacieuse, et les tables presque toutes vacantes. Le silence religieux fut soudain troublé par la sonnerie stridente d'un téléphone portable. Malory se tourna vers l'endroit d'où venait le bruit et vit Dana, un téléphone à l'oreille, qui pianotait sur le clavier d'un ordinateur.

Dana lui fit un signe de tête et acheva sa conversation, puis déclara :

— J'espérais bien que tu viendrais, mais je ne pensais quand même pas te voir si tôt.

— Me voici désormais avec beaucoup de temps libre.

— Oh, fit Dana avec compassion. Tu t'es fait virer ?

Malory hocha la tête.

— Proprement virer, puis malproprement renverser par un imbécile et son chien en rentrant chez moi. Dans l'ensemble, une sale journée, malgré l'état de mon compte en banque.

— Tu as vu ? Je n'en revenais pas ! Ces deux énergumènes sont fous à lier.

— Tant mieux pour nous. Mais il va falloir mériter cet argent, maintenant. Je ne sais pas trop par où commencer.

— Moi, je sais. Jan ? Tu peux me remplacer au bureau ?

Dana se leva et prit une pile de livres sur le comptoir.

— Suis-moi, dit-elle à Malory. Il y a une table à côté de la fenêtre où tu seras bien installée pour commencer tes recherches.

— Mes recherches ?

— J'ai trouvé plusieurs bouquins sur la mythologie celte – les dieux et les déesses, les traditions et les légendes. Je penche pour les Celtes puisque Rowena est galloise et Pitte irlandais.

— Comment sais-tu qu'il est irlandais ?

— En tout cas, il en a l'accent. Pour l'instant, je ne connais pas grand-chose aux mythes celtes. Je suppose que toi non plus ?

— Non.

Dana posa les livres.

— Eh bien, il est temps de t'instruire. Je termine dans deux heures et demie. Ensuite, je pourrai te donner un coup de main. Et j'appelle Zoé, si tu veux.

Malory contempla la pile d'ouvrages.

— Bonne idée. Par où dois-je commencer ?

— Prends-en un au hasard. Je vais te chercher un cahier.

Au bout d'une heure, Malory avait la tête sur le point d'exploser. En voyant arriver Zoé, elle retira ses lunettes et frotta ses yeux fatigués.

— Ouf, du renfort.

— Désolée d'avoir été si longue. Je faisais des courses. J'ai acheté à Simon le jeu vidéo dont il rêvait depuis des siècles, je n'ai pas pu m'en empêcher. J'ai eu envie de le gâter un peu, pour une fois. Je n'ai jamais possédé autant d'argent, chuchota-t-elle. Il faut que je sois raisonnable, je sais, mais si on ne peut pas s'amuser un peu, à quoi bon vivre, hein ?

— Tu prêches une convaincue. Passe un peu de temps sur ces bouquins, et tu verras que tu as bien mérité cet argent. Bienvenue dans le monde cinglé des Celtes. Dana doit avoir un autre cahier, si tu veux prendre des notes…

— J'ai apporté le mien.

Zoé tira d'un énorme fourre-tout un cahier épais comme une brique et une boîte de crayons à papier bien taillés.

— On va la trouver, cette clé. Je le sais, déclara-t-elle avec enthousiasme, en ouvrant un livre.

Quand Dana les rejoignit, Malory avait rempli des pages entières de notes, vidé son stylo et emprunté un crayon à Zoé.

— Si nous allions nous installer chez mon frère? proposa Dana. Il habite au coin de la rue. Comme il travaille, il ne sera pas là pour nous déranger. On aura plus de place, et vous me ferez un résumé de ce que vous avez découvert jusqu'à présent.

— Volontiers, fit Malory en se levant, tout ankylosée.

— Je ne pourrai rester qu'une petite heure, annonça Zoé. Je veux être à la maison quand Simon rentrera de l'école.

— Alors, allons-y tout de suite, dit Dana.

— Je me demande si on va tirer grand-chose de tous ces bouquins, soupira Malory tandis qu'elles sortaient de la bibliothèque.

Dana mit ses lunettes de soleil, puis les abaissa pour fixer un regard sévère sur Malory.

— On trouve des tas de choses passionnantes, dans les livres.

— Il faudrait aussi réfléchir à l'indice.

— Sans renseignements sur l'histoire que Pitte et Rowena nous ont racontée, nous n'avons aucune base de réflexion, objecta Dana, bibliothécaire jusqu'au bout des ongles.

— Nous avons quatre semaines devant nous, leur rappela Zoé. C'est suffisant pour se documenter. Rowena a dit que les clés étaient par ici. Ce n'est pas comme si nous devions faire le tour du monde.

— Par ici, cela peut signifier Pleasant Valley ou les collines, voire tout l'État de Pennsylvanie, ajouta Malory en secouant la tête à cette perspective. Et même si elles sont toutes proches, elles peuvent se trouver dans un vieux tiroir poussiéreux chez quelqu'un qu'on ne connaît pas, ou au fond d'une rivière, dans un coffre-fort à la banque, sous un rocher...

— Si c'était facile, elles auraient déjà été trouvées, répliqua Zoé. Et la récompense ne s'élèverait pas à trois millions de dollars.

— Arrête d'être rationnelle quand je vitupère.

— Pardon, mais un autre détail me tracasse. Voilà : à supposer que les clés existent et que nous en trouvions une, comment saurons-nous que c'est la première clé, et pas l'une des deux autres ?

— Intéressant, commenta Malory. Étonnant que les deux zozos n'y aient pas songé...

— À mon avis, ils y ont songé, justement. Vous comprenez, nous devons d'abord nous dire que c'est réel...

Dana haussa les épaules.

— Nous avons toutes les trois reçu l'argent promis, et nous marchons chargées d'un tas de bouquins sur la mythologie celte. Pour moi, c'est du réel.

— Donc, en admettant que tout soit réel, Malory ne peut trouver que la première clé. Même si elle tombe sur les deux autres, elle ne les verra pas. Et nous non plus, tant que ce ne sera pas notre tour de chercher.

Dana s'arrêta et jeta un coup d'œil à Zoé.

— Tu crois réellement à ces salades ?

Zoé rougit et haussa les épaules.

— J'aimerais bien. C'est tellement fantastique et... important. Je n'ai jamais rien fait de fantastique ni d'important.

Elle leva les yeux vers l'étroite maison victorienne de deux étages. La façade était bleu-gris, les encadrements des fenêtres écrus.

— C'est ton frère qui habite là ? demanda-t-elle à Dana. J'ai toujours adoré cette maison.

— Il la restaure petit à petit. C'est un peu son hobby. Vous allez voir, c'est très... dépouillé.

L'herbe devant la maison était verte et bien tondue, mais cela manquait de fleurs, songea Malory. De couleur et de texture.

Dana sortit une clé et ouvrit la porte.

L'entrée était vide, hormis quelques cartons entassés dans un coin. L'escalier, dont le pilastre était orné d'une tête de griffon, avait une courbe charmante. Le salon était peint d'un chaud vert sombre qui faisait ressortir le parquet couleur miel. Le seul meuble était un canapé énorme, écossais et hideux, qui gâchait le charme de la pièce. Il y avait des cartons dans tous les coins, y compris devant l'adorable petite cheminée.

— Il vient d'emménager, on dirait, commenta Zoé en promenant son regard autour d'elle.

— Oui. Il y a un an et demi ! fit Dana en posant ses livres sur la caisse qui tenait lieu de table basse.

— Cela fait plus d'un an qu'il vit ici, et son seul meuble est cet horrible canapé ? s'étonna Malory.

— Il a tout de même quelques trucs pas trop mal en haut. C'est le premier étage qu'il occupe. Il n'y a sûrement rien à manger, mais si vous avez soif, je devrais dénicher de la bière, du café et du Coca.

— Du Coca Light ? demanda Malory.

— Voyons, c'est un garçon, ironisa Dana.

— Alors, je vais vivre dangereusement et prendre du vrai Coca.

— Moi aussi, merci, dit Zoé.

— Je reviens. Installez-vous. Le canapé est affreux, mais confortable.

— Un si merveilleux espace gâché par un homme capable d'acheter du mobilier aussi laid… se lamenta Malory.

— Tu t'imagines vivre ici ? demanda Zoé. On se croirait dans une maison de poupée. Enfin, dans une grande maison de poupée. Je passerais mon temps à y jouer, à chercher des trésors pour la décorer, à m'occuper de peinture et de tissus d'ameublement...

— Moi aussi, soupira Malory.

Elle observa sa compagne. Bien qu'elle fût simplement vêtue d'un jean et d'une chemise en coton, Zoé était branchée et sensuelle. Dire qu'à l'âge où elle avait eu son bébé, Malory en était encore à chercher sa robe pour le bal de fin d'année du lycée ! Pourtant, elles étaient là toutes les deux, réunies dans une vaste pièce vide, chez un inconnu, à nourrir des pensées identiques.

— C'est étrange, ce qu'on a en commun. Étrange aussi qu'on habite dans une ville relativement petite et qu'on ne se soit jamais rencontrées avant hier soir.

— Chez quel coiffeur vas-tu ?

— Carmine, au centre commercial.

— C'est une bonne adresse. Chez Carly, où je travaillais, les clientes sont des femmes qui veulent la même coiffure tous les mois. Toute leur vie, je crois.

Elle roula ses grands yeux dorés.

— Je comprends que tu ailles ailleurs. Tu as des cheveux superbes. Ton coiffeur t'a déjà suggéré de couper cinq ou six centimètres ?

— Couper ?

Instinctivement, la main de Malory vola vers ses cheveux.

— Juste pour leur retirer un peu de poids. Ta couleur est fabuleuse.

— C'est naturel, répondit Malory. Enfin, presque.

Elle rit et laissa retomber sa main.

— J'ai l'impression que tu regardes mes cheveux comme je regarde cette pièce : en te demandant ce que tu en ferais si tu avais carte blanche.

— Voilà le Coca, et j'ai aussi déniché un paquet de gâteaux, annonça Dana. Alors, où en sommes-nous, pour l'instant ?

— Je n'ai rien trouvé qui mentionne trois filles nées d'un jeune dieu et d'une mortelle.

Malory but une gorgée de Coca à même la canette.

— Mon Dieu, j'avais oublié à quel point c'était sucré ! Je n'ai rien trouvé non plus sur des âmes emprisonnées ni sur des clés. Tout ce qu'il y a dans ces livres, c'est des noms bizarres comme Lug, Rhianna, Anu ou Danu et des récits de batailles.

Elle sortit son cahier et l'ouvrit. Dana jeta un coup d'œil à ses notes et sourit.

— Je parie que tu étais du genre première de la classe, toi.

— Pourquoi ?

— Tu es parfaitement organisée. Regarde, tu as fait un plan ! Et des graphiques. Et même des diagrammes ! ajouta-t-elle en lui prenant le cahier des mains.

Malory éclata de rire et récupéra son cahier.

— Comme je m'apprêtais à le dire avant qu'on ne raille mon remarquable style de recherche méthodique, les dieux celtes meurent. Apparemment, ils ressuscitent, mais on peut tout de même les tuer. Ils habitent sur terre, parmi les mortels, et non dans un lieu supérieur. C'est toute une organisation, tout un protocole.

Dana s'assit en tailleur.

— Rien qui puisse ressembler à une métaphore concernant des clés ?

— Si oui, ça m'a échappé.

— D'après les légendes celtes, les artistes sont des dieux et des guerriers, intervint Zoé. Ou l'inverse. Je veux dire, l'art, la musique, les contes, tout cela a énormément d'importance. Et il existe des déesses mères. La maternité est essentielle. Ainsi que le chiffre trois. On pourrait donc dire qu'il y a Malory l'artiste...

L'espace d'un bref instant, le cœur de Malory se serra.

— Je ne suis pas artiste, je vends des œuvres d'art.

— Quoi qu'il en soit, tu connais l'art, reprit Zoé. Comme Dana connaît les livres. Moi, je connais la maternité.

— Exactement, approuva Dana avec un grand sourire. Et cela nous donne à chacune un rôle dans cette histoire. Rowena a parlé de beauté, de vérité et de courage. Dans le tableau, Malory – appelons les trois sœurs par nos noms pour simplifier – joue d'un instrument : musique, art, donc beauté. Moi, je tiens un parchemin et une plume : livre, connaissance, donc vérité. Et Zoé a une dague et un bébé chien : innocence, protection, donc courage.

— Ce qui signifie ? demanda Malory.

— Nous pouvons supposer que la première clé, la tienne, se trouve dans un endroit qui a un rapport avec l'art et la beauté.

— Parfait. Je la récupérerai tout à l'heure en rentrant à la maison, plaisanta Malory.

Elle remua un livre avec son orteil.

— Et s'ils avaient tout inventé ? Toute l'histoire ?

— Je ne peux pas croire qu'ils aient inventé une fable pareille juste pour qu'on se décarcasse à chercher trois clés imaginaires.

Songeuse, Dana mordit dans un gâteau.

— Quoi que nous puissions penser, eux, ils y croient. Il doit donc bien y avoir un fondement, une origine à cette légende ou à ce mythe qu'ils nous ont raconté hier soir. Et cette origine a forcément été consignée dans un livre.

— Justement… fit Zoé. Celui que je lisais expliquait qu'une grande partie de la mythologie et des légendes celtes n'avait jamais été écrite. Les contes se transmettaient oralement.

— Satanés bardes, grommela Dana. Alors, Pitte et Rowena doivent tenir cette histoire de quelqu'un qui l'a entendue quelque part, et ainsi de suite.

— Il faudrait peut-être qu'on se renseigne sur eux, en fait. Qui sont ces deux énergumènes ? demanda Malory.

D'où sont-ils originaires ? Comment peuvent-ils se permettre de telles largesses ? D'où vient leur richesse ?

— Mais oui, tu as raison ! s'écria Dana. J'aurais dû y songer plus tôt. Je connais quelqu'un qui pourra nous aider.

Elle jeta un coup d'œil vers la porte d'entrée, dans laquelle tournait une clé.

— Et comme par hasard, le voilà.

Elles entendirent un claquement, un grattement, puis un juron. La combinaison était juste assez familière pour que Malory se presse les doigts sur les tempes.

— Jésus Marie Joseph…

Au moment où ces mots sortaient de sa bouche, l'immense chien noir fit irruption dans la pièce. Sa queue s'agitait furieusement, sa langue pendait. Dès qu'il aperçut Malory, ses yeux se mirent à briller. Il poussa une série d'aboiements assourdissants et lui sauta dessus.

4

Flynn vit trois choses quand il se précipita dans le salon à la poursuite de son chien : sa sœur assise par terre en train de rire aux éclats, une jolie brune debout à l'extrémité du canapé qui tentait héroïquement de déloger Moe et, pour son plus grand plaisir, la jeune femme qui avait monopolisé son esprit presque tout l'après-midi, à moitié étouffée par le corps de Moe et ses manifestations d'affection passionnées.

— Assez, Moe ! Couché ! Ça suffit, maintenant !

Il ne s'attendait pas que le chien obéisse. Moe n'en faisait qu'à sa tête – il essayait toujours, du moins. Il n'y avait qu'une solution : pousser l'animal.

Il dut s'allonger. Peut-être s'allongea-t-il un peu plus qu'il n'était nécessaire. Mais elle avait des yeux bleus magnifiques, même s'ils lui lançaient des éclairs.

— Salut. Enchanté de vous revoir.

Elle serra les dents.

— Faites-le partir de là !

— Hé, Moe ! Un gâteau ! cria Dana.

Ce fut efficace. Moe sauta par-dessus la caisse, attrapa au vol le gâteau dans la main tendue de Dana, puis atterrit. La réception aurait pu être gracieuse s'il n'avait dérapé sur le parquet et glissé sur deux ou trois mètres.

— Ça marche toujours, le coup du gâteau, commenta Dana.

Moe vint glisser son museau sous son bras.

— Il est géant, ce chien! s'exclama Zoé en tendant la main vers Moe, qui la lécha abondamment. Et amical.

— Pathologiquement amical.

Malory brossa les poils noirs que Moe avait laissés sur sa chemise en lin impeccable.

— C'est la deuxième fois aujourd'hui qu'il me saute dessus.

— Il aime les filles, expliqua Flynn en retirant ses lunettes noires, qu'il jeta sur la caisse. Au fait, vous ne m'avez pas dit votre nom.

— Oh, alors, c'est toi, l'imbécile avec son chien, fit Dana. J'aurais dû m'en douter. Je te présente Malory Price. Et Zoé McCourt. Les filles, voici mon frère, Flynn. Vous pouvez le tutoyer.

— Tu es Michael Flynn Hennessy?

Accroupie pour caresser l'oreille de Moe, Zoé leva les yeux vers Flynn.

— M. F. Hennessy, du *Valley Dispatch*?

— En chair et en os.

— J'ai lu des tas d'articles de toi, et je ne rate jamais ta chronique. J'ai adoré celle de la semaine dernière, sur le projet de téléski de Lone Ridge et son impact sur l'environnement.

— Merci. Vous êtes en pleine réunion d'un club du livre? On va servir du thé et des petits gâteaux?

— Non, mais si tu as une minute, assieds-toi, dit Dana en tapotant le sol. Nous allons tout te raconter.

Mais ce fut sur le canapé, à côté de Malory, que Flynn prit place.

— Malory Price? De La Galerie, c'est ça?

— Plus maintenant, répondit-elle avec une grimace.

— J'y suis allé deux ou trois fois, mais manifestement je t'ai ratée. Ce n'est pas moi qui couvre l'art et les spectacles au journal. Je constate à présent mon erreur.

60

Maintenant qu'il avait ôté ses lunettes, Malory pouvait voir ses yeux. Des yeux du même vert soutenu que les murs, remarqua-t-elle.

— Je doute que La Galerie ait quoi que ce soit qui s'assortisse à ton mobilier.

— Tu n'aimes pas mon canapé, pas vrai ?

— C'est un euphémisme.

— Il est très confortable, intervint Zoé.

Flynn se tourna vers elle et sourit.

— C'est un canapé spécialement conçu pour faire la sieste. On s'allonge, on ferme les yeux, et peu importe à quoi il ressemble. *La Mythologie celte*, lut-il en tournant la tête pour déchiffrer les titres des livres étalés sur la caisse. *Mythes et légendes des Celtes*.

Il prit un volume, le tourna entre ses mains et regarda sa sœur :

— De quoi s'agit-il ?

— Je t'ai raconté que je devais aller à un cocktail à Warrior's Peak, tu te rappelles ?

Le visage de Flynn se durcit soudain.

— Je croyais t'avoir dissuadée d'y aller. Ça me paraissait suspect que personne de ma connaissance n'ait reçu d'invitation.

— Tu crois vraiment que je suis tes conseils ? demanda Dana en prenant son Coca.

— Non.

— Bon. Alors, je vais t'expliquer ce qui s'est passé.

Flynn écouta attentivement son récit détaillé et sortit même un bloc de sa poche arrière pour prendre des notes. Malory remarqua, en s'appliquant à ne pas paraître intéressée, qu'il écrivait en sténo.

— Les trois sœurs de verre, marmonna-t-il en continuant à griffonner.

— Quoi ? s'exclama Malory.

Sans réfléchir, elle lui prit le poignet.

— Tu connais cette histoire?

— Une version de l'histoire, en tout cas.

Certain à présent d'avoir retenu son attention, il se tourna vers elle. Leurs genoux se touchèrent.

— Ma grand-mère irlandaise m'a raconté des tas d'histoires.

— Comment se fait-il que tu n'aies pas reconnu celle-ci? demanda Malory à Dana.

— Dana n'a pas de grand-mère irlandaise.

— En fait, nous sommes demi-frère et demi-sœur, expliqua Dana. Mon père a épousé la mère de Flynn quand j'avais huit ans.

— Ou ma mère a épousé son père quand j'avais onze ans. Question de point de vue.

Il prit dans ses mains une mèche de cheveux de Malory et joua avec jusqu'à ce qu'elle lui tape sur les doigts pour l'écarter.

— Pardon. Cette masse de boucles, c'est tout simplement irrésistible. Bref, ma grand-mère adorait me raconter des histoires quand j'étais petit. Celle-ci ressemble à la légende des trois sœurs de verre. Ce qui n'explique pas pourquoi vous avez été invitées toutes les trois à Warrior's Peak.

— Nous sommes censées retrouver les clés, intervint Zoé en jetant un coup d'œil à sa montre.

— Les clés pour délivrer les âmes des trois sœurs? Cool, déclara Flynn en étendant les jambes sur la caisse et en les croisant. Il est de mon devoir de vous demander comment et pourquoi.

— Si tu voulais bien m'écouter jusqu'au bout… soupira Dana. Voilà : c'est Malory qui commence. Elle a vingt-huit jours, à partir d'aujourd'hui, pour découvrir la première clé. Une fois qu'elle l'aura trouvée, ce sera au tour de Zoé ou au mien. Puis à la troisième et dernière d'entre nous.

— Où se trouve l'écrin qui renferme les âmes?

— Je n'en sais rien. Il est sûrement en possession de Pitte et Rowena. Autrement, les clés ne leur serviraient à rien.

— Tu es en train de me dire que tu gobes ça, toi qui es pragmatique au possible ? Et tu vas passer les trois prochains mois à chercher des clés qui ouvriront un écrin en verre magique où sont enfermées les âmes de trois déesses ?

— Demi-déesses, précisa Malory. Et peu importe ce que nous croyons. Il s'agit d'un marché que nous avons conclu.

— Ils nous ont versé vingt-cinq mille dollars d'avance. À chacune.

— Quoi ?

— Et l'argent est déjà sur nos comptes. Nous avons vérifié.

Emportée par le récit, Malory s'oublia et prit un gâteau. Moe vint aussitôt poser sa large tête sur ses genoux.

— Pourrais-tu rappeler ton chien ?

— Pas tant que tu manges des gâteaux. Alors, ces deux personnes que vous ne connaissez pas vous ont donné vingt-cinq mille dollars pour chercher des clés magiques ? Et en cas d'échec ?

— Nous perdrons un an de notre vie.

— Une année chacune, précisa Zoé en consultant de nouveau sa montre.

— Une année ? Quelle année ?

Elle le contempla fixement.

— Eh bien… la dernière, je suppose. À la fin de notre vie.

— Pourquoi pas cette année ? Ou l'année prochaine ? demanda-t-il en se levant. Ou une année déjà écoulée, au point où nous en sommes ?

— Non, cela ne peut pas être une année déjà écoulée, rétorqua Zoé en pâlissant. Cela changerait tout. Imaginez que ce soit l'année où j'ai eu Simon, ou l'année où j'ai été enceinte ? C'est impossible.

— Bien sûr que c'est impossible. Tout est impossible, dans cette histoire.

Il poussa un soupir excédé et regarda sa sœur.

— Tu as perdu la tête, Dana ? Il ne t'est pas venu à l'esprit que si vous ne trouviez pas les clés, ces gens pourraient devenir méchants ? Personne ne donne autant d'argent à des inconnus. Ce qui signifie que vous n'êtes pas des inconnues pour eux. Ils se sont renseignés sur votre compte.

— Tu n'étais pas là hier soir, répliqua Dana. Tu ne les as pas vus. Ils sont excentriques, mais ce ne sont pas des psychopathes.

— D'ailleurs, ils n'ont aucune raison de nous vouloir du mal, intervint Malory.

Flynn pivota vers elle. Son expression n'était plus du tout aimable, à présent, mais franchement agacée.

— Par contre, ils ont des raisons de vous offrir des milliers de dollars ?

— Je dois y aller, dit Zoé d'une voix tremblante, en prenant son sac. Il faut que je rentre retrouver mon fils.

Dana bondit sur ses pieds.

— Félicitations, Flynn, tu peux être fier de toi. Cette pauvre mère célibataire est terrifiée, maintenant.

Elle courut dans le hall pour rattraper Zoé et la réconforter. Flynn enfonça les mains dans ses poches et dévisagea Malory.

— Tu as peur ?

— Non, mais je n'ai pas un fils de neuf ans. Et je ne crois pas que Pitte et Rowena aient l'intention de nous faire du mal. De toute façon, je sais me défendre.

— Pourquoi les femmes disent-elles toujours ça après s'être fourrées dans le pétrin ?

— Parce que, en général, il suffit que les hommes s'en mêlent pour empirer les choses. Je vais chercher cette clé, comme je l'ai promis. Nous la chercherons toutes les trois. Et tu pourrais participer.

Elle le tenait. Il tripota quelques pièces dans sa poche et réfléchit.

— Si vous trouviez les clés, que devrait-il se passer ? demanda-t-il d'une voix plus calme.

— Les âmes seraient libérées. Et nous gagnerions chacune un million de dollars. Oui, je sais, c'est absurde.

— Aussi absurde que de croire que trois déesses sont actuellement en train de dormir dans des lits en cristal derrière le Rideau des rêves.

— Il y a à Warrior's Peak un tableau qui représente les sœurs de verre. Elles nous ressemblent. C'est un travail superbe. Je m'y connais en art, Hennessy, et ce n'est pas une croûte torchée à la va-vite. C'est un véritable chef-d'œuvre. Cela signifie forcément quelque chose.

Le visage de Flynn se fit attentif.

— Qui en est l'auteur ?

— Il n'est pas signé. Du moins, je n'ai pas vu de signature.

— Alors, comment sais-tu que c'est un chef-d'œuvre ?

— Parce que je le sais. C'est mon métier. L'artiste qui l'a peint avait un incroyable talent, un grand amour et un grand respect de son sujet. Ce genre de chose se voit. Et si Pitte et Rowena voulaient nous nuire, pourquoi ne l'ont-ils pas fait hier soir, alors que nous étions là-bas toutes les trois en plein orage ? Dana est restée seule avec eux, avant mon arrivée. Ils auraient très bien pu la pousser depuis le donjon, puis nous infliger le même sort, à moi et à Zoé. Ou nous empoisonner. Mais ils ne l'ont pas fait. Et je vais te dire pourquoi : parce qu'ils croient à tout ce qu'ils nous ont raconté.

— Et cela te suffit, comme explication ? Qui sont ces gens ? D'où sortent-ils ? Pourquoi sont-ils venus ici ?

— Eh bien, découvre-le, au lieu de faire peur aux gens, déclara Dana en revenant dans le salon.

— Comment va Zoé? s'inquiéta Malory.

— Bien, très bien, maintenant qu'elle s'imagine que son fils va servir de sacrifice humain.

Elle donna un coup de poing dans l'épaule de Flynn.

— Hé, si tu ne voulais pas que je cherche des failles dans votre histoire farfelue, il ne fallait pas venir t'installer chez moi. Racontez-moi plutôt tout ce que vous savez sur cette Rowena et ce Pitte.

Il prit encore des notes et parvint à s'abstenir de tout nouveau commentaire cinglant.

— L'une de vous a-t-elle conservé l'invitation?

Malory sortit la sienne de son sac et la lui donna.

— Je vais voir ce que je peux dénicher.

— L'histoire de ta grand-mère disait-elle où se trouvaient les clés?

— Non, elle précisait simplement qu'elles étaient inaccessibles aux dieux. Ce qui laisse un sacré champ d'investigations.

Une fois Malory partie, Flynn emmena Dana dans la cuisine.

— Vas-tu enfin te décider à refaire cette triste pièce? soupira Dana. C'est absolument hideux.

— Ça viendra, ma belle. En son temps.

Il sortit une bière du réfrigérateur et regarda sa sœur d'un œil interrogateur.

— Je veux bien, oui, acquiesça Dana.

Flynn ouvrit deux canettes et déclara :

— Et maintenant, dis-moi tout ce que tu sais sur la très sexy Malory Price aux beaux yeux bleus.

— Je ne la connais que depuis hier soir !

— Peut-être, mais les femmes devinent des tas de choses sur les autres femmes. Plus une femme en aime ou en déteste une autre, plus elle en sait sur elle. Diverses études scientifiques l'ont prouvé. Réponds, sinon pas de bière.

66

Dana n'avait pas particulièrement eu envie de bière, jusqu'à ce qu'il s'en serve comme élément de chantage.

— Pourquoi t'intéresses-tu à elle ? Pourquoi pas à Zoé ?

— L'intérêt que je porte à Zoé est plus platonique. Et je ne peux pas me lancer dans l'aventure folle et passionnée que j'envisage avec Malory si je ne connais pas tous ses secrets et ses désirs.

— Tu m'écœures, Flynn.

Il porta une canette à ses lèvres et but une longue gorgée de bière, tout en tenant l'autre canette hors de portée de Dana.

Elle haussa les épaules.

— Je ne suis pas comme ton stupide chien qui vient quémander des gâteaux. Je vais te dire ce que je sais sur Malory uniquement pour avoir le plaisir de me moquer de toi quand elle te rembarrera. Je l'aime bien, ajouta-t-elle. Je la crois intelligente, ambitieuse, large d'esprit sans être naïve. Elle vient de se faire virer de La Galerie parce qu'elle s'est disputée avec la nouvelle femme du propriétaire, qu'elle a traitée de bimbo. Cela prouve qu'elle manque de tact et de diplomatie, mais que, au moins, elle est franche. Elle aime les belles fringues et sait les porter. Elle dépense trop pour s'habiller, d'où l'intérêt pour elle de cette manne providentielle. Elle n'a pas de petit ami en ce moment et aimerait lancer sa propre galerie d'art.

Flynn but encore une longue gorgée et commenta :

— Alors, comme ça, elle est libre. Et elle a du cran. Elle a osé se rendre seule en voiture dans la maison la plus effrayante de tout l'ouest de la Pennsylvanie.

— Moi aussi.

— Je ne peux pas avoir une aventure folle et passionnée avec toi, ma belle. Ça ne se fait pas.

— Flynn ! Tu es vraiment ignoble, tu sais !

Mais elle sourit lorsqu'il se pencha pour l'embrasser sur la joue.

— Si tu t'installais ici deux ou trois semaines ?

Elle fronça les sourcils.

— Arrête de me materner, Flynn.

— Impossible.

— Je n'ai déjà pas voulu vivre ici à l'époque où j'étais dans la dèche. Pourquoi le ferais-je maintenant que je suis pleine aux as ? Tu sais bien que j'aime mon indépendance. Toi aussi, d'ailleurs. Donc, tout va pour le mieux. Ne t'en fais pas, les esprits de Warrior's Peak ne viendront pas m'embêter pendant la nuit.

— S'ils étaient des esprits, je m'inquiéterais moins. Enfin, comme tu voudras. Et si tu disais à ta nouvelle copine Malory quel type extraordinaire je suis ? Fin, sensible, exalté…

— Tu me demandes de lui mentir ?

— Dana, tu es méchante, déclara-t-il en avalant une nouvelle gorgée de bière. Et totalement injuste.

Une fois seul, Flynn monta au premier étage et s'installa dans son cabinet. Il préférait ce terme à celui de bureau, auquel était nécessairement associé le concept de travail. Dans un cabinet, on pouvait lire, se reposer, fixer un point en méditant longuement. On pouvait également y travailler, certes, mais ce n'était pas un impératif.

Il avait équipé la pièce d'un bureau massif et de deux larges et profonds fauteuils en cuir. Des armoires renfermaient divers dossiers, et un mur entier était tapissé de reproductions encadrées de pin-up des années quarante et cinquante.

Quand tout le reste dans sa vie partait à vau-l'eau, il aimait s'installer confortablement ici, les étudier et passer une heure de solitude agréable.

Il alluma son ordinateur, trébucha sur Moe, qui s'était déjà affalé sur le plancher, et sortit une deuxième bière du miniréfrigérateur dissimulé sous le bureau.

Puis il s'assit, fit rouler ses épaules et sa tête tel un boxeur avant un combat et se lança sur Internet. S'il existait quoi que ce soit dans le cyberespace au sujet des résidents de Warrior's Peak, il le découvrirait.

Comme toujours, il fut vite captivé par le chant des sirènes de l'information. Sa bière tiédit, une heure s'écoula, puis deux, puis trois, avant que Moe ne donne un bon coup d'épaule à la chaise de Flynn, qui glissa sur ses roulettes jusqu'au milieu de la pièce.

— Arrête, Moe ! Je déteste ça, tu le sais très bien. Laisse-moi encore cinq minutes.

Mais Moe connaissait la rengaine, et il protesta en posant ses massives pattes avant et une bonne partie de son poids sur les cuisses de son maître.

— D'accord, d'accord, on va se promener. Et si par hasard on se retrouve devant la porte d'une certaine blonde, on n'aura qu'à sonner, histoire d'échanger des infos. Et si ça foire, on prendra une pizza au retour. Comme ça, on ne rentrera pas complètement bredouilles.

Le mot « pizza » avait propulsé Moe dans l'escalier. Avant même que Flynn n'arrive en bas, le chien était déjà à la porte d'entrée, sa laisse entre les dents.

Il faisait un temps idéal pour se promener. La soirée était calme et douce, la brise parfumée, la petite ville baignée du soleil de cette fin d'été. Dans ces moments-là, Flynn était heureux de ne pas être parti travailler dans le journal d'une grande ville et d'avoir pris la suite de sa mère au *Dispatch*. Beaucoup de ses amis journalistes avaient fait le grand saut, et la femme qu'il avait cru aimer lui avait préféré New York.

À moins qu'il n'eût préféré Pleasant Valley à cette femme.

Question de point de vue, là encore.

Certes, les nouvelles ici n'avaient pas l'envergure ni le mordant de celles de Philadelphie ou de New York, mais elles ne manquaient pas. Et les événements qui se produisaient à Pleasant Valley n'étaient pas plus dérisoires ni plus frivoles qu'ailleurs.

Justement, il venait de flairer une histoire qui s'annonçait plus énorme et plus croustillante que tout ce que le *Dispatch* avait publié depuis soixante-huit ans que ses rotatives avaient commencé à tourner.

S'il pouvait aider trois filles, notamment sa sœur qu'il aimait beaucoup, et flirter avec une blonde extrêmement séduisante, tout en mettant au jour une grosse escroquerie...

— Fais-lui du charme, ordonna-t-il à Moe, tandis qu'ils approchaient de l'immeuble en brique dans lequel il avait regardé Malory rentrer ce matin-là. Si tu lui sautes dessus tout de suite, nous n'avons aucune chance.

Flynn enroula la laisse deux fois autour de son poignet avant d'entrer dans le bâtiment de douze étages. Par chance, Mlle Price habitait au rez-de-chaussée. Or les appartements du rez-de-chaussée jouissaient de petits patios. Cela lui laissait la possibilité de soudoyer Moe avec le gâteau qu'il avait emporté afin de le faire sortir.

Malory ouvrit, jeta un coup d'œil au chien et à son maître et poussa un soupir.

— Mon Dieu, c'est une plaisanterie !

— Je peux le mettre dehors, dans le patio, dit vivement Flynn. Mais il faut qu'on discute.

— Il va saccager toutes mes fleurs.

— Moe ne saccage jamais rien, mentit Flynn. J'ai un... Je ne peux pas dire le mot qui commence par G, sinon il va s'exciter. Mais j'en ai un dans ma poche. Je vais juste emmener Moe dehors, tranquillement.

— Je ne... commença Malory.

Le museau de Moe fila droit vers son entrejambe. Instinctivement, elle recula. C'était exactement l'invitation qu'attendait Moe, qui s'engouffra dans l'appartement et

70

piétina le tapis persan ancien, sa queue meurtrière manquant de peu le vase art déco rempli de lys.

Terrifiée, Malory courut ouvrir la porte du patio.

— Dehors ! Sors d'ici immédiatement !

Cette injonction était familière à Moe, mais il n'était guère d'accord, étant donné qu'il venait de découvrir tant de choses nouvelles et merveilleuses. Il se contenta de poser son large postérieur par terre et d'attendre.

La dignité n'étant plus à l'ordre du jour, Flynn agrippa le collier de Moe des deux mains et le traîna jusqu'au patio. Puis, hors d'haleine, il attacha la laisse à un tronc d'arbre. Et tandis que Moe se mettait à hurler, il se laissa tomber à genoux devant lui.

— C'est ça, ton numéro de charme ? Tu n'as donc aucun amour-propre ? Aucune solidarité masculine ? Comment puis-je espérer mettre la main sur cette femme si elle nous déteste ? Reste couché, fais-toi oublier, et le monde t'appartiendra. À commencer par ça, ajouta-t-il en sortant le gâteau.

Moe se tut aussitôt et agita la queue.

— Si tu fais tout foirer, la prochaine fois, je te laisse à la maison.

Flynn se releva et adressa un sourire qu'il espérait décontracté à Malory, qui, l'air méfiant, se tenait de l'autre côté de la porte.

Lorsqu'elle la rouvrit et le fit entrer, il prit cela pour une grande victoire.

— Tu as essayé les écoles de dressage ? demanda-t-elle.

— Euh... oui, mais il s'est produit un petit incident. Nous n'aimons pas trop revenir dessus. C'est chouette, chez toi.

C'était élégant, songea-t-il, et féminin – féminin non parce que l'appartement était surchargé de fanfreluches, mais parce que tout y était audacieux, unique et fascinant.

Les murs d'un rose grisé mais soutenu constituaient une toile de fond idéale pour les tableaux. Visiblement,

Malory aimait les antiquités, ou des reproductions qui ressemblaient suffisamment à l'authentique pour que l'on se méprenne.

Et tout était absolument impeccable.

L'appartement respirait la féminité et le raffinement – à l'image de sa propriétaire, supposait-il. Il discerna un fond sonore. Annie Lennox, reconnut-il, qui roucoulait en douceur dans les enceintes.

Il s'approcha d'une toile, le portrait d'une femme qui sortait d'une piscine bleu marine. L'ensemble dégageait une impression de vitesse, de sensualité, de puissance.

— Cette femme est magnifique. Vit-elle dans la mer ou sur terre ?

Malory haussa les sourcils. Au moins, il avait posé une question intelligente.

— Je crois qu'elle n'a pas encore choisi, répondit-elle en étudiant Flynn.

Bizarrement, il lui paraissait plus viril chez elle que sur le trottoir ou dans les vastes pièces dépouillées de sa maison.

— Pourquoi es-tu venu ?

— Eh bien, pour commencer, parce que j'avais envie de te revoir. Tu es vraiment très jolie.

Il enfonça les pouces dans ses poches et la dévisagea.

— Peut-être ce motif te semble-t-il futile, mais moi, je le trouve simplement... élémentaire. Si les gens n'aimaient pas regarder de jolies choses, l'art n'existerait pas.

— Ça t'a pris longtemps pour arriver à cette conclusion ?

Il lui adressa un grand sourire.

— Pas du tout. Je suis très vif d'esprit. Tu as déjà dîné ?

— Non, mais j'ai des projets. Pour quelle autre raison es-tu venu ?

— Débarrassons-nous d'abord de la question numéro un. Tu n'as pas encore de projets pour demain soir, n'est-ce pas ? Veux-tu dîner avec moi ?

— Je ne pense pas que ce soit une bonne idée.

— Parce que je t'agace ? Ou parce que je ne t'intéresse pas ?

— Tu es assez agaçant, il faut l'admettre.

Le regard vert de Flynn pétilla.

— Dès qu'on me connaît un peu, je cesse de l'être. Tu peux poser la question à n'importe qui.

Malory le croyait. Mais quelque chose lui disait que ce garçon devait être une source d'ennuis. De toute façon, malgré son charme, Flynn Hennessy n'était absolument pas son genre.

— J'ai assez de soucis en ce moment sans sortir en plus avec un homme qui a un goût déplorable en matière d'ameublement et des goûts douteux en matière d'animaux de compagnie.

Elle jeta un coup d'œil vers le patio et ne put s'empêcher de rire en voyant l'affreuse tête de Moe appuyée avec espoir contre la vitre.

— Tu ne détestes pas réellement les chiens.

— Bien sûr que je ne déteste pas réellement les chiens. Mais je ne suis pas sûre que cet animal soit un chien.

— Les gens de la SPA m'ont juré que si.

L'expression de Malory s'adoucit.

— Tu l'as eu à la SPA ?

Tiens donc, une entaille dans la carapace de la froide Malory. Bien joué, songea Flynn en s'approchant d'elle pour qu'ils puissent observer Moe ensemble.

— Il était beaucoup plus petit, à l'époque. J'y étais allé pour écrire un papier sur la SPA, et Moe s'est approché de moi en se dandinant et en me regardant avec l'air de dire : « Ah, je t'attendais. On rentre à la maison ? » J'ai craqué.

Elle sourit, puis remarqua qu'ils étaient trop proches et recula.

— J'ai commencé à me renseigner sur vos lascars, reprit Flynn. Liam Pitte. Rowena O'Meara. Du moins, ce sont les noms qu'ils utilisent.

— Pourquoi ne seraient-ce pas leurs vrais noms ?

— Parce que, malgré mon talent et mes compétences hors pair, je n'ai rien trouvé sous ces identités qui colle aux propriétaires de Warrior's Peak. Ni numéros de sécurité sociale, de passeports ou de permis de conduire, ni licence d'aucune sorte accordée à cette mystérieuse société Triad. Pour l'instant, c'est comme si ces deux illuminés avaient surgi du néant.

— J'aimerais en savoir plus sur l'histoire des sœurs de verre. Plus je connaîtrai de détails, plus j'aurai de chances de trouver la clé.

— Je vais appeler ma grand-mère pour qu'elle me raconte toute la légende. Je te dirai ce que j'ai appris demain soir au dîner.

Malory le regarda, puis observa de nouveau le chien. Flynn proposait de l'aider, et elle n'avait que quatre semaines devant elle. Sur le plan personnel, elle ferait en sorte que leur relation reste simple. Amicale, mais simple.

— Ce sera une table pour deux ou pour trois ? demanda-t-elle en désignant Moe du menton.

— Deux.

— D'accord. Passe me chercher à 19 heures.

— Formidable.

— Et tu peux sortir par là, ajouta-t-elle en montrant la porte du patio.

Elle le regarda détacher Moe et vaciller sous le poids du chien qui bondissait avec enthousiasme pour lui lécher le visage. Elle attendit qu'ils aient disparu pour pouffer.

5

La minuscule maison de Zoé se dressait sur un étroit rectangle de gazon. Elle avait été repeinte d'un jaune joyeux, et les encadrements des fenêtres étaient soulignés de blanc. Un parterre de fleurs jetait ses notes colorées de chaque côté de la porte d'entrée.

Dans le jardinet, un jeune garçon lançait une balle haut dans les airs et courait à toute vitesse pour la rattraper. Il ressemblait tellement à sa mère, avec ses cheveux noirs, ses yeux frangés de longs cils et son visage de lutin, que c'en était surnaturel.

En apercevant Malory, il se redressa, les jambes écartées. Il avait l'air méfiant et vaguement arrogant de l'enfant à qui l'on avait rabâché de « ne pas parler aux inconnus », mais qui s'estimait assez vieux et assez malin pour gérer seul ce genre de situation.

— Tu dois être Simon. Je m'appelle Malory Price, je suis une amie de ta mère.

Elle continua à sourire tandis qu'il l'examinait tout en caressant sa balle, et elle regretta de ne rien connaître au base-ball, ce jeu où des tas de joueurs lancent, frappent et essaient de rattraper une balle en courant autour d'un terrain.

— Elle est à l'intérieur. Je vais la chercher.

Aller la chercher consista pour lui à se camper devant la porte d'entrée et à crier :

— Maman ! Il y a une dame dehors qui te demande.

Un instant plus tard, Zoé apparut, un torchon à la main. Malgré son short trop grand, sa vieille chemise et ses pieds nus, elle restait séduisante et sensuelle.

— Oh, Malory ! s'écria-t-elle en refermant prestement un bouton de sa chemise. Je ne m'attendais pas…

— Si je tombe mal, je peux…

— Non, non, pas du tout. Simon, voici Mlle Price, une des dames avec qui je vais travailler pendant quelque temps.

— OK. Salut. Maman, je peux aller chez Scott, maintenant ?

— Oui. Tu veux goûter avant de partir ?

— Non.

Devant la grimace de sa mère, il sourit, déployant soudain un charme irrésistible.

— Je veux dire, non merci.

— Vas-y, alors. Amuse-toi bien.

— Salut !

Il se mit à courir.

— Simon ! appela Zoé sur un ton que les mères, supposa Malory, devaient acquérir *via* des transformations hormonales au cours de la grossesse.

L'enfant s'arrêta brusquement et roula les yeux, mais en veillant à ce que Zoé ne voie rien. Puis il adressa un petit sourire aimable à Malory et dit :

— Content de vous avoir rencontrée, et tout ça.

— Moi aussi, Simon, et tout ça.

Il détala alors, tel un prisonnier enfin libéré.

— Il est beau comme un dieu.

Le visage de Zoé s'éclaira.

— C'est aussi mon avis. Parfois, quand il joue dehors, je me mets à la fenêtre pour le regarder à la dérobée. Il représente tout mon univers.

— Je comprends. Et maintenant, tu crains que notre aventure ne lui fasse du tort, d'une façon ou d'une autre.

76

— M'inquiéter pour Simon, c'est pratiquement mon métier. Mais pardon, entre, je t'en prie. Avant, je passais tous mes samedis au salon, et j'avais envie de profiter de celui-ci pour faire un peu de ménage.

— Ta maison est charmante, déclara Malory en entrant et en promenant son regard autour d'elle. Absolument adorable.

— Merci.

Zoé était contente d'avoir eu le temps de regonfler les coussins dans leurs housses d'un bleu éclatant, sur le canapé. Sur la vieille table basse qu'elle avait trouvée aux puces, trois bouteilles contenaient chacune une marguerite cueillie dans son propre jardin. Et elle venait d'aspirer le tapis qu'avait tissé sa grand-mère quand elle était petite.

— C'est joli, commenta Malory en s'approchant du mur, sur lequel étaient accrochées des photos encadrées de lieux exotiques.

— Ce sont juste des cartes postales sur lesquelles j'ai passé un vernis mat et que j'ai encadrées. Je demande toujours à mes clientes qui partent en voyage de m'envoyer une carte postale.

— C'est une merveilleuse idée. Et la disposition des cadres est ingénieuse.

— J'aime bien retaper de vieux objets, tu sais, trouver des articles dans des vide-greniers ou aux puces et les restaurer. Ça les rend vraiment personnels, et ça ne coûte pas cher. Tu veux boire quelque chose ?

— Volontiers, si je ne te retarde pas.

— Non. Ça fait une éternité que je n'ai pas eu de samedi libre, dit Zoé en souriant. Je suis contente d'être à la maison et d'avoir de la compagnie.

Malory accompagna Zoé à la cuisine et s'appuya contre le montant de la porte.

— C'est toi qui as planté les fleurs, devant ?

— Simon m'a aidée. Je n'ai aucun soda, je suis désolée. Il reste du citron pressé. Ça te va ?

— Parfait.

Elle avait visiblement dérangé Zoé en plein ménage, mais la cuisine dégageait le même charme décontracté que le séjour.

— J'adore ça, dit-elle en passant un doigt sur un placard peint en vert anis et patiné. Ça illustre parfaitement ce qu'on peut faire avec de l'imagination, du goût et du temps.

— C'est un beau compliment, venant d'une spécialiste de l'art comme toi, fit Zoé en sortant un pichet du réfrigérateur. Je voulais avoir de jolies choses tout en créant un endroit où Simon pourrait courir et se sentir à l'aise. Et cette maison a juste la dimension qu'il nous faut. Je n'ai que faire de millions de dollars.

Elle posa deux verres sur le plan de travail et secoua la tête.

— Mon Dieu, quelle remarque stupide ! Ce que je veux dire, c'est que je n'ai pas besoin d'un million. J'aimerais juste ne pas avoir à me tracasser pour l'argent. Je me suis lancée dans cette équipée parce que ça m'a paru intéressant, et parce que ces vingt-cinq mille dollars me sont tombés dessus comme un miracle.

— Et parce que cette soirée à Warrior's Peak, était fascinante et théâtrale, non ? Nous avions l'impression d'être les héroïnes d'un film.

— Exactement, approuva Zoé en riant. Je me suis un peu emballée, mais à aucun moment je n'ai envisagé que nous courions un risque. Jusqu'à hier.

— Rien ne dit que nous sommes en danger. Mais si tu veux te désister, je comprendrai.

— J'y ai réfléchi. L'un des avantages du ménage, c'est que ça laisse le temps de méditer. Tu veux emporter les verres dehors, derrière la maison ? On y sera au calme pour discuter.

Elles sortirent. C'était un petit coin charmant, une cour bien ordonnée avec deux fauteuils peints du même jaune ensoleillé que la maison, à l'ombre d'un grand érable.

Quand elles furent installées, Zoé reprit :

— Si Pitte et Rowena sont des cinglés qui nous ont prises pour cibles, nous ne pouvons pas nous désister, car, de toute façon, nous ne leur échapperons pas. Et dans ce cas, essayer de trouver les clés semble la solution la plus rationnelle. Et s'ils ne sont pas fous, alors nous avons une promesse à tenir.

— J'en étais arrivée exactement aux mêmes conclusions. Je dîne avec Flynn ce soir, il doit me dire ce qu'il a pu apprendre sur la légende des sœurs de verre.

— Tu dînes avec Flynn ?

— Apparemment, fit Malory en fronçant les sourcils. Il n'avait pas quitté mon appartement depuis cinq minutes que je me demandais comment il avait fait pour m'embobiner si vite.

— Je le trouve canon, moi.

— N'importe quel mec aurait l'air canon, à côté de ce gros chien immonde.

— Et il flirtait à mort avec toi.

— J'ai remarqué, oui. Mais je n'ai pas le temps de flirter, dans les semaines qui viennent, si je veux trouver la première clé.

— Tout de même, ce n'est pas désagréable de flirter avec un beau gosse, si j'en crois mes lointains souvenirs, soupira Zoé en se carrant dans son fauteuil et en remuant ses orteils aux ongles couleur coquelicot.

— Tes lointains souvenirs ? Tu plaisantes ? Tu dois te faire draguer constamment !

Surprise, Malory se tourna vers le visage sexy et mutin de Zoé.

— Possible, mais dès que j'annonce que j'ai un fils, il n'y a plus personne. Et moi, les aventures sans lendemain, ça ne m'intéresse pas. J'ai déjà donné.

Elle poussa un nouveau soupir et se redressa.

— En tout cas, j'ai l'intention de démarrer ma petite affaire, et je vais me mettre en quête d'un endroit à louer que je pourrais aménager en salon.

— Si tu trouves quelque chose, regarde s'il n'y a pas aussi une jolie vitrine pour moi et ma galerie d'objets d'art. À moins qu'on ne s'associe carrément ? L'art et la beauté, deux en un, faites toutes vos courses d'un coup.

Elle s'esclaffa.

— Bon, il faut que je te laisse, je vais passer voir Dana. Tu veux bien qu'on se réunisse toutes les trois la semaine prochaine ?

— Bonne idée.

— Je te rappelle.

De retour chez elle, Malory analysa point par point l'indice qu'elle avait reçu. Elle y chercha des métaphores, des significations cachées et des doubles sens, puis elle l'envisagea de nouveau dans son intégralité.

« Une déesse qui chante… » Les clés étaient censées libérer des âmes emprisonnées. Ne s'agissait-il pas là d'une référence religieuse ?

Elle passa le reste de la journée à se rendre dans tous les lieux de culte de la ville et des alentours. Elle revint bredouille, mais avec le sentiment d'avoir fait quelque chose de positif de sa journée.

Elle s'habilla pour le dîner, sobrement, d'un petit haut noir sans manches, d'un pantalon noir et d'une veste framboise.

À 19 heures pile, elle enfila ses sandales à talons hauts et s'apprêta à attendre. D'ordinaire, elle était la seule à être ponctuelle. Ce fut donc une agréable surprise d'entendre Flynn frapper au moment où elle vérifiait le contenu de son sac.

— Quelle ponctualité! remarqua-t-elle en ouvrant la porte.

— À vrai dire, j'avais même dix minutes d'avance, mais je ne voulais pas paraître trop impatient.

Il lui tendit un petit bouquet de roses assorties à sa veste.

— Tu es éblouissante.

— Merci.

Elle l'observa à la dérobée en humant le parfum des roses. Zoé avait raison, songea-t-elle. Il était vraiment canon. Même sans chien en guise de faire-valoir.

— Je vais mettre les fleurs dans l'eau. C'est très gentil de ta part.

— Je trouve aussi. Moe penchait plutôt pour des bonbons, mais j'ai tenu bon.

Elle s'immobilisa.

— Il est là, dehors?

— Non, non, rassure-toi.

— Tu veux boire quelque chose avant de partir? demanda-t-elle en disposant les roses dans un vase en verre transparent.

— Ça dépend. Peux-tu marcher un kilomètre avec un verre dans le nez et ces talons, ou préfères-tu y aller en voiture?

— Je peux faire dix kilomètres en talons hauts. Je suis une femme professionnelle.

— Ça, c'est incontestable. Et j'aimerais bien faire ce que j'ai envie de faire depuis que Moe t'a sauté dessus.

Il s'avança, et le cerveau de Malory cessa de fonctionner. Il fit remonter ses mains le long de son buste jusqu'à sa gorge, puis encadra son visage.

Tout se passa très lentement, en douceur. Sa bouche se posa tranquillement sur celle de Malory, qui, sans savoir comment, se retrouva plaquée entre le mur et le corps souple de Flynn. Comme hypnotisée, elle agrippa ses hanches et lui rendit son baiser sans le moindre murmure de protestation.

Il passa les doigts dans ses cheveux, lui mordilla la lèvre inférieure. Elle retint son souffle, et leur baiser devint torride.

Elle parvint à surprendre le faible écho d'une sonnette d'alarme dans sa tête, mais son corps resta collé au sien.

— Mmm… arrête, murmura-t-elle.

— D'accord. Dans une minute.

Il lui fallait encore une minute de sa personne, de son goût, de sa douceur. C'était encore plus exquis qu'il ne l'avait imaginé, et Dieu sait si son imagination avait cavalé, pendant la nuit.

Cette fille dégageait un parfum d'érotisme et de sensualité irrésistible. Et ses cheveux étaient si soyeux, ses hanches si merveilleuses…

Il frotta une dernière fois ses lèvres contre les siennes, puis s'écarta. Elle le contempla de ses grands yeux bleus.

— Peut-être…

Elle prit une inspiration pour affermir sa voix.

— Peut-être qu'on pourrait y aller à pied dès maintenant.

— Bien sûr.

Il lui tendit la main, mais, à son grand amusement, elle l'ignora et le contourna pour aller prendre son sac.

— Je me suis dit qu'en t'embrassant tout de suite, je n'y penserais pas pendant le dîner et je ne risquerais pas de perdre le fil de la conversation.

Il lui ouvrit la porte d'entrée.

— Le problème, c'est que maintenant que je t'ai embrassée, je vais probablement passer la soirée à rêver de recommencer et perdre quand même le fil de la conversation. Alors, si tu constates que mon esprit s'égare, tu sauras pourquoi.

— C'est bon, j'ai compris ton petit manège, répliqua-t-elle. Tu dis ça pour que moi, je pense toute la soirée à t'embrasser. Non ?

— Tu es douée. Si tu es aussi clairvoyante avec les hommes dévergondés, ce sera un jeu d'enfant pour toi de résoudre l'énigme de la clé.

— J'ai davantage d'expérience dans le premier domaine que dans le second, hélas.

— Tiens donc, dit-il en lui prenant la main et en souriant de son regard en coin. Va savoir pourquoi, je trouve cela très excitant. Si je remplis consciencieusement ton verre pendant le dîner, tu me raconteras ta vie sentimentale ?

— Commence par m'offrir un martini. Ensuite, on verra.

Flynn avait choisi l'un des plus jolis restaurants de la ville et réservé une table sur la terrasse, à l'arrière, avec vue sur les montagnes.

Quand son martini arriva, Malory avait recouvré sa sérénité.

— J'aimerais bien qu'on discute de la clé. Si je constate que ton attention se relâche, je te donnerai un coup de pied sous la table.

— C'est noté. Laisse-moi juste dire une chose d'abord.

— Je t'écoute.

Il se pencha vers elle et respira un grand coup.

— Tu sens divinement bon.

Elle se pencha à son tour.

— Je sais. Et maintenant, veux-tu que je te dise ce que j'ai fait aujourd'hui ?

Elle attendit une seconde, puis lui donna un léger coup de pied dans le tibia.

— Hein ? Pardon. Oui.

Malory but une gorgée de martini pour masquer son sourire.

— Je suis d'abord passée chez Zoé.

Elle lui raconta leur conversation.

— C'est elle qui vit dans la petite maison jaune ? fit Flynn. La façade était d'un marron atroce, avant. Elle l'a drôlement bien restaurée. J'ai vu un gamin dans le jardin, maintenant que j'y pense.

— C'est son fils, Simon. Son portrait craché.

— Bien sûr. Si j'avais pu arracher mes yeux de toi pendant deux minutes, j'aurais fait le rapprochement dès que j'ai vu Zoé.

Malory fit une petite moue, flattée malgré elle.

— Tu es très habile, hein ? Tu as toujours le mot qu'il faut au bon moment...

— Eh oui. C'est un don.

— Ensuite, je suis allée voir Dana à son travail. Elle croulait sous les livres et broyait du noir.

— Deux de ses occupations préférées.

— Elle n'a pas pu retrouver le récit des sœurs de verre pour l'instant, mais elle continue à chercher.

Malory lui expliqua ensuite pourquoi elle avait fait la tournée des églises et des temples dans un rayon de trente-cinq kilomètres.

— Je ne m'attendais certes pas à trouver la clé posée sur un autel, mais j'espérais confusément découvrir le symbole d'une clé dans une sculpture ou un vitrail, par exemple... Mais j'ai fait chou blanc.

— C'était néanmoins une bonne idée. Et moi, veux-tu savoir à quoi j'ai occupé ma journée ?

— Oui.

Il attendit qu'on apporte leurs plats, puis étudia son poisson et le steak de Malory.

— Tu as quelque chose contre le fait de partager ?

— Pas grand-chose, non.

Ils échangèrent la moitié du contenu de leurs assiettes respectives.

— Tu sais, ça pourrait devenir sérieux, toi et moi. Beaucoup de gens détestent faire moitié-moitié. C'est stupide, non ? Après tout, il ne s'agit que de nourriture.

C'est fait pour être mangé. Quelle importance que ce soit passé d'abord dans l'assiette de quelqu'un d'autre ?

— C'est un élément intéressant à prendre en compte dans une éventuelle relation, en effet. Alors, raconte-moi ta journée.

— J'ai parlé de la légende à ma grand-mère, qui m'a raconté des détails que j'avais plus ou moins oubliés. D'abord, tout le monde n'a pas apprécié que le dieu-roi ait choisi pour reine une simple mortelle. On pouvait s'amuser avec les mortels, mais pas les emmener de l'autre côté du Rideau du pouvoir, également appelé Rideau des rêves. Or c'est ce que le jeune roi a fait. À cause de cela, certains dieux ont rompu avec lui et ont promulgué leur propre loi.

— C'est de la politique.

— Exact. Quoi qu'il en soit, les filles étaient adorées de leurs parents et de tous ceux qui étaient restés loyaux au roi et à sa femme. Elles étaient toutes les trois très belles, bien sûr, et chacune d'elles avait un talent particulier. L'une était artiste, l'autre barde, la troisième guerrière. Elles grandirent dans le royaume, instruites par une jeune déesse de la magie et gardées par le dieu guerrier le plus fidèle du roi. Elles devaient se trouver constamment soit en présence de leur préceptrice, soit en présence du gardien, afin de rester à l'abri des complots fomentés contre elles.

— Dans le tableau, il y avait deux personnages, un homme et une femme, à l'arrière-plan. Ils semblaient s'étreindre.

— Cela coïncide avec la suite. Les conseillers du roi proposèrent que les filles épousent trois dieux de l'autre camp, afin de redonner une unité au royaume en proie aux guerres et aux intrigues. Mais le roi autoproclamé de la faction adverse ne tenait nullement à renoncer à son trône. Le pouvoir l'avait corrompu, et le désir de dominer entièrement le monde des dieux, ainsi que celui des mortels, le consumait. Il voulait tuer les filles du roi, mais savait qu'alors, même ses partisans les plus ardents se retourneraient contre lui. Il conçut donc un plan, et les deux dieux chargés de veiller sur les filles du roi l'aidèrent malgré eux à le mettre à exécution en tombant amoureux l'un de l'autre.

— Ils ont trahi les sœurs ?

— Involontairement, oui. En se contemplant l'un l'autre au lieu de garder les filles, répondit Flynn en remplissant leurs verres. Un jour, alors qu'elles se trouvaient sans protection, le sort put être jeté.

— Leurs âmes furent volées.

— Pire. Tu comptes terminer ton steak ?

Malory baissa les yeux vers son assiette.

— Non. Tu le veux ?

— Pour Moe. Si je rentre les mains vides, il va me faire la tête.

Il demanda au serveur de lui emballer les restes et sourit à sa compagne.

— Un dessert ?

— Non, juste un café, s'il te plaît. Raconte-moi la suite.

— Deux cafés, une crème brûlée et deux petites cuillères. On ne peut pas résister à la crème brûlée, ajouta-t-il, avant de se pencher en avant pour poursuivre son récit. Le méchant roi, un sorcier, était très intelligent. Assassiner des innocents, cela ne lui faisait ni chaud ni froid. Pour lui, si une mortelle était digne d'être reine, si trois demi-mortelles étaient dignes de figurer parmi les immortels, les mortels n'avaient qu'à le prouver. C'est pourquoi seuls des mortels peuvent rompre le sortilège. Et en attendant, les trois filles du roi dorment paisiblement. Si des femmes mortelles représentant chacune une sœur trouvent les trois clés, alors l'écrin des âmes sera ouvert, les âmes des filles libérées et les royaumes réunis.

— Et si elles échouent ?

— La version la plus classique, d'après ma grand-mère, veut que le méchant roi impose une limite dans le temps : trois mille ans, soit un millénaire pour chaque fille. Si les clés ne sont pas retrouvées et que l'écrin reste fermé au bout de ce délai, ce sera lui qui régnera sur le monde des dieux et des mortels.

— Je n'ai jamais compris comment on pouvait avoir envie de régner sur le monde. Rien que de penser au travail que ça doit donner, j'ai la migraine.

Ses narines frémirent au moment où la crème brûlée fut posée entre eux. Flynn avait raison. Comment résister ?

— Que sont devenus les amoureux ?

— Là encore, il existe deux versions de l'histoire. Selon celle que ma grand-mère préfère, le roi éploré les a condamnés à mort, mais sa femme a intercédé en leur faveur et demandé leur grâce : elle a suggéré qu'au lieu de les exécuter, on les bannisse. Les amoureux ont donc été envoyés de l'autre côté du Rideau des rêves, avec interdiction de revenir tant qu'ils n'auraient pas trouvé trois femmes mortelles capables d'ouvrir l'écrin des âmes. Depuis, ils errent sur terre, à la recherche de la triade qui libérera non seulement les âmes des trois sœurs, mais aussi les leurs.

— Rowena et Pitte se prennent pour la préceptrice et le guerrier ?

— Cela paraît évident, non ? Vous vous retrouvez donc avec deux cinglés sur les bras, Malory. C'est un joli conte de fées, romantique et pittoresque, mais à partir du moment où des gens commencent à jouer des rôles et à vouloir embarquer d'autres personnes dans leur délire, mieux vaut les enfermer à l'asile.

— Tu oublies l'argent.

— Pas du tout. C'est précisément ce qui m'inquiète. Soixante-quinze mille dollars, c'est une somme. Cela signifie que pour eux, il ne s'agit pas d'un simple jeu de rôles. Ils prennent cela très au sérieux. Soit ils croient au mythe, soit ils mijotent l'escroquerie du siècle.

Malory contempla pensivement sa cuillerée de crème brûlée.

— Avec l'argent qu'ils m'ont donné, je possède désormais approximativement vingt-cinq mille deux cent cinq dollars, y compris les vingt dollars que j'ai retrouvés dans la poche d'une veste ce matin. Mes parents sont des gens relativement modestes. Je n'ai ni amis ni amants riches ou influents. Quel serait l'intérêt de m'escroquer ?

— Je n'en sais rien, mais ils attendent quelque chose de toi, et ce n'est pas des clés imaginaires. Tu ne crois tout de même pas qu'elles existent, n'est-ce pas ?

La nuit était tombée, et à la lumière du soleil s'était substituée celle de la bougie qui éclairait leur petite table.

— Si. Autrement, je ne prendrais pas la peine d'effectuer toutes ces recherches. Et j'ai donné ma parole.

— Alors, je t'aiderai à trouver ta clé.

— Pourquoi ? demanda-t-elle en l'observant par-dessus le rebord de sa tasse.

— Pour des tas de raisons. Premièrement, parce que je suis d'un naturel curieux. Quelle que soit l'issue de cette histoire, cela m'intéresse.

Il effleura du doigt la main de Malory lorsqu'elle reposa sa tasse, et ce simple contact envoya une décharge électrique dans le bras de la jeune femme.

— Deuxièmement, parce que ma sœur est embarquée là-dedans. Troisièmement, parce que ça me donnera des tas d'occasions de te voir. Et tu ne sauras pas plus me résister que tu n'as résisté à la crème brûlée.

— Est-ce de l'assurance ou de la fatuité ?

— C'est le destin, tout simplement. Écoute, si nous allions chez moi et… Zut, je ne pensais même pas à t'embrasser jusqu'à ce que tu prennes cette expression prétentieuse. Maintenant, à cause de toi, je ne sais plus ce que je voulais dire.

— Je le sais très bien, moi, railla Malory.

— Bon. Reprenons. Nous pourrions rentrer chez moi et continuer nos recherches. Je te montrerais ce que j'ai trouvé, ce qui se résume à pas grand-chose. On pourrait chercher des infos sur tes bienfaiteurs…

— Je vous laisse faire, Dana et toi, pour l'instant. J'ai d'autres pistes.

— Par exemple ?

— La logique. Les déesses. J'irai faire un tour dans les deux boutiques *new age* du coin. Et puis, il y a le tableau. Je vais tâcher de savoir qui l'a peint, si l'artiste a effectué d'autres portraits et, si c'est le cas, où ils se trouvent. Je voudrais également retourner à Warrior's Peak pour discuter avec Rowena et Pitte et revoir le tableau.

— Je t'accompagnerai. Il y a matière à écrire un article, là. S'il s'agit d'une escroquerie, c'est de l'info, et mon devoir de journaliste est d'en parler.

Elle se raidit.

— Rowena et Pitte sont peut-être timbrés, mais ce ne sont pas des escrocs.

— Du calme, dit Flynn en levant une main en signe de paix. Je n'écrirai rien tant que je ne disposerai pas de tous les éléments. Or, pour cela, je dois rencontrer Rowena et Pitte. Tu seras mon sésame pour entrer à Warrior's Peak. En échange, tu pourras profiter de mes prodigieux talents d'enquêteur et de ma détermination farouche de journaliste. De toute façon, soit j'y vais avec toi, soit je convaincs Dana de m'y emmener.

Malory pianota sur la table en réfléchissant.

— Et s'ils refusent de te parler ? Cela ne leur plaira peut-être pas que nous impliquions quelqu'un d'autre dans l'histoire.

— Ne t'inquiète pas. Cela fait partie de mon métier, de m'introduire dans des endroits où je suis indésirable.

— Comme tu l'as fait hier soir en venant chez moi ?

— Aïe ! Si on allait à Warrior's Peak lundi matin ? Je passe te prendre à 10 heures ?

— D'accord.

Après tout, quel mal pouvait-il y avoir à l'emmener ?

— Ce n'est pas la peine de m'accompagner jusqu'à la porte, protesta Malory alors qu'ils approchaient de son immeuble.

— Mais si, je suis très vieux jeu.

— N'importe quoi, marmonna-t-elle en cherchant sa clé. Je te préviens : je n'ai pas l'intention de te faire entrer.

— D'accord.

Elle lui coula un regard en coin.

— Tu dis ça comme si tu étais un gentil garçon conciliant. Mais tu ne l'es pas. C'est un stratagème.

— Ah, bon ? fit-il avec un large sourire.

— Parfaitement. Tu es têtu, sans-gêne et plus qu'arrogant. Tu t'en sors grâce à ton grand sourire charmeur et à ton style je-ne-ferais-pas-de-mal-à-une-mouche. Mais ce ne sont que des ruses pour obtenir ce que tu désires.

— Zut, tu m'as percé à jour.

Il enroula une boucle blonde autour de son doigt et murmura sans la quitter des yeux :

— Maintenant, je suis obligé de te tuer ou de t'épouser.

— Être beau gosse ne te rend pas moins agaçant. C'est là que ta tactique pèche.

Sans répondre, il prit son visage entre ses mains et s'empara de ses lèvres avec ardeur. Une vague de chaleur naquit dans le ventre de Malory et éclata au sommet de son crâne.

— Ça non plus, ça ne marche pas, réussit-elle à articuler.

Elle enfonça sa clé dans la serrure, rentra chez elle et lui claqua la porte au nez. Une demi-seconde plus tard, elle la rouvrit de quelques centimètres.

— Merci pour le dîner.

Flynn pivota lentement sur ses talons après que la porte eut claqué une deuxième fois. Puis il s'éloigna en sifflotant et en se disant que Malory Price était le genre de femme qui rendait la vie d'un homme bigrement intéressante.

6

Dana avala son premier café debout dans sa cuisine, toute nue, les yeux fermés, le cerveau éteint. Elle vida la tasse d'un trait, avant de lâcher un petit gémissement de soulagement.

Elle but son deuxième café en allant prendre sa douche. Se lever tôt ne la dérangeait pas, puisqu'elle n'était même pas assez consciente pour protester. Sa routine était presque immuable : son réveil sonnait, elle lui tapait dessus, puis elle se levait et allait d'un pas mal assuré dans la cuisine, où la cafetière, programmée la veille, s'était déjà remplie.

Une tasse et demie plus tard, sa vision était assez éclaircie pour qu'elle puisse prendre une douche.

Ce matin-là, quand elle sortit de la salle de bains, ses neurones s'étaient remis en route. Elle vida la deuxième moitié de sa tasse en écoutant les informations et en s'habillant. Puis elle s'installa dans le salon avec un bagel, un troisième café et le livre qu'elle lisait en ce moment au petit déjeuner. Elle tournait une page lorsque quelqu'un frappa à la porte, interrompant le rituel sacré.

— Zut.

Elle marqua la page et alla ouvrir. Son irritation se dissipa à la vue de Malory.

— Tu es drôlement matinale !

— Désolée. Tu nous as dit que tu travaillais ce matin, alors j'ai pensé que tu serais déjà debout et efficace.

— Debout, oui, mais efficace...

Malory portait une chemise à rayures vert pâle ajustée avec un élégant pantalon blanc assorti à ses sandales et à son sac à main.

— Tu t'habilles toujours comme ça ? demanda Dana.

— Comment ?

— À la perfection.

Avec un petit rire, Malory baissa les yeux vers sa tenue.

— J'en ai peur. C'est obsessionnel.

— Ça te va bien, en tout cas. Mais je finirai sûrement par te détester à cause de ça. Entre donc.

Le salon ressemblait à une bibliothèque en désordre. Des livres étaient rangés ou empilés sur les étagères qui couvraient deux murs du sol au plafond, d'autres trônaient sur les tables et toutes les surfaces disponibles comme autant de bibelots.

Les mains sur les hanches, Dana regarda Malory inspecter la pièce d'un œil incrédule. Elle avait déjà vu cette réaction.

— Non, je ne les ai pas tous lus, mais je le ferai. Et non, je ne sais pas combien j'en ai. Un petit café ?

— Juste une question : les services de la bibliothèque te sont-ils réellement utiles ?

— Bien sûr, mais j'ai aussi besoin de posséder les livres. Si je n'en ai pas vingt ou trente sous la main, en attente d'être lus, je commence à trépigner. C'est compulsif, chez moi.

— D'accord. Pour le café, non, merci. Je viens d'en prendre un. Au deuxième, je m'excite.

— Au deuxième, je parviens tout juste à former des phrases complètes. Tu veux un bagel ?

— Non, merci, mais ne te gêne pas pour moi. Si je suis venue si tôt, c'est que je voulais être sûre de te voir avant que tu ne partes travailler, pour tout te raconter.

— Je t'écoute.

Dana lui offrit un fauteuil et se rassit devant la table basse pour terminer son petit déjeuner.

— Je vais retourner à Warrior's Peak, ce matin. Avec Flynn.

— Je me doutais bien qu'il mettrait son grain de sel dans cette affaire. Et qu'il en profiterait pour te draguer.

— Est-ce qu'une de ces deux initiatives te dérange ?

— Non. De toute façon, s'il ne s'était pas mêlé de notre histoire, je l'aurais titillé jusqu'à ce qu'il nous propose son aide. Quant à te draguer, il allait forcément s'intéresser soit à Zoé, soit à toi. Que veux-tu ? Flynn aime les femmes, et les femmes l'aiment.

Malory songea à la façon dont il l'avait embrassée dans son salon, à son charme irrésistible.

— C'est vrai qu'il m'attire, mais je ne suis pas sûre d'avoir envie d'aller plus loin.

Dana mordit dans son bagel.

— Si tu veux mon avis, autant te laisser aller. De toute façon, il t'aura à l'usure. Ce type est un vrai colley écossais.

— Pardon ?

— Tu sais, les chiens qui rassemblent les troupeaux. C'est Flynn tout craché. Tu te dis : « Oh, non, pas moi, pas ça », et sans même que tu t'en rendes compte, il te fait faire exactement ce que tu ne voulais pas faire.

Elle se lécha un doigt.

— Et le pire, c'est que tu en es très contente. S'il reste en vie, c'est parce qu'il ne clame jamais : « Tu vois, je te l'avais bien dit. »

Malory réfléchit. Elle avait dîné avec Flynn. Elle l'avait embrassé. Deux fois. Et non seulement il l'accompagnait à Warrior's Peak, mais c'était lui qui l'y emmenait.

— Je n'aime pas être manipulée.

Dana la regarda avec un mélange de compassion et d'amusement.

— Tu verras bien comment ça évolue. Qu'espères-tu tirer de Rowena et de Pitte ? demanda-t-elle en se levant et en rassemblant ses couverts.

— Pas grand-chose. C'est le tableau qui m'inspire.

Malory suivit Dana dans la petite cuisine. Elle ne fut pas surprise d'y trouver des livres, empilés dans un garde-manger ouvert où toute maîtresse de maison normalement constituée aurait entreposé des provisions.

— Je sens que ce tableau est important, poursuivit-elle. Ce qu'il dit, et qui le dit.

Elle lui rapporta ensuite ce que lui avait raconté Flynn.

— Alors, Rowena et Pitte se prennent pour la préceptrice et le gardien.

— Apparemment, oui, confirma Malory. Je verrai comment ils réagiront quand j'évoquerai le sujet. Et Flynn pourra les occuper le temps que j'examine le tableau et que je le prenne en photo. Peut-être me conduira-t-il à d'autres œuvres du même artiste.

— J'effectuerai une recherche sur l'art mythologique, ce matin, déclara Dana. Bon, il faut que je me sauve.

Une fois sur le trottoir, Malory s'arrêta brusquement.

— Dana… est-ce que tout ça est complètement fou ?

— Complètement. Appelle-moi quand tu seras rentrée.

Malory frissonna en voyant se dresser Warrior's Peak sur la corniche.

— Tu as froid ? demanda Flynn.

— Non. C'est juste cette maison. Elle donne l'impression de surveiller quelque chose, et je me demandais ce qu'elle observait, année après année, siècle après siècle.

— Tu sais, si tu ne veux pas…

— Je veux y aller. Je n'ai pas peur de deux riches excentriques. Ils me plaisent assez, en fait. Et puis, je tiens à revoir le tableau. Il m'obsède.

Elle tourna les yeux vers la forêt profonde.

— Tu aimerais vivre ici ?

— Jamais de la vie. Je suis un être sociable. J'ai besoin d'être entouré de gens. Ça plairait à Moe, par contre.

Il jeta un coup d'œil dans le rétroviseur. Le museau collé contre la vitre, le chien regardait le paysage à travers les poils qui lui tombaient dans les yeux.

— Je suis sidérée que tu l'aies amené.

— Il adore se balader en voiture.

— Ça se voit, dit-elle en souriant devant l'expression béate de Moe.

Flynn ralentit en longeant le mur qui entourait la propriété, puis s'arrêta pour examiner les deux guerriers qui flanquaient la grille.

— Pas très aimables, hein ? J'ai campé ici deux ou trois fois avec des copains, à l'époque du lycée. La maison était abandonnée, on escaladait le mur.

— Vous êtes entrés dedans ?

— On n'a pas trouvé assez de courage pour s'y aventurer, mais on adorait se faire des frayeurs. Un jour, Jordan nous a juré qu'il avait vu une femme marcher sur le parapet, ou je ne sais comment on appelle ça. Il a d'ailleurs écrit un bouquin sur elle, plus tard. Jordan Hawke, précisa Flynn. Tu as peut-être entendu son nom ?

— Bien sûr. *L'Apparition*. J'ai lu ce livre.

Un frisson de fascination lui parcourut l'échine.

— Il a décrit cet endroit à la perfection, mais il faut dire que c'est un auteur extraordinaire. Tu es ami avec Jordan Hawke ? demanda-t-elle en tournant vers Flynn un œil soupçonneux.

— Oui, depuis qu'on est gosses. Il a grandi à Pleasant Valley. À seize ans, Jordan, Brad et moi, on passait notre temps à boire de la bière dans les bois en écrasant les moustiques et en racontant des mensonges très détaillés sur nos prouesses sexuelles.

— C'est illégal de boire de l'alcool à seize ans, commenta Malory d'un ton pincé.

Même à travers les verres teintés de ses lunettes de soleil, elle vit pétiller les yeux de Flynn.

— Pas possible ? À quoi pensions-nous ? Quoi qu'il en soit, dix ans plus tard, Jordan a sorti son premier best-seller, et Brad, *alias* Bradley Charles Vane IV, est parti diriger l'empire familial, une entreprise de bois de construction dont il a fait HomeMakers, une chaîne de magasins qui vend toutes sortes d'articles pour la maison. Quant à moi, j'ai décidé de m'envoler pour New York, afin de devenir reporter pour le *Times*.

Elle haussa les sourcils.

— Tu as travaillé au *New York Times* ?

— Non. Je ne suis jamais parti, finalement. Les choses se sont enchaînées ici, et je suis resté, ajouta-t-il avec un haussement d'épaules. Allez, tâchons d'ouvrir cette grille.

Au moment où il sortait de la voiture, le portail s'ouvrit avec un silence surnaturel qui le fit frissonner.

— Drôlement bien graissés, les gonds, marmonna-t-il. Et quelqu'un sait qu'on est là.

Il se remit au volant et remonta l'allée.

— Je ne me suis jamais autant approché de cette maison en plein jour, remarqua-t-il en coupant le contact et en sortant lentement de la voiture.

— Étrange ambiance, hein ? fit Malory.

— Oui. C'est impressionnant. Dommage qu'il n'y ait pas de douves ni de pont-levis. Ça couronnerait bien l'ensemble.

— Attends de voir l'intérieur.

Elle le rejoignit et ne formula aucune objection lorsqu'il lui prit la main. Le chatouillement au fond de sa gorge lui donna l'impression d'être complètement nunuche.

— Je ne sais pas pourquoi je suis si nerveuse, chuchota-t-elle.

Sa main se crispa dans celle de Flynn au moment où s'ouvrit l'imposante porte d'entrée.

Rowena apparut, simplement vêtue d'un pantalon gris et d'une ample chemise vert sombre. Ses cheveux étaient dénoués, sa bouche dépourvue de rouge à lèvres, ses pieds nus. Mais malgré sa mise négligée, elle était altière et sensuelle, telle une reine étrangère en vacances dans un lieu isolé. Malory aperçut l'éclat d'un diamant à chacune de ses oreilles.

— C'est un plaisir de vous revoir, Malory, dit Rowena en tendant la main à la jeune femme. Et vous m'amenez une magnifique surprise.

— Flynn Hennessy, le frère de Dana.

— Bienvenue. Pitte ne va pas tarder.

— Nous ne voulons pas vous déranger… commença Malory.

Mais Rowena agita la main.

— Les visiteurs ne nous dérangent jamais.

— Comment avez-vous trouvé Warrior's Peak, mademoiselle…

Elle glissa son bras sous celui de Flynn pour l'emmener au salon.

— Appelez-moi Rowena. Et pour répondre à votre question, Pitte se tient toujours au courant des endroits intéressants.

— Vous voyagez beaucoup ?

— En effet.

— Pour le travail ou pour le plaisir ?

— Sans plaisir, le travail ne présente guère d'intérêt. Asseyez-vous donc. Ah, voici le thé.

Malory reconnut la serveuse de sa première visite. Elle apporta le plateau silencieusement et s'éclipsa.

— Vous travaillez dans quelle branche ? insista Flynn.

— Oh, nous avons différentes activités, un peu de ci, un peu de ça. Voulez-vous du lait ? demanda-t-elle à Malory. Du miel ? Du citron ?

— Une rondelle de citron, s'il vous plaît. J'ai beaucoup de questions à vous poser.

— Je n'en doute pas, de même que votre séduisant compagnon. Comment prenez-vous votre thé, Flynn ?

— Nature, merci.

— Comme c'est américain ! Et quel métier exercez-vous, Flynn ?

Il prit la délicate tasse qu'elle lui tendait. Son regard était soudain très froid.

— Je suis sûr que vous n'en ignorez rien. Vous n'avez pas choisi ma sœur par hasard. Vous et Pitte, vous vous êtes renseignés sur elle, donc sur moi.

— C'est exact, admit Rowena de bonne grâce, en se servant de lait et de miel. Diriger un journal doit être passionnant. Tant d'informations à réunir et à divulguer… Il faut un esprit vif et intelligent pour s'acquitter aussi bien de ces deux tâches. Ah, voici Pitte.

Le nouveau venu entra dans la pièce à la manière d'un général – en jaugeant le terrain et en choisissant la meilleure approche. Son sourire aimable cachait indubitablement un soldat intraitable, estima Flynn.

— Bonjour, mademoiselle Price. Quel plaisir de vous revoir !

Il prit la main de Malory et la porta à ses lèvres dans un geste trop fluide pour ne pas être naturel.

— Merci de nous recevoir. Voici Flynn…

— Oui. Monsieur Hennessy, fit-il avec un hochement de tête. Comment allez-vous ?

— Assez bien.

— Nos amis ont des questions et des préoccupations, lui apprit Rowena en lui servant une tasse de thé.

— Naturellement, fit Pitte en s'asseyant. Vous vous demandez, je présume, si nous sommes…

Il tourna un regard interrogateur vers Rowena.

— … fous, termina-t-elle.

Pitte prit un scone et une généreuse cuillerée de crème fraîche épaisse.

— Je vous assure que nous ne sommes pas fous, mais je vous dirais la même chose si nous l'étions. Par conséquent, cela ne vous renseigne guère. Dites-moi, mademoiselle Price, regretteriez-vous notre arrangement ?

— J'ai pris votre argent et je vous ai donné ma parole.

L'expression de Pitte s'adoucit imperceptiblement.

— En effet. Mais pour certaines personnes, cela ne ferait aucune différence.

— Ce n'est pas mon cas.

— Il pourrait toutefois en être autrement, selon la provenance de l'argent en question, intervint Flynn.

— Insinuez-vous que nous sommes des malfaiteurs ?

La colère se voyait dans les pommettes rougies de Rowena.

— C'est faire preuve d'un manque de courtoisie élémentaire de venir sous notre toit nous traiter de voleurs.

— Les journalistes ne sont pas connus pour leur courtoisie, ni les frères qui veillent sur leur sœur.

Pitte murmura quelques paroles calmes dans une langue étrangère et effleura de ses longs doigts la main de Rowena.

— Nous comprenons. Il se trouve que j'ai certains talents en matière financière. L'argent nous vient par des moyens parfaitement légaux. Nous ne sommes ni des fous ni des gangsters.

— Qui êtes-vous, alors ? demanda Malory. D'où venez-vous ?

— À votre avis ? répliqua doucement Pitte.

— Je... je pense que vous croyez représenter la préceptrice et le guerrier qui n'ont pas réussi à protéger les sœurs de verre.

Pitte haussa légèrement les sourcils.

— Vous en savez plus que la dernière fois. En apprendrez-vous davantage ?

— J'en ai l'intention. Peut-être grâce à vous.

— Nous ne sommes pas libres de vous aider de cette façon. Mais je peux vous dire une chose : la préceptrice et le guerrier étaient aussi les compagnons et les amis de ces précieuses jeunes filles, ce qui les rendait d'autant plus responsables.

— Ce n'est qu'une légende.

L'intensité des yeux de Pitte s'atténua, et il se laissa aller contre le dossier de sa chaise.

— Sans doute, si l'on considère que ces choses dépassent les limites de votre esprit et les frontières de votre monde. Néanmoins, je vous assure que les clés existent.

— Où se trouve l'écrin des âmes ? demanda Flynn.

— En lieu sûr.

— Pourrais-je revoir le tableau ? demanda Malory en se tournant vers Rowena. J'aimerais le montrer à Flynn.

— Bien entendu.

Rowena se leva et les emmena dans la pièce où trônait le portrait des sœurs de verre.

Malory entendit Flynn retenir son souffle, puis ils s'approchèrent ensemble du tableau.

— Il est encore plus beau que dans mon souvenir, murmura-t-elle. Pouvez-vous me dire quel artiste l'a peint ?

— Quelqu'un qui connaissait l'amour et le chagrin, répondit Rowena avec calme.

— Quelqu'un qui connaît Malory. Et ma sœur, et Zoé McCourt.

Rowena poussa un soupir.

— Vous êtes un cynique, Flynn, et un cynique soupçonneux. Mais puisque vous vous êtes octroyé le rôle de protecteur, je vous le pardonne. Nous ne voulons aucun mal à Malory, ni à Dana, ni à Zoé. Bien au contraire.

Quelque chose dans son ton donna envie à Flynn de lui faire confiance.

— Reconnaissez que c'est déconcertant de voir là-haut le visage de ma sœur, objecta-t-il néanmoins.

— Vous feriez n'importe quoi pour la protéger. Je le comprends et je vous respecte pour cela. Mais Dana n'a rien à craindre de moi ni de Pitte, je peux vous le jurer.

Flynn pivota brusquement vers elle.

— Mais d'autres personnes peuvent s'en prendre à elle?

— Rien n'est jamais couru d'avance, répondit énigmatiquement Rowena. Votre thé va refroidir.

Elle se tourna vers la porte au moment où Pitte entrait.

— J'ai cru voir un chien très gros et très malheureux dans la voiture.

— Ah, c'est le mien, fit Flynn.

— Vous avez un chien?

Le ton de Rowena était soudain presque enfantin. Tout en elle sembla devenir gai et lumineux, tandis qu'elle agrippait la main de Flynn avec excitation.

— Un chien, c'est vite dit, marmonna Malory.

— Vous aimez les chiens? demanda Flynn à Rowena.

— Beaucoup. Pouvez-vous m'emmener le voir?

— Mais oui.

— Euh… pendant que tu présentes Moe à Rowena et Pitte, à leurs risques et périls, pourrais-je me rafraîchir une minute?

Nonchalamment, Malory fit un geste vers la salle de bains du rez-de-chaussée.

— Bien sûr.

Pour la première fois depuis que Malory l'avait rencontrée, Rowena semblait distraite.

— C'est quel genre de chien? demanda-t-elle en entraînant Flynn dans le hall.

— Cela se discute.

Malory s'éclipsa dans la salle de bains et compta jusqu'à cinq. Puis, le cœur battant, elle entrouvrit la porte et scruta le couloir. Personne. Elle retourna en hâte vers le tableau, tout en sortant son petit appareil photo numérique.

Elle prit cinq ou six clichés du tableau en entier, et quelques-uns de détails. Puis elle remit l'appareil dans son sac et, après avoir jeté un regard coupable par-dessus son épaule, sortit ses lunettes, un sac en plastique et un petit couteau à palette.

Les oreilles bourdonnantes, elle grimpa sur la marche de la cheminée et préleva délicatement un fragment de peinture.

Cela ne lui prit que trois minutes, mais lorsqu'elle eut terminé, ses paumes étaient moites et ses jambes trem-blantes. Elle s'accorda un instant pour se ressaisir, puis se dirigea vers la porte d'entrée d'un pas qu'elle espérait désinvolte.

Dès qu'elle fut dehors, elle s'immobilisa. La royale et ravissante Rowena était assise par terre, une montagne canine au-dessus d'elle, et riait aux éclats.

— Il est magnifique ! Oh, quel amour ! Tu es le plus beau des toutous.

Elle enfouit son visage dans le pelage de Moe, dont la queue battait le sol comme un marteau-piqueur.

— Quel chien adorable ! s'écria-t-elle en levant vers Flynn des yeux rayonnants. C'est lui qui vous a trouvé ou c'est vous qui l'avez trouvé ?

— Ça a été plus ou moins réciproque.

Entre amis des chiens, ils se reconnaissaient. Flynn enfonça les pouces dans ses poches.

— Vous pourriez avoir toute une meute de chiens, ici. Dans une propriété comme celle-ci, ils auraient de quoi se dégourdir les pattes.

— Je sais, oui…

Rowena baissa la tête et frotta le ventre de Moe.

— Nous voyageons énormément, expliqua Pitte en posant la main sur la tête de Rowena et en lui caressant les cheveux.

— Combien de temps comptez-vous rester ici ?

— À l'issue des trois mois consacrés à la quête des clés, nous partirons.

— Pour aller où ?

— Cela dépendra. *A ghra.*

Rowena caressa Moe encore un moment, puis, avec un soupir nostalgique, elle se leva.

— Vous avez bien de la chance d'avoir un tel compagnon. J'espère que vous prenez soin de lui.

— Oui.

— Je vois que oui, en effet. Vous avez beau être cynique et méfiant, un chien comme celui-ci sait reconnaître un cœur tendre. J'espère que vous le ramènerez si vous revenez. Il pourra s'amuser dans le parc. Au revoir, Moe.

Moe s'assit et leva une patte massive avec une dignité qui ne lui ressemblait pas.

— Ça alors, je ne lui connaissais pas ce talent, s'étonna Flynn. Malory ! Tu as vu ce…

Dès qu'il entendit le nom de Malory, Moe fit volte-face et bondit en direction de la jeune femme, qui poussa un cri étranglé et se raidit en prévision de l'assaut.

Rowena cria quelque chose, un mot indéchiffrable, d'un ton calme et ferme. Moe s'immobilisa à quelques centimètres des pieds de Malory et s'assit. Il leva la patte une nouvelle fois.

— Ah, fit Malory. Voilà qui est plus plaisant.

Elle se pencha et serra obligeamment la patte tendue.

— Bon chien, Moe, bon toutou.

— Mais comment diable avez-vous accompli ce miracle ? s'exclama Flynn.

— Je sais m'y prendre avec les animaux.

— C'est le moins qu'on puisse dire. C'était du gaélique ?

— Mmm.

— C'est drôle que Moe comprenne un ordre en gaélique alors qu'en anglais il fait la sourde oreille.

— Les chiens en comprennent plus qu'on ne le croit, répondit Rowena en tendant la main à Flynn, puis à Malory. J'espère que vous reviendrez. Nous aimons la compagnie.

— Merci de nous avoir accueillis.

Malory se dirigea vers la voiture, Moe trottant gaiement sur ses talons. Rowena éclata d'un rire teinté de mélancolie en voyant le chien passer la tête par la vitre ouverte. Elle agita la main en signe d'adieu, avant de se pencher contre Pitte pour regarder la voiture s'éloigner.

— J'ai grand espoir, murmura-t-elle. Cela fait une éternité que je n'avais pas éprouvé d'espoir. Cela… cela m'effraie.

Pitte la serra contre lui.

— Ne pleure pas, mon cœur.

— C'est stupide de pleurer pour le chien d'un inconnu, dit-elle en essuyant une larme. Quand nous rentrerons chez nous…

Pitte prit son visage entre ses mains.

— Quand nous serons de retour à la maison, tu auras une centaine de chiens. Un millier.

— Un seul suffira.

Elle se hissa sur la pointe des pieds et l'embrassa.

Dans la voiture, Malory poussa un long soupir de soulagement.

— Je déduis de ce soupir que tu as pris les photos.

— Oui. J'avais l'impression d'être une cambrioleuse de haut vol. Je peux remercier Moe d'avoir si bien fait diversion. Alors, dis-moi ce que tu as pensé d'eux.

— Ils sont habiles, intelligents et mystérieux. Mais ils n'ont pas l'air fous. Ils sont habitués à l'argent, à la richesse. À boire du thé dans des tasses anciennes apportées par un domestique. Ils sont cultivés, instruits, à la limite du snobisme. Cet endroit regorge d'objets de luxe. Ils ne sont là que depuis quelques semaines, ils n'ont sûrement pas eu le temps de se fournir dans la région. Ils ont dû tout se faire livrer.

Il pianota sur le volant en fronçant les sourcils.

— Dès que Rowena a aperçu Moe, elle a littéralement fondu. Or c'est une femme impassible, sûre d'elle, un peu hautaine. Le genre de femme qui est séduisante parce qu'elle sait qu'elle maîtrise les choses, qui se promène dans Madison Avenue un sac Prada au bras ou qui préside un conseil d'administration à Los Angeles. C'est une femme qui respire le pouvoir, le fric et l'intelligence, tout cela emballé dans un physique séduisant.

— En un mot, tu la trouves sexy.

— Oui. Mais il aurait fallu que tu voies sa réaction au moment où Moe a jailli de la voiture. Tout ce vernis, tout ce lustre a subitement disparu. Elle s'est illuminée comme un gosse le matin de Noël.

— Elle aime les chiens, voilà tout.

— Non, ça allait plus loin que ça. Elle était sincèrement heureuse de se laisser renverser sur l'herbe. Alors, pourquoi n'a-t-elle pas de chien ? Et il y a cette façon incroyable qu'elle a eue de se faire obéir de Moe. Il a même donné la patte. Tout ça m'a paru vraiment bizarre.

— C'est incontestable. En tout cas, moi, je vais me concentrer sur le tableau. Je te laisse les deux zouaves.

— Je dois couvrir une réunion à la mairie, ce soir. On se revoit demain ?

« Le colley manœuvre, songea Malory. Il rassemble le bétail. »

— Qu'entends-tu par « se revoir » ? demanda-t-elle d'un ton suspicieux.

— J'adapterai la définition à ton gré.

— Il me reste un peu moins de quatre semaines pour trouver cette clé. Je suis actuellement sans emploi et je dois réfléchir à la suite de ma vie et de ma carrière. J'ai récemment mis un terme à une relation qui tournait en rond. Additionne tout ça, et tu comprendras que je n'aie ni l'envie ni le temps de me consacrer à une nouvelle histoire personnelle.

— Une minute.

Il s'arrêta sur le bas-côté, défit sa ceinture de sécurité, se tourna vers elle, la prit par les épaules et écrasa sa bouche sur la sienne. Un crépitement de chaleur parcourut Malory et lui laissa une sensation de brûlure dans le bas-ventre.

— Tu... tu as le chic pour ça... articula-t-elle lorsqu'elle put de nouveau respirer.

— Je m'entraîne le plus possible.

Joignant le geste à la parole, il l'embrassa de nouveau. Plus doucement, cette fois. Plus intensément. Jusqu'à ce qu'il la sente frémir.

— Je voulais juste que tu ajoutes cela à ton addition.

— J'ai fait les beaux-arts, pas une maîtrise de maths. Reviens là une minute.

Elle le prit par la chemise, l'attira contre elle et se laissa aller. Tout en elle était en ébullition. Le sang, les os, le cerveau...

Si c'était cela, se faire manipuler, songea-t-elle confusément, elle voulait bien reconsidérer la question.

Quand les mains de Flynn s'emmêlèrent dans ses cheveux, une sensation de pouvoir et d'anxiété mêlés s'empara d'elle, aussi puissante qu'une drogue.

— On ne peut pas faire ça, murmura-t-elle.

Mais elle soulevait la chemise de Flynn, impatiente de toucher sa peau.

— Je sais. On ne peut pas.

Il s'escrimait sur la boucle de sa ceinture de sécurité.

— On va arrêter dans une minute.

— D'accord, mais d'abord...

Elle prit la main de Flynn, la posa sur son sein, et un gémissement lui échappa tandis que son cœur fondait sous sa paume ferme. Il se rapprocha d'elle, se cogna le coude, grogna. Croyant à un match de lutte, Moe glissa sa tête entre les deux sièges et leur administra de grands coups de langue.

— Mon Dieu !

Partagée entre le rire et le choc, Malory s'essuya la bouche.

— J'espère de tout cœur que c'était toi qui m'embrassais.

— Moi aussi, dit-il en pouffant.

Le souffle court, Flynn la regarda. Elle avait les cheveux emmêlés, le visage rosi, les lèvres légèrement enflées par ses baisers. Elle était effroyablement sexy. Du revers de la main, il repoussa Moe et lui ordonna brièvement de s'asseoir. Le chien se laissa retomber sur son arrière-train et gémit comme si on venait de lui donner un coup de balai.

— Je n'avais pas l'intention d'aller si vite.

Malory secoua la tête.

— Et moi, je n'avais pas l'intention d'aller où que ce soit. Alors que je sais toujours où je vais.

— Je n'avais pas essayé de faire ça dans une voiture depuis une éternité.

— Moi non plus.

Le regard de Malory se porta vers Moe, qui émettait des sons pathétiques sur la banquette arrière.

— Compte tenu des circonstances...

— Oui. On va peut-être s'abstenir. Mais j'ai très envie de faire l'amour avec toi, murmura Flynn en l'attirant contre lui. De te toucher. De te sentir bouger sous mes mains. J'ai envie de ça, Malory.

— J'ai besoin de réfléchir. Tout est compliqué, dans cette histoire.

Elle avait failli lui arracher ses vêtements pour le déshabiller plus vite, en plein jour, sur le bas-côté d'une route. Voilà qui ne lui ressemblait pas du tout.

— Ma vie est un fiasco, Flynn.

Cette pensée la déprima suffisamment pour que son pouls se calme.

— Quelle que soit la façon de calculer, j'ai tout raté. Il faut que je me remette en selle. Alors, n'allons pas trop vite, tous les deux, d'accord ?

Il passa un doigt dans le décolleté de son chemisier.

— Qu'est-ce que tu appelles « pas trop vite » ?

— Je ne sais pas encore. Oh, c'est trop dur de l'entendre gémir comme ça !

Elle se retourna et ébouriffa Moe entre les oreilles.

— Ne pleure pas, grosse bête. Personne ne t'en veut.

— Parle pour toi, marmonna Flynn.

7

Je sens le soleil, chaud et étrangement fluide, pareil à une cascade silencieuse dégringolant d'une rivière d'or. Il se déverse sur moi, me purifie. Je hume le parfum des roses, des lys et d'une fleur plus épicée qui tranche sur ces effluves doucereux. J'entends un gargouillis, un filet d'eau qui s'élève, puis retombe sur lui-même.

Toutes ces choses glissent sur moi, ou je glisse sur elles, mais je ne vois que du blanc, compact. Un rideau impénétrable que je ne peux écarter.

Pourquoi n'ai-je pas peur ?

Des rires de filles flottent dans l'air. Gais, insouciants. Une acclamation juvénile me fait sourire, me donne envie de rire. Je veux trouver la source de ces rires et m'y mêler.

Des voix, à présent. Un bavardage rapide, jeune et féminin, lui aussi.

Les sons vont et viennent, montent et descendent. Je ne sais si je dérive vers eux ou si je m'en éloigne.

Très lentement, le rideau s'amenuise. Ce n'est plus qu'un brouillard, doux comme une bruine soyeuse à travers laquelle brillent des rayons de soleil. De l'autre côté, je vois de la couleur. Une couleur éclatante, si intense qu'elle déchire le voile de brume et m'éblouit.

Les dalles d'argent étincellent en éclairs aveuglants là où l'épais feuillage vert des arbres n'offre ni ombre ni abri. Des fleurs rose vif flottent dans des bassins ou dansent dans des parterres luxuriants.

Trois jeunes filles sont rassemblées autour d'une fontaine mélodieuse. C'est leur rire que j'entends. L'une tient une petite harpe sur ses genoux, une autre une plume d'oie. Elles rient en regardant un petit chiot se tortiller dans les bras de la troisième. Elles sont charmantes, d'une émouvante innocence.

Innocentes, peut-être, mais fortes : l'une d'elles porte à la hanche une dague dans un fourreau. Je sens le pouvoir qui émane d'elle, son crépitement qui vibre dans l'air.

Je n'ai toujours pas peur.

Elles appellent le chiot Diarmait et le posent pour qu'il gambade autour de la fontaine. Ses jappements excités résonnent comme autant de clochettes. Une des filles glisse son bras autour de la taille d'une autre, et la troisième pose sa tête sur l'épaule de la deuxième. Elles deviennent une sorte de triade, un ensemble composé de trois parties. Elles bavardent et rient.

Je les entends prononcer des noms qui me paraissent familiers, sans que je sache comment je les connais, et je regarde là où se porte leur regard. Au loin, dans l'ombre d'un arbre dont les branches pendent gracieusement, alourdies par des fruits semblables à des pierres précieuses, un couple s'étreint avec passion.

Lui, grand et ténébreux, dégage une force qui doit être terrible si sa colère se réveille. Sa compagne est très belle, très mince. D'elle émane quelque chose de supérieur.

Ils sont fous amoureux. Je sens en moi leur désir, leur chaleur, qui palpite telle une blessure.

L'amour est-il si douloureux ?

Les filles les regardent, émues. Elles font des vœux. Un jour, espèrent-elles, elles aimeront ainsi, elles connaîtront le goût des lèvres d'un amant, l'ardeur de ses caresses.

Nous sommes toutes captivées par cette étreinte passionnée, absorbées par notre envie et nos rêves. Le ciel s'assombrit. Les couleurs se ternissent. Je sens le vent froid, à présent, un glacial tourbillon. Son rugissement soudain hurle dans mes oreilles. Les fleurs s'arrachent des branches, les pétales volent.

Maintenant, j'ai peur. La terreur m'envahit avant même que je ne voie la silhouette noire et furtive du serpent glisser sur les dalles d'argent, l'ombre qui émerge des arbres avec son écrin de verre.

Des mots retentissent. J'ai beau plaquer mes mains contre mes oreilles, je les entends dans ma tête :

« Gardez en mémoire ce temps et cette heure où j'exerce mon pouvoir maléfique. Les âmes mortelles des trois filles du roi m'appartiendront à tout jamais, enfermées dans cet écrin, tandis que leurs corps resteront livrés au sommeil éternel. Le sortilège ne sera rompu qu'à une condition : que des mortelles découvrent les trois clés qui ouvrent l'écrin. Elles ont trois mille ans pour les trouver. Un instant de plus, et les âmes partiront en flammes.

« Par cette épreuve, par cette quête, aux mortels de prouver leur valeur. Je ferme ces serrures et précipite les clés entre les mains du destin. »

Le vent tombe, l'air se fige. Les trois sœurs gisent à terre, les paupières closes, les mains jointes. Trois parties d'un même ensemble.

Derrière elles se trouve un écrin de verre aux parois scellées par du plomb. Les trois serrures en or étincellent au soleil. Des lumières bleues papillonnent fébrilement à l'intérieur, se heurtent aux parois telles des ailes prises au piège.

Autour de l'écrin, trois clés.

En les voyant, je pleure.

Malory tremblait encore de tous ses membres quand elle ouvrit la porte à Zoé.

— Je suis venue dès que j'ai pu. J'ai dû déposer Simon à l'école d'abord. Tu avais l'air bouleversée au téléphone. Qu'est-ce…

— Dana n'est pas encore là. Je préfère ne le raconter qu'une fois. J'ai fait du café.

— Formidable.

Zoé posa une main sur l'épaule de Malory et la poussa vers un fauteuil.

— Assieds-toi, je vais le chercher. Tu es pâle comme un linge. La cuisine est par là ?

— Oui.

Reconnaissante, Malory s'assit et se frotta les yeux.

— Raconte-moi comment s'est passé ton rendez-vous avec Flynn, l'autre jour.

— Hein ? Oh, bien. Bien. Il a l'air presque normal, sans son chien… Ah, ce doit être Dana.

— J'y vais. Reste assise.

Zoé était déjà à la porte.

— Alors ? fit aussitôt Dana. Où est l'incendie ? Mmm, ça sent le café… Par pitié, une tasse !

— Je m'en occupe. Va t'asseoir avec Malory, ajouta Zoé à voix basse.

Dana s'effondra dans un fauteuil, fit une grimace et dévisagea longuement Malory.

— Tu as une sale tête.

— Merci beaucoup.

— Ne t'attends pas à des mots doux alors que tu me tires du sommeil et que je débarque ici vingt minutes seulement après mon premier café. Et puis, ça me rassure que tu n'émerges pas du lit toute parfaite. Que se passe-t-il ?

Malory leva les yeux vers Zoé, qui revenait dans le salon avec trois grandes tasses de café sur un plateau.

— J'ai fait un rêve.

— Un cauchemar ? demanda Zoé en s'asseyant sur l'accoudoir du fauteuil de Malory.

— Non. Enfin, pas vraiment. Dès que je me suis réveillée, je l'ai tapé à l'ordinateur.

Elle se leva et prit des feuilles sur la table.

— Je n'ai jamais fait de rêve avec un tel luxe de détails. Ou, du moins, je ne me suis jamais souvenue aussi nettement des détails d'un rêve. Je l'ai consigné tout de suite pour être sûre de ne rien omettre. Mais je sais que je ne l'oublierai pas. Enfin, lisez, c'est aussi simple.

Elle leur tendit les pages imprimées. Lorsqu'elle eut terminé sa lecture, Dana commenta :

— Ça fait froid dans le dos. Je comprends que tu sois secouée. Mais la provenance de ce rêve est évidente. Flynn m'a raconté votre visite à Warrior's Peak, hier. Ton subconscient s'est emparé de tout ce que tu as à l'esprit en ce moment.

— Dana a raison, ça donne le frisson, déclara Zoé en massant les épaules de Malory. Tu as bien fait de nous appeler.

— Ce n'était pas un rêve. J'y étais.

Malory réchauffa ses mains glacées autour de sa tasse.

— J'ai marché à l'intérieur du tableau.

— Bon, Malory, on se calme. Tu pousses l'identification un peu loin, voilà tout. C'est normal, après un rêve pareil.

— Je ne m'attends pas que vous me croyiez, mais je vais vous dire ce que je pense depuis que je me suis réveillée : j'y étais. J'ai senti les fleurs, la chaleur, puis le froid et le vent. J'ai entendu les sœurs crier.

Elle ferma les yeux et étouffa une nouvelle bouffée de panique.

— J'ai perçu aussi cette tension dans l'air. Au réveil, mes oreilles bourdonnaient encore. Ils parlaient en gaélique, mais je comprenais tout. Comment est-ce possible ?

114

— Tu as seulement cru...

— Non ! Je comprenais. Au moment où le temps a changé, où tout est devenu fou, je les ai entendues appeler leur père. « *Chi athair sinn* » – « Père, aide-nous ». J'ai vérifié ce matin, mais je l'avais compris.

Elle inspira profondément.

— Elles s'appelaient Venora, Niniane et Kyna. Comment l'aurais-je su ?

Raconter tout cela l'apaisait. Son cœur se mit à battre moins vite, sa voix baissa d'un ton.

— Elles étaient terrifiées. Et je ne pouvais rien faire pour elles.

— Je ne sais pas quoi penser de tout cela, dit Dana au bout d'un moment. Tâchons de raisonner logiquement. Le tableau t'attire depuis le début, et nous savons que la légende est d'origine celte. Nous ressemblons aux trois filles, donc nous nous identifions à elles.

— Mais par quel miracle comprenais-je le gaélique ? Par quel miracle connaissais-je leur nom ? Et je vais vous dire autre chose : l'être qui leur a pris leur âme était sombre, puissant et vorace. Il ne nous laissera pas gagner comme cela.

— L'écrin et les clés, intervint Zoé. Tu les as vus. Tu sais à quoi ils ressemblent.

— L'écrin est beau et sobre, en verre, avec un couvercle en dôme et trois serrures devant. Les clés sont les mêmes que celles qui figuraient sur nos invitations, les mêmes que l'emblème du drapeau qui flotte sur Warrior's Peak. Elles ne sont pas très grandes. Une dizaine de centimètres de long maximum.

— Tu dis qu'elles ont prononcé les noms des deux amoureux sous l'arbre, reprit soudain Dana.

— Rowena et Pitte. Ils n'ont rien pu faire non plus. Tout s'est passé si vite, si violemment...

Malory prit une longue inspiration.

— Le pire, conclut-elle, c'est que j'y crois. Et tant pis si ça paraît complètement insensé. C'est bel et bien arrivé. J'ai été emmenée dans ce tableau, de l'autre côté du Rideau des rêves, et j'ai tout vu arriver. Il faut que je retrouve cette clé. Coûte que coûte.

Après une réunion du personnel durant laquelle une journaliste piqua une colère parce qu'il avait supprimé dix lignes de son article sur les tendances de l'automne en matière de mode, Flynn se réfugia dans son bureau. Le personnel consistant en une petite trentaine de personnes, avoir une journaliste en colère constituait un grave problème de ressources humaines.

Il consulta ses e-mails, étoffa un article sur la vie nocturne de Pleasant Valley et approuva deux photos pour l'édition du lendemain.

Sa porte était fermée, mais il percevait les sonneries des téléphones et les cliquetis assourdis des claviers. En bas, Rhoda, la responsable de la rubrique mode-potins-mondanités, continuait à faire part de son mécontentement à qui voulait l'entendre. Elle travaillait pour le journal depuis qu'il était petit garçon, de même qu'une bonne moitié des autres journalistes. Et beaucoup d'entre eux considéraient encore le *Dispatch* comme le journal de sa mère.

Voire de son grand-père.

Par moments, cela l'agaçait ; à d'autres, cela le désespérait ; et parfois, cela l'amusait simplement.

Il n'aurait su dire dans quel état il se trouvait ce jour-là, mais Rhoda le terrifiait.

Mieux valait ne pas y songer pour l'instant.

Il était plongé dans la mise en page de la une lorsque Dana entra dans son bureau.

— Même pas un petit coup à la porte. Pas de tête espiègle dans l'entrebâillement. Tu fais irruption comme ça.

Dana balaya ses protestations d'un geste nonchalant.

— Il faut que je te parle, Flynn. Où est Moe ? ajouta-t-elle en s'effondrant sur une chaise et en regardant autour d'elle.

— Aujourd'hui, il est resté à la maison. D'ailleurs, tu pourrais aller lui tenir compagnie cet après-midi et me préparer un bon dîner pour ce soir.

— Tu peux toujours rêver.

— Écoute, j'ai eu une matinée difficile, j'ai un mal de tête qui refuse de disparaître et je dois finir cette mise en page.

Dana secoua la tête.

— Rhoda a encore fait des siennes, c'est ça ? Qu'est-ce que tu attends pour la virer ? Tu es bien trop gentil avec elle.

— Elle est entrée au *Dispatch* à dix-huit ans, soupira-t-il. Bon, je suis ravi de t'avoir vue, mais je dois finir ça…

Dana étira ses longues jambes devant elle.

— Tu fais un chouette boulot, ici, Flynn. Tu es un bon patron. Aussi compétent que l'était Liz. Voire davantage, dans certains domaines, car tu es plus abordable. Et tu as une meilleure plume que n'importe lequel de tes journalistes.

— Qu'est-ce qui me vaut ce petit discours ?

— Je n'aime pas te voir malheureux. Pleasant Valley a besoin du *Dispatch*, et le *Dispatch* a besoin de toi. Il n'a pas besoin de Rhoda. D'ailleurs, si tu veux mon avis, elle le sait, et ça lui reste en travers de la gorge. Ne fais pas de sentimentalisme avec cette vieille rombière aigrie.

— Merci pour le conseil.

— C'est ma deuxième bonne action de la journée. Je viens de passer une heure chez Malory. Elle a fait un rêve, mais elle ne croit pas que ce soit un rêve.

Dana lui exposa les faits en quelques mots, avant de sortir le compte rendu rédigé par Malory.

— Je m'inquiète pour elle, Flynn, et je commence à m'inquiéter pour moi aussi, car elle m'a à moitié convaincue qu'elle avait raison.

Flynn lut le récit du rêve de Malory, le relut, puis s'appuya contre le dossier de son fauteuil et contempla un instant le plafond avant de demander :

— Et si elle avait raison, justement ?

— Il s'agit de dieux, de sorcellerie et d'âmes captives, lui rappela-t-elle avec agacement.

— Il s'agit de magie et de possibilités, répliqua Flynn. Il faut toujours explorer les possibilités. Écoute, retrouvons-nous tous les quatre chez moi ce soir. Préviens Zoé, je me charge de Malory.

En voyant sa sœur froncer les sourcils, il sourit.

— C'est toi qui es venue me chercher, ma belle. Je suis dans le coup, maintenant.

— Je ne sais pas comment te remercier…

— Pas de problème. Ça me fait plaisir de magouiller dans le dos de cette bimbo nazie.

Tod coula néanmoins un regard prudent de chaque côté du couloir avant d'ouvrir la porte de l'ancien bureau de Malory, devenu le domaine de Pamela.

— Mon Dieu, qu'a-t-elle fait de cet endroit ?

— Hideux, hein ? fit Tod en frissonnant. On dirait que les murs ont vomi du Louis XIV. Ma seule consolation est de savoir qu'elle est obligée de regarder tout ça en entrant.

La pièce était encombrée d'un amas d'objets et de tableaux. Chaque élément était un petit trésor en soi, mais l'accumulation de ces œuvres d'art dans cet étroit espace faisait penser à un stand dans un vide-greniers de luxe.

— Alors, comment s'en sort-elle ?

— Grâce à ses esclaves et ses sous-fifres, c'est-à-dire Ernestine, Julia, Franco et moi. Réjouis-toi d'être partie, Mal.

— Où est-elle, en ce moment ?

— Elle déjeune à son club. Tu as deux heures devant toi.

— C'est amplement suffisant. J'ai besoin de la liste des clients, dit-elle en se dirigeant vers l'ordinateur.

— Oh, tu vas lui piquer ses clients sous son nez refait ?

— Non. J'adorerais, mais je ne suis pas totalement dépourvue de sens moral, figure-toi. J'aimerais juste retrouver le nom de l'artiste qui a peint un certain tableau. Je veux savoir qui dans notre fichier achète ce style de peinture. Ensuite, j'examinerai notre fichier sur les tableaux représentant des thèmes mythologiques. Zut, elle a changé le mot de passe.

— C'est « le mien ».

— Elle a le même mot de passe que toi ?

— Non. L-E-M-I-E-N, épela-t-il en secouant la tête. Elle l'a même noté pour s'en souvenir. Après en avoir oublié deux autres. Disons que je suis tombé sur le papier par hasard.

— Tod, je t'adore ! s'écria Malory en tapant le code.

— Assez pour me dire de quoi il s'agit ?

— Plus qu'assez, mais je ne peux malheureusement pas t'en parler pour l'instant.

Elle travailla vite, trouva la liste détaillée de la clientèle et la copia sur la disquette qu'elle avait apportée.

— Je te jure que je n'utiliserai pas ceci pour quoi que ce soit d'illégal ou de répréhensible.

— Dommage.

Elle éclata de rire, ouvrit son sac et lui montra la photo du tableau des trois sœurs.

— Tu reconnais cette toile ?

— Mmm... non. Mais le style me dit quelque chose.

— À moi aussi. Mais je n'arrive pas à mettre le doigt dessus. Pourtant, je suis sûre d'avoir déjà vu d'autres œuvres du même genre quelque part. Si ça te revient, appelle-moi. Même en pleine nuit.

— Ça a l'air drôlement important.

— À moins que je ne sois en train de devenir complètement cinglée, ça pourrait bien l'être.

— Ça a un rapport avec M. F. Hennessy ? Tu fais une pige pour son journal ?

Malory faillit s'étrangler.

— Flynn ? Mais comment se fait-il que tu sois au courant ?

— On t'a vue en train de dîner avec lui, l'autre jour. J'ai des espions partout, ajouta Tod.

— Il ne s'agit pas de lui directement. Et non, je n'écris pas d'article pour le *Dispatch*. Tu as déjà rencontré Flynn ?

— Seulement dans mes rêves. Beau mec. Tout à fait mon genre.

— Eh bien... on sort plus ou moins ensemble. Ce n'était pas au programme, mais je me suis laissé convaincre.

— Il te plaît, alors ?

— Je dois bien l'avouer. Il est drôle, intéressant, adorable, intelligent et, je crois, tenace.

— Ça a l'air parfait. Je peux l'avoir ?

— Désolée, mon vieux, mais je vais peut-être le garder.

Elle récupéra sa disquette, referma soigneusement les fichiers et éteignit l'ordinateur.

— Mission accomplie, aucune victime à déplorer. Merci, Tod.

Dana était déjà chez Flynn quand Malory arriva.

— Tu as dîné ?

— Non, je n'ai pas eu le temps, répondit Malory.

— Tant mieux, on a commandé des pizzas. Flynn est dehors, en train de faire courir Moe. Entre, je vais déboucher une bouteille de vin.

Zoé arriva presque aussitôt, accompagnée de Simon.

— J'espère que ça ne vous ennuie pas ? Je n'ai pas pu trouver de baby-sitter.

120

— Je n'ai pas besoin de baby-sitter, décréta Simon.

— Mais moi, j'ai besoin de savoir qu'il y a une baby-sitter pour te surveiller quand je suis absente, dit Zoé en souriant. Il a des devoirs. Est-ce qu'il pourrait s'installer dans un coin pour les faire ? J'ai apporté les chaînes pour qu'il se tienne tranquille.

Dana fit un clin d'œil à l'enfant.

— Nous l'emmènerons dans le donjon. Est-ce qu'on a le droit de le torturer avant de lui donner de la pizza ?

— Mmm ! De la pizza ! s'exclama Simon.

Il poussa un cri en voyant Moe rentrer du jardin.

— Oh ! là là ! Incroyable, ce chien !

— Simon, ne…

Mais le garçon et le chien se précipitaient déjà l'un vers l'autre, cédant au coup de foudre réciproque.

— Hé, Flynn, regarde qui nous a amené Zoé. Il faut l'aider à faire ses devoirs.

— Pas de problème. Tu dois être Simon.

— Oui. Il est géant, votre chien, m'sieur.

— Il s'appelle Moe. Et moi Flynn. Zoé, tu veux bien que Simon emmène Moe dans le jardin pour qu'ils se défoulent un petit moment ?

— Bien sûr. Vingt minutes, Simon, et ensuite, au boulot.

— Super !

— Au fond du jardin, tu trouveras une balle pleine de trous de dents et de bave, lui dit Flynn. Moe adore qu'on cavale après et qu'on la lui rapporte.

— Vous êtes rigolo, fit Simon en s'esclaffant. Allez, Moe, on va dehors !

Lorsque les pizzas arrivèrent, Dana déclara :

— Flynn, sois un homme, paie la pizza.

— Pourquoi faut-il toujours que je fasse l'homme ?

Puis son regard se posa sur Malory, et il sourit.

— Ah, oui, voilà pourquoi.

Dana s'assit par terre, un cahier neuf sur les genoux.

— Organisons-nous. C'est la bibliothécaire qui parle. Zoé, sers-toi du vin. Pour commencer, chacun de nous va raconter ce qu'il a découvert, pensé ou supputé depuis notre dernière rencontre.

— Moi, pas grand-chose de nouveau, annonça Zoé en sortant une mince liasse de feuilles de son fourre-tout. Mais j'ai tout tapé à l'ordinateur.

— Formidable. Bon. L'expérience de Malory, nous la connaissons tous. Je l'ai ajoutée au dossier.

— J'ai autre chose, annonça Malory. Une liste des clients de La Galerie qui ont acheté des tableaux mythologiques ou qui s'y sont intéressés. J'ai aussi commencé des recherches sur des styles similaires, mais cela prendra du temps.

— Je t'aiderai, proposa Zoé. Nous pourrions peut-être chercher des tableaux qui comportent une clé.

— Bonne idée, approuva Malory.

— Quant à moi, j'ai travaillé sur l'indice, annonça Dana en buvant une gorgée de vin. Je me demandais si nous ne devrions pas reprendre les phrases une à une et effectuer une recherche sur des noms de lieux, comme des restaurants ou des magasins. Par exemple, «où chante la déesse». Je n'ai encore rien trouvé, mais ça pourrait tout à fait être le nom d'une boutique.

— Pas mal, commenta Flynn en prenant une part de pizza.

— Ce n'est pas tout. J'ai cherché sur Internet les trois noms que Malory a entendus dans son… dans son rêve. Niniane revient plusieurs fois. D'après certaines légendes, ce serait la sorcière qui a enchanté le Merlin du roi Arthur et l'a enfermé dans un palais de cristal. D'après une autre, elle serait la mère de Merlin. J'ai aussi trouvé un petit site ésotérique sur le culte des déesses. Ils y racontent une variante des sœurs de verre et les appellent Venora, Niniane et Kyna.

— Ce sont donc leurs noms. Il ne peut pas s'agir d'une coïncidence, puisque je les ai entendus en rêve et que tu les as trouvés aujourd'hui.

— C'est exact, admit Dana. Mais il est possible que tu sois tombée sur le même site et que les noms te soient restés en tête.

— Non. Je m'en serais souvenue. Je ne les avais jamais entendus avant ce rêve.

— Bon, dit Flynn en se tapant le genou. En ce qui me concerne, je n'ai trouvé aucune trace d'une entreprise de déménagement ayant travaillé pour Warrior's Peak. Les agences immobilières n'ont jamais entendu parler de Rowena et de Pitte, ni d'une quelconque société Triad. Je n'ai rien trouvé par le biais de sources logiques.

— Il va falloir examiner les sources illogiques, alors, intervint Zoé.

Flynn se tourna vers elle, un sourire rayonnant sur les lèvres.

— Exactement. Mais d'abord, une dernière étape rationnelle. Je connais des gens qui sont des collectionneurs d'art passionnés : la famille Vane. J'ai donc téléphoné à mon vieil ami Brad. Il se trouve qu'il revient ici dans deux jours.

— Brad revient à Pleasant Valley ? s'exclama Dana.

— Il va prendre la direction de l'antenne régionale de HomeMakers. Brad a hérité de la passion des Vane pour l'art. Je lui ai décrit le tableau. Du moins, j'ai commencé. Avant que je ne termine, il m'avait donné le titre : *Les Sœurs de verre*.

— Non, c'est impossible. J'en aurais entendu parler, objecta Malory. Qui l'a peint ?

— Personne ne semble en être sûr.

— C'est impossible, répéta-t-elle. Un talent pareil n'aurait pas pu m'échapper. J'aurais vu d'autres œuvres de cet artiste.

— Pas forcément. D'après Brad, on ne sait pas grand-chose sur lui. *Les Sœurs de verre* a été vu pour la dernière fois chez un particulier, à Londres, où il a été, d'après la version officielle, détruit pendant le Blitz. En 1942.

8

Malory s'enferma chez elle pendant deux jours. Elle s'immergea dans les livres, les coups de téléphone, les e-mails. Mieux valait mener ses recherches selon une logique systématique assistée de la technologie, avait-elle fini par conclure.

Elle ne pouvait pas fonctionner, et encore moins raisonner, dans la pagaille. C'était d'ailleurs la raison pour laquelle, estimait-elle, elle avait échoué en tant qu'artiste. La création d'un art authentique exigeait une aptitude mystérieuse et innée à œuvrer dans le chaos, la capacité de voir, de comprendre, de ressentir des douzaines de gammes d'émotions en même temps. Et encore fallait-il posséder le talent de transférer ces émotions sur un support.

Elle n'avait pas ce don.

Le tableau de Warrior's Peak, ou toute autre œuvre du même artiste, la conduirait à la clé. Elle en était désormais certaine. Sinon, comment expliquer qu'elle y revienne constamment ? Qu'elle soit entrée à l'intérieur de la toile en rêve ?

On lui avait dit de chercher en elle et au-dehors...

Elle ouvrit un dossier et examina de nouveau le tableau. Qu'est-ce qui entourait les trois sœurs ? La paix, la beauté, la passion et l'amour. Et la menace que tout cela soit détruit. Ainsi que le moyen de le faire renaître.

Une clé dans les airs, une dans les arbres, l'autre dans l'eau...

Laquelle des trois était la sienne ?

Il ne lui restait que trois semaines.

Son cœur fit un bond quand elle entendit frapper à la porte-fenêtre du patio. L'homme et son chien étaient là. Elle passa instinctivement une main dans ses cheveux. Elle ne s'était pas maquillée, ce matin-là, et avait enfilé un vieux pantalon informe dans l'idée de se cloîtrer à la maison.

Dire qu'elle n'était pas à son avantage était un euphémisme.

Flynn la dévisagea des pieds à la tête lorsqu'elle ouvrit la porte et dut penser la même chose, car il déclara :

— Toi, tu as besoin de sortir.

— Je suis occupée, grommela-t-elle. Je travaille.

— Je vois ça, dit-il en englobant du regard les papiers étalés sur le bureau, la jolie cafetière et la tasse en porcelaine, les petits pots en plastique rouge qui renfermaient crayons, trombones, règles.

Même toute seule chez elle, elle restait ordonnée. C'était à la fois stupéfiant et charmant.

Moe donna un coup de museau dans la jambe de Flynn et ramassa son corps sur lui-même, prêt à bondir. Reconnaissant le signal, Malory leva la main.

— Ne saute pas, ordonna-t-elle.

Moe frissonna, mais obéit. En guise de récompense, elle lui tapota la tête.

— Bon chien. Je n'ai pas de...

— Ne prononce pas le mot, l'avertit Flynn. Tout terme se rapportant à la nourriture le rend fou. Allez, viens, il fait si beau ! ajouta-t-il en prenant la main de Malory. On va aller se promener.

— Et toi, tu ne travailles pas ?

— Il est 18 h 30, et j'aime faire semblant d'avoir une vie privée après le journal.

126

— 18 h 30 ? Mon Dieu, déjà !

— C'est bien pourquoi tu as besoin de prendre l'air et de bouger un peu.

— Je ne peux pas sortir comme ça, objecta-t-elle. Je suis mal habillée, mal coiffée et pas maquillée.

— Il n'existe pas de code vestimentaire pour sortir le chien, tu sais.

Toutefois, il avait une mère et une sœur, et il connaissait le protocole.

— Mais si tu préfères te changer, nous t'attendrons.

Il avait eu affaire à suffisamment de femmes pour savoir que l'attente pouvait durer de dix minutes jusqu'à la fin de ses jours. Ayant appris à considérer ce processus préparatoire féminin comme une sorte de rituel, il ne s'en formalisait pas. Cela lui donna l'occasion de s'asseoir dans le patio, Moe couché à ses pieds, et de noter des idées d'articles dans son carnet. Le temps n'était gâché que si l'on n'en faisait rien, estimait-il. Et pour lui, ce n'était pas toujours une perte de temps de laisser son esprit vagabonder.

Puisque Brad revenait à Pleasant Valley, le *Dispatch* allait devoir rédiger un article de fond sur lui, sur les Vane et sur HomeMakers – l'histoire de leur famille, de leurs affaires, leur position dans le contexte économique actuel, les perspectives d'avenir…

Il s'en chargerait lui-même, conjuguant ainsi intérêts professionnels et personnels. Exactement comme avec Malory.

Malory… Blonde, intelligente, ravissante. Organisée. Artiste. Il n'avait jamais rencontré personne qui réponde à ces deux caractéristiques à la fois.

Du coin de l'œil, il surprit un mouvement, leva la tête de ses notes et regarda Malory venir vers lui. Elle n'avait pas mis longtemps à se transformer.

Il quitta son siège et glissa une main sous le collier de Moe pour le retenir avant qu'il ne bondisse sur Malory.

— Tu es superbe. Et tu sens merveilleusement bon.

— J'aimerais que ça dure, répondit-elle en se penchant et en tapotant d'un doigt léger le museau de Moe. Alors, on ne saute pas.

— Si on allait à la rivière ? Il pourra galoper tout son soûl.

Il était fort. Très fort. Il avait réussi à faire d'une promenade pour le chien un rendez-vous amoureux. Il avait procédé tout en douceur, si bien qu'elle ne s'en rendit compte que lorsqu'ils furent assis sur une couverture, devant la rivière, en train de manger du poulet rôti, tandis que Moe pourchassait des écureuils en aboyant avec espoir.

Mais comment se plaindre alors que l'air était frais et pur et qu'elle pouvait admirer le soleil qui déclinait à l'ouest ? Bientôt, il ferait nuit. Regarderaient-ils les étoiles ensemble ?

— Je reconnais que tu as bien fait de m'obliger à mettre le nez dehors.

— Tu n'es pas un rat de bibliothèque comme Dana. Tu as besoin de voir du monde. Dana est capable de rester cloîtrée chez elle pendant trois semaines, parfaitement heureuse. Moi, je deviens fou au bout de deux jours. Il faut que je bouge. Et toi aussi.

— Tu as raison. Mais je ne suis pas sûre que ça me plaise que tu me perces à jour si vite.

— Si vite, c'est relatif. En termes de ratio temps-énergie, j'ai passé au moins un an à penser à toi, ces huit derniers jours. Cela faisait longtemps que je n'avais pas pensé à une femme comme ça, au cas où tu te poserais la question.

— Je ne me pose pas de questions particulières. Enfin, si, celle-ci : pourquoi m'as-tu amenée ici, loin de la ville ?

— C'est tranquille, il y a une jolie vue, et Moe s'y plaît. En outre, il existe une chance infime pour que je te déshabille sur cette couverture...

— Infime? Ou nulle?

— Disons infime, pour que je garde espoir. Et puis, je voulais voir si Brad était déjà revenu, ajouta-t-il en plongeant sa fourchette dans la salade de pommes de terre qu'il avait achetée au fast-food.

Son regard se porta de l'autre côté de la rivière, où se dressait une maison de deux étages à la charpente en bois.

— Apparemment, non, ajouta-t-il.

— Il te manque?

— Oui.

— J'ai des copains de fac dont j'étais très proche. On pensait qu'on resterait liés ainsi toute notre vie. Maintenant, on est tous dispersés et on se voit au mieux une ou deux fois par an. On se téléphone, on s'envoie des e-mails, mais ils me manquent. Ce qui me manque aussi, c'est ce que nous partagions à l'époque. Cette complicité entre nous. C'est la même chose pour toi?

— À peu près. Notre roi des e-mails, c'est Jordan.

— Je l'ai rencontré il y a trois ou quatre ans, un jour où il dédicaçait des livres à Pittsburgh. Un beau ténébreux avec une lueur dangereuse dans les yeux.

— Tu en veux, du danger?

Elle rit. Il n'avait pas l'air dangereux, assis sur cette vieille couverture, en train de manger du poulet.

Mais elle changea d'avis une seconde plus tard, lorsqu'il l'allongea sur le dos sans prévenir et pressa son corps contre le sien. Le rire de Malory mourut dans sa gorge.

Sa bouche était dangereuse. Comment avait-elle pu l'oublier? Cet homme à l'allure affable abritait des tempêtes brûlantes, capables de s'abattre sur vous avant que vous n'ayez songé à vous abriter.

Elle ne réfléchit pas. Elle se laissa submerger, exposa ce qu'il y avait de plus secret en elle. Et reçut la même chose que ce qu'elle donnait.

— Comment ça se passe, pour toi ? murmura-t-il en posant ses lèvres magiques sur la gorge de Malory.

— Pour l'instant, plutôt bien.

Il leva la tête et la regarda. Le cœur de Malory s'emballa.

— Je sens un truc, là, dit-il. Un très gros truc.

— Je ne pense pas que…

— Si. Tu n'as peut-être pas envie de penser – moi non plus, d'ailleurs –, mais tu penses. Et je sens bien qu'il se passe quelque chose. Nous deux, ça fait tilt.

Il se redressa et plongea une main nerveuse dans ses cheveux.

— Et je ne suis pas prêt pour que ça fasse tilt, grommela-t-il.

Malory se rassit vivement et lissa son chemisier. Curieusement, la colère de Flynn l'agaçait et l'excitait en même temps.

— Et moi, tu crois que j'ai envie que ça fasse tilt ? J'ai assez de préoccupations en ce moment sans que tu viennes en plus m'embrouiller l'esprit. Il faut que je découvre la première clé. Il faut que je trouve un boulot. Et je ne veux pas d'un boulot stupide. Je veux…

— Quoi ? Que veux-tu ?

— Je n'en sais rien !

Elle se leva, furieuse, ne sachant ni d'où surgissait son emportement ni jusqu'où il irait. Les bras croisés sur sa poitrine, elle regarda la maison sur la rive opposée.

— Pourtant, je sais toujours ce que je veux.

Flynn se leva lui aussi, mais ne la rejoignit pas. Ce qui l'animait – colère, désir, peur – était trop brûlant pour qu'il coure le risque de toucher Malory.

— Moi, la seule chose que j'aie jamais été sûr de vouloir, c'est toi, déclara-t-il.

Elle se tourna vers lui et le regarda, troublée.

— J'ai du mal à imaginer que je sois la seule femme avec qui tu aies eu envie de coucher.

— Ce n'était pas le sens de mon propos. J'ai connu des femmes et j'en ai aimé une, c'est la raison pour laquelle je sais faire la différence entre vouloir une femme et te vouloir, toi. S'il ne s'agissait que de sexe, ça ne me mettrait pas en colère.

— Ce n'est pas ma faute si tu es en colère, grommela-t-elle. Du reste, tu n'as pas l'air si énervé que ça.

— Quand je suis sérieusement énervé, j'ai tendance à devenir raisonnable. C'est une malédiction.

Il ramassa la balle que Moe avait crachée à ses pieds et la lança.

— Qui était-ce, cette femme que tu as aimée ? demanda Malory.

Il haussa les épaules, ramassa de nouveau la balle rapportée par Moe et la relança.

— C'est sans importance.

— Je crois que si, ça a de l'importance. Que ça en a encore aujourd'hui.

— Ça n'a pas marché, voilà tout.

— Bon. Je vais rentrer, déclara-t-elle en retournant vers la couverture pour rassembler les reliefs de leur pique-nique impromptu.

— Ça, c'est un don que j'ai toujours admiré chez les femmes. Ce don que vous avez pour sous-entendre le « va te faire voir », précisa-t-il en relançant la balle à Moe. Elle m'a quitté. Ou, plutôt, je ne l'ai pas suivie. Question de point de vue. On est restés ensemble un an. Elle était reporter pour la station de télé locale, puis elle a pris du galon. C'était une journaliste brillante. On avait décidé de se marier et de partir ensemble à New York. Entre-temps, on lui a proposé un job là-bas. Elle est partie. Je suis resté.

— Pourquoi ?

— Pour le *Dispatch*. Mon beau-père, le père de Dana, était malade. Ma mère m'a confié certaines responsabilités au journal pour pouvoir rester auprès de lui. Je pen-

131

sais juste assurer l'intérim, en attendant que Joe se réta-blisse et qu'elle revienne. Mais cela a duré tout l'hiver. Ensuite, ils ont pris une période de repos bien méritée.

— Mais... et tes rêves ? Tes ambitions ?

Il réussit à sourire malgré son amertume.

— Il faut que tu saches que ma mère est quelqu'un de très autoritaire. Bien sûr, j'aurais pu partir malgré ça, tout plaquer et suivre Lily à New York. Mais ma mère savait bien que je resterais.

Il observa la balle dans sa main, la fit tourner lente-ment et dit d'une voix douce :

— Elle n'a jamais tellement aimé Lily, de toute façon.

— Flynn...

Il lança la balle avec force, avant de reprendre :

— À l'époque, j'avais vraiment envie de partir. J'aimais Lily. Mais je ne l'aimais pas au point de faire mes bagages quand elle m'a posé son ultimatum. Et elle ne m'aimait pas au point de rester ou de m'attendre à New York, le temps que j'arrange les choses ici et que je puisse la rejoindre.

« Alors, vous ne vous aimiez pas du tout, en fait », son-gea Malory.

— Un mois après avoir atterri à New York, elle m'a téléphoné pour rompre nos fiançailles. Elle m'a dit qu'elle voulait se consacrer à sa carrière. Six mois plus tard, elle a épousé un gros bonnet de NBC News. Depuis, je suppose qu'elle continue à grimper les échelons. Elle a eu ce qu'elle voulait et, finalement, moi aussi.

Il regarda Malory. Son visage était redevenu calme, ses yeux vert clair, comme si la colère n'était jamais venue les assombrir.

— À mon grand regret, je dois admettre que ma mère avait raison : je suis heureux ici et je fais exactement ce que j'ai envie de faire.

Il jeta une dernière fois la balle.

— Voilà mon histoire. J'ai réussi à t'attendrir ?

— Non, mentit-elle. Mais tu as gagné mon respect.

Elle le rejoignit et l'embrassa sur la joue.

— Je crois me rappeler cette Lily, qui présentait les infos régionales. Elle est rousse, c'est ça ? Des dents plein la bouche ?

— Ça ne peut être qu'elle.

— Si mes souvenirs sont bons, elle a une voix nasillarde et le menton fuyant.

Il se pencha pour l'embrasser sur la joue à son tour.

— C'est très gentil de dire ça. Merci.

Moe revint cracher la balle par terre entre eux.

— Combien de temps va-t-il continuer à faire ça ? demanda Malory.

— Jusqu'à ce que mon bras se désarticule, j'imagine.

Elle envoya la balle au loin d'un coup de pied.

— Il commence à faire nuit. Tu devrais me ramener chez moi.

— Ou je pourrais ramener Moe, et nous deux, on pourrait… Oh, je vois à tes sourcils froncés et à tes lèvres pincées que tu as l'esprit mal tourné. J'allais dire qu'on pourrait aller au cinéma.

— Je ne te crois pas.

— Pourtant, c'est la vérité. J'ai même la page des programmes dans la voiture, figure-toi. Je l'ai prise pour que tu puisses y jeter un coup d'œil.

— Tu as le journal tout entier dans ta voiture, car il se trouve que c'est ton journal, rétorqua Malory.

— N'empêche, je te laisse choisir.

— Et si c'est un film d'art et d'essai sous-titré ?

— Je souffrirai en silence.

— Tu sais déjà qu'on ne passe pas ce genre de film au multiplex du coin, je parie !

— Qu'y puis-je s'il n'y a pas d'autre cinéma ? Allez, Moe, on va faire un tour en voiture.

Le lendemain matin, Malory se sentait plus fraîche, plus optimiste. Cela lui avait fait du bien d'oublier, le temps d'une soirée, l'énigme de la clé et ses problèmes. Et c'était agréable de s'intéresser à un homme séduisant et compliqué.

Car Flynn était compliqué. D'autant plus qu'il donnait l'impression d'être simple. Ce qui faisait de lui une nouvelle énigme à résoudre.

Elle ne pouvait nier qu'il se passait quelque chose entre eux. Restait à savoir si ce quelque chose était uniquement sexuel ou s'il présageait davantage.

Énigme numéro trois, songea-t-elle en se replongeant dans ses recherches.

Son premier coup de fil la stupéfia. Dès qu'elle eut raccroché, elle partit en quête de ses vieux livres d'histoire de l'art.

La porte de la maison des Vane était grande ouverte. Des déménageurs transportaient des cartons à l'intérieur.

Moe bondit hors de la voiture et se rua dans la maison sans attendre d'y être invité. Flynn entendit un fracas, puis un juron. Il lui emboîta le pas, en priant pour que son chien n'ait pas brisé une des précieuses antiquités de la famille Vane.

— Eh bien, dis donc! C'est ça que tu appelles un chiot?

— C'était un chiot. Il y a un an.

Flynn regarda son vieil ami, que Moe léchait avec enthousiasme. Et il eut soudain le cœur plus léger.

— Désolé pour le... C'était une lampe?

— C'était, oui. Allez, ça va, gros toutou. Couché, maintenant.

— Moe, dehors! Va chasser le lapin!

Moe aboya et fila dehors.

— Quel lapin?

— Celui qui habite ses fantasmes. Salut, fit Flynn en piétinant les débris de la lampe pour serrer son ami dans ses bras. Tu as l'air en pleine forme.

Grand, mince et athlétique, Brad était l'enfant chéri des Vane, leur petit prince, aussi doué pour gérer une équipe de maçons que pour présider un conseil d'administration.

— Je suis passé hier soir, mais il n'y avait encore personne. À quelle heure es-tu arrivé ?

— Tard. Viens, allons ailleurs, dit Brad comme les déménageurs revenaient.

La maison restait toujours meublée, pour pouvoir accueillir les cadres de la société Vane. La famille de Brad habitait là autrefois, dans cet endroit que Flynn connaissait aussi bien que son propre foyer. La vue par la fenêtre était la même qu'avant, avec les bois, la rivière et les collines au loin.

Brad prépara du café et emmena Flynn sur la terrasse.

— Alors, quel effet ça te fait d'être revenu ?

— Je ne sais pas encore. Bizarre, surtout.

Brad s'appuya contre la balustrade et regarda devant lui. Rien n'avait changé, et pourtant, tout semblait différent.

Il se retourna vers Flynn. Malgré sa chemise et son vieux jean, on sentait sur lui le léger vernis de la grande ville. Ses cheveux blonds avaient viré au châtain, et ses fossettes ressemblaient à présent à des rides d'expression. Mais ses yeux étaient du même gris qu'autrefois sous ses sourcils droits.

Flynn savait que ce n'était pas sa bouche qui révélait l'humeur de Brad, mais ses yeux. S'ils souriaient, il était sincère. En cet instant, ils rayonnaient.

— Mon vieux Flynn… Quel bonheur de te revoir !

— Je n'aurais jamais cru que tu reviendrais.

— Moi non plus. Mais les choses évoluent. Ça faisait plusieurs années que quelque chose me démangeait. J'ai enfin compris que c'était l'envie de revenir à Pleasant Valley. Et toi, comment ça va, monsieur le rédacteur en chef ?

— Bien, bien. Je suppose que tu vas t'abonner à notre journal. Je t'enverrai un formulaire, ajouta-t-il avec un grand sourire. Et j'ai l'intention d'interviewer Bradley Charles Vane IV dès que possible.

— Hou! là là! Laisse-moi le temps de m'installer avant de me demander d'enfiler ma casquette d'homme d'affaires!

— Lundi, alors?

— Drôlement efficace, dis donc. Je ne sais pas ce que j'ai de prévu lundi, mais je demanderai à mon assistante de s'occuper de ça.

— Formidable. Et si on allait manger un morceau ensemble, ce soir?

— Bonne idée. Comment va ta famille?

— Maman et Joe vont bien. Ils sont toujours à Phoenix.

— À vrai dire, je pensais plutôt à la délicieuse Dana.

— Tu ne vas pas recommencer à draguer ma sœur, tout de même? Ça devient gênant.

— Elle a quelqu'un?

— Non.

— Elle est toujours aussi bien fichue?

— Pitié, Vane!

— J'adore t'asticoter là-dessus.

Brad poussa un soupir d'aise. Il était à la maison.

— Mais ce n'est pas de ça que je voulais te parler. J'ai quelque chose à te montrer. J'ai beaucoup réfléchi depuis que tu m'as parlé de ce marché que Dana et ses copines ont conclu. Viens dans le salon, tu vas voir. Je venais juste de le déballer quand je t'ai entendu arriver.

Il alla au bout de la terrasse, contourna la maison et ouvrit la porte-fenêtre de l'immense et imposant salon. Là, à côté du piano sur lequel il avait passé des heures à faire des gammes, appuyé contre une des deux cheminées de la pièce, se dressait un tableau.

Flynn poussa une exclamation.

— Seigneur!

— Il s'appelle *Après le sortilège*. Je l'ai trouvé dans une vente aux enchères il y a environ trois ans. Je t'avais dit que j'avais acheté une toile parce qu'un des personnages ressemblait à Dana, tu te rappelles ?

— Je n'y avais pas prêté attention. Tu passes ton temps à me bassiner avec Dana.

Flynn s'accroupit pour examiner le tableau. Il ne connaissait pas grand-chose à l'art, mais il aurait juré que la main qui avait peint cette œuvre était celle qui avait exécuté le tableau de Warrior's Peak.

Dans celui-ci, toutefois, ne transparaissaient ni joie ni innocence. L'ambiance était sombre, avec pour seule lumière la pâle lueur qui émanait des cercueils de verre dans lesquels trois femmes semblaient dormir. Trois femmes dont les visages étaient ceux de sa sœur, de Malory et de Zoé.

— Il faut que je passe un coup de fil. Nous devons montrer ça à quelqu'un immédiatement.

9

Malory n'aimait pas qu'on lui dise de se dépêcher, encore moins quand on ne lui donnait pas de bonne raison de le faire. Pour le principe, elle prit donc son temps pour aller chez les Vane.

Elle se demandait pourquoi, avec les moyens dont cette famille disposait, elle n'avait pas acheté Warrior's Peak au lieu de faire construire une maison près de la rivière.

Puis la propriété apparut au détour de la route et répondit à sa question. C'était une ravissante maison en bois. En bon baron du bois de construction, le père de Brad ne pouvait opter pour la brique ou la pierre. Grâce à cette merveille d'architecture, il démontrait admirablement toutes les qualités de son produit.

Le bois, d'une teinte miel doré, était mis en valeur par des finitions en cuivre qui avaient verdi avec les années et les intempéries. Un agencement complexe de terrasses et de balcons enveloppait les deux étages ou avançait en saillie. Le jardin, sans être méticuleusement ordonné, était absolument charmant. Malgré sa simplicité, il était évident que le moindre des massifs et des parterres avait été soigneusement conçu.

Malory se gara à côté d'un camion de déménagement. Elle s'apprêtait à sortir de sa voiture quand elle entendit une série d'aboiements frénétiques et ravis.

— Oh, non, pas cette fois. Je connais le truc, maintenant, mon pépère.

Elle sortit d'une boîte posée à côté d'elle un gros biscuit pour chiens.

Au moment où le museau de Moe s'écrasait contre sa
vitre, elle la baissa et jeta la friandise le plus loin possible.

— Moe! Va chercher le gâteau!

Profitant de ce qu'il détalait, elle descendit de voiture
et courut vers la maison.

— Bien joué, dit Flynn en l'accueillant à la porte.

— J'apprends vite.

— Je vois ça. Malory Price, Brad Vane. Déjà sur le feu,
ajouta Flynn en guise d'avertissement subtil, lorsqu'il vit
une étincelle intéressée s'allumer dans les yeux de son
ami.

— Ah? Je te comprends, remarque.

Brad sourit à Malory.

— Je suis néanmoins ravi de te rencontrer, Malory.

— Qu'est-ce que vous racontez?

— C'est un truc entre garçons, dit Flynn en se penchant vers elle pour l'embrasser. Je tenais Brad au courant de la situation, c'est tout. Dana et Zoé vont-elles
nous rejoindre?

— Non. Dana travaille, et je n'ai pas pu joindre Zoé.
Je lui ai laissé un message. Alors, quel est ce mystère?

— Tu vas voir.

— Voir quoi? Tu m'as attirée dans cet endroit – ne le
prends pas mal, Brad, tu as une maison superbe – sans
aucune explication, alors que j'étais occupée…

Flynn lui prit la main et l'emmena vers le salon.

— Excuse le désordre. Ça entre et ça sort, aujour-
d'hui, dit Brad en donnant un coup de pied pour écarter un morceau de la lampe cassée. Flynn m'a dit que
tu étais responsable de la galerie d'art de Pleasant
Valley?

— Oui, jusqu'à récemment. Oh, quelle pièce magnifique !

Elle s'arrêta sur le salon et l'enveloppa du regard. Il y manquait des tableaux, des sculptures, de la couleur. Un espace aussi merveilleux méritait des œuvres d'art.

— Tu dois être impatient de tout déballer et de t'installer… Oh, ça alors !

Dès que ses yeux se posèrent sur le tableau, l'incroyable découverte fit bondir son cœur. Elle fouilla fébrilement dans son sac à la recherche de ses lunettes et s'agenouilla devant la toile.

Les couleurs, les coups de pinceau, la technique, jusqu'au support, tout était identique, conforme à l'autre tableau.

— Après le vol des âmes, murmura-t-elle. Elles sont là, dans ce coffret, sur le piédestal situé au premier plan. Mon Dieu, regardez ça ! La lumière et la couleur donnent l'impression de traverser le verre. C'est du génie. Là, dans le fond, les amoureux du premier tableau ont cette fois le dos tourné. Ils s'en vont. Ils ont été bannis et s'apprêtent à traverser la brume qui forme le Rideau des rêves.

Elle repoussa les cheveux qui lui tombaient sur le visage, retint leur masse d'une main et se pencha pour examiner le tableau de plus près.

— Où sont les clés ? Ah, là ! On les distingue, accrochées à une chaîne que porte la silhouette de la femme. Trois clés. C'est elle qui les détient.

Pour distinguer les détails, elle prit dans son sac une housse en feutrine qui renfermait une petite loupe au manche argenté.

— Elle a une loupe dans son sac ! s'étonna Brad à voix basse.

— Oui, fit Flynn en souriant béatement. Elle est fabuleuse, non ?

140

Concentrée sur la peinture, Malory ne les écoutait pas.

— Oui. Oui, c'est le même genre de clés. Le même travail. Elles ne sont pas dispersées comme dans l'autre tableau. Il n'y a pas de symbolisme, cette fois, juste des faits.

Elle abaissa la loupe et recula légèrement pour avoir une vue d'ensemble.

— Il est toujours là, dans les arbres, mais ce n'est plus qu'une ombre lointaine. On distingue à peine son contour. Il a accompli sa mission, mais il continue à observer la scène, sans doute en jubilant.

— Qui ça, il ? demanda Brad.

— Chut, elle travaille.

Malory rangea la loupe dans sa pochette, puis la remit dans son sac.

— Il y a tant de tristesse dans ce tableau, tant d'affliction chez ces deux personnages qui s'éloignent vers le rideau de brume… Les sœurs dans leurs cercueils de verre semblent sereines, mais elles ne le sont pas. Ce n'est pas de la sérénité, c'est du vide. On devine le désespoir de leurs âmes dans cette lumière qui éclaire l'intérieur de l'écrin. C'est prodigieux.

— S'agit-il de l'artiste qui a peint *Les Sœurs de verre* ? demanda Flynn.

— Bien sûr. Ce n'est pas l'œuvre d'un étudiant, ni un travail fait « à la manière de », ni un hommage. Enfin, du moins est-ce mon opinion, conclut-elle. Mais je ne fais pas autorité en la matière.

— Entre Brad et toi, nous n'avons pas besoin d'autre autorité, je crois.

Malory, qui avait oublié Brad, rougit, gênée. Elle tourna les yeux vers lui.

— Je suis désolée, je me suis laissé emporter. Où as-tu trouvé cette toile ?

— À New York, chez Banderby's, une petite salle des ventes.

— J'en ai entendu parler. Qui est l'artiste ?

— Inconnu. Le tableau n'est pas signé, mais on distingue vaguement une initiale, un R ou un P, semble-t-il, suivie du symbole de la clé.

Malory se pencha de nouveau pour étudier le coin inférieur gauche de la toile.

— Tu l'as fait dater ?

— Bien sûr. XVIIe siècle. Le style semble plus contemporain, mais le tableau a été expertisé. Tu connais la réputation de Banderby's en la matière, je suppose ?

— Oui, en effet. Ils sont très fiables et sérieux.

— Et j'ai fait réaliser une contre-expertise à titre personnel. Histoire d'être sûr. Les résultats coïncident.

— J'ai une théorie… commença Flynn.

Mais Malory ne le laissa pas poursuivre.

— Puis-je te demander pourquoi tu l'as acheté ?

— J'ai d'abord été frappé par la ressemblance du personnage du milieu avec Dana. Et puis… le tableau dans son ensemble, sa force, la tristesse qu'il dégage m'ont attiré. Et…

Il hésita, puis, l'air un peu embarrassé, haussa les épaules.

— On peut dire qu'il m'a parlé. Je voulais l'avoir.

— Oui. Je comprends très bien tout ça.

Malory ôta ses lunettes et les rangea soigneusement dans son étui, qu'elle remit dans son sac.

— J'imagine que Flynn t'a parlé de la toile de Warrior's Peak. Nous avons certainement affaire à un triptyque. Il doit exister un autre tableau qui vient avant ou après, ou entre les deux. Mais il y en a forcément trois. Tout va par trois, dans cette histoire. Trois clés, trois sœurs. Nous trois – Dana, Zoé et moi.

— Euh… nous sommes cinq, maintenant, objecta Brad. Mais oui, je suis d'accord avec ton raisonnement.

— Je t'ai dit la même chose il y a une heure, se plaignit Flynn. C'est mon hypothèse.

— Désolée, fit Malory en lui tapotant le bras. Tout se bouscule dans ma tête. Je vois presque les morceaux du puzzle, mais je n'arrive ni à les assembler, ni à discerner le dessin qu'ils forment. Ça vous ennuie si on s'assoit ?

— Bien sûr que non, répondit vivement Brad, en la prenant par le bras et en la conduisant vers un canapé. Pardonne-moi, je manque à tous mes devoirs. Tu veux boire quelque chose ?

— Tu aurais du cognac ? Je sais qu'il est tôt, mais j'ai besoin d'un petit remontant.

— Je vais trouver ça.

Flynn s'assit à côté d'elle pendant que Brad quittait la pièce.

— Qu'y a-t-il, Mal ? Je te trouve bien pâle, tout à coup.

— Ça m'est douloureux, murmura-t-elle en se tournant vers le tableau, avant de fermer les yeux pour contenir ses larmes. Il m'éblouit l'esprit et l'âme, mais le regarder me fait mal. J'ai vu ce malheur arriver, Flynn…

— Je vais le retourner.

— Non, non.

Elle lui prit la main, et le contact de sa peau la réconforta.

— L'art est censé nous toucher d'une façon ou d'une autre. Tel est le pouvoir qu'il exerce. Que peut représenter le troisième tableau ? Et de quand date-t-il ?

— De quand ?

— Mon Dieu, je commence à réaliser à quel point mon esprit est flexible. J'espère que le tien l'est autant, Flynn. As-tu tout expliqué à Brad ?

— Oui. Tu peux lui faire confiance, Malory. Tu peux me faire confiance aussi, ajouta-t-il en la voyant hésiter.

— Je sais, mais c'est vous qui n'allez plus me faire confiance une fois que je vous aurai raconté ce que j'ai découvert ce matin et ce que cela signifie, à mon avis. Ton copain risque de me congédier gentiment et de fermer la porte à double tour derrière moi.

— Je ne chasse jamais une jolie femme de chez moi, intervint Brad en revenant avec un verre de cognac.

Il le lui tendit et s'assit sur la table basse face à elle.

— Vas-y. Cul sec.

Malory n'hésita pas et avala le cognac comme s'il s'était agi d'un médicament. Le breuvage réconfortant coula dans sa gorge et lui réchauffa l'estomac.

La couleur revenait sur ses joues. Pour lui laisser le temps de récupérer entièrement, Brad donna un coup de coude à Flynn et lança :

— Comment as-tu bien pu t'y prendre pour qu'une femme qui a du goût et de la classe s'intéresse à toi ?

— J'ai demandé à Moe de la faire tomber et de la clouer au sol. Ça va mieux, Mal ?

— Oui, fit-elle en poussant un soupir. Oui. Ce tableau remonte donc au XVIIe siècle. C'est irréfutable, Brad ?

— Absolument.

— J'ai appris ce matin que celui qui se trouve à Warrior's Peak date du XIIe siècle. Il peut être à la rigueur antérieur, mais pas postérieur. C'est le professeur Stanley Bower, de Philadelphie, un expert et ami personnel, qui me l'a affirmé. Je lui avais envoyé un prélèvement de peinture.

— Ce qui signifie que soit les experts de Brad se trompent, commenta Flynn, soit c'est le tien, soit ces tableaux ne sont pas l'œuvre du même artiste, soit...

— Soit les experts ont raison et moi aussi.

Malory croisa les mains sur ses genoux.

— J'ai vu les deux tableaux, de près, et je pourrais jurer devant un tribunal qu'ils ont été exécutés par la même main. Cela paraît invraisemblable. Même pour moi. Et pourtant, je le crois. L'auteur du tableau de Warrior's Peak l'a peint au XIIe siècle, et ce même artiste a réalisé le tableau de Brad cinq cents ans plus tard.

Brad regarda Flynn, certain de le trouver en train de faire les yeux ronds ou de ricaner, mais le visage de son ami était pensif et sobre.

— D'après toi, mon tableau a été exécuté par un artiste âgé de cinq cents ans?

— Plus vieux, à mon avis. Beaucoup plus vieux que ça. Et je pense que l'artiste a peint les deux tableaux de mémoire. Tu es toujours sûr de ne pas vouloir me mettre à la porte?

— Je crois que vous vous êtes laissé prendre par une histoire fantastique, tous les deux. Une histoire romantique et tragique qui n'a rien de réel.

— Tu n'as pas vu l'autre tableau. Tu n'as pas vu *Les Sœurs de verre*.

— Non, mais j'en ai entendu parler. Aux dernières nouvelles, il se trouvait à Londres, où il a été détruit par un bombardement. Le tableau de Warrior's Peak est donc vraisemblablement une copie.

Malory secoua la tête.

— Ce n'est pas le cas. Tu dois avoir l'impression que je suis complètement illuminée, mais, crois-le ou non, j'ai les pieds sur terre, d'habitude.

Elle reporta son attention sur Flynn, et sa voix se fit pressante.

— Flynn, tout ce que Rowena et Pitte nous ont raconté, à Dana, Zoé et moi, ce premier soir, était absolument vrai. Ce qu'ils ne nous ont pas dit est encore plus stupéfiant : ce sont des dieux, la préceptrice et le guerrier, les personnages qui se trouvent à l'arrière-plan de chacun des tableaux. Ils étaient là lorsque les âmes des sœurs ont été enfermées. Et l'un d'eux a peint ces portraits.

— Je te crois.

En entendant ces mots, Malory poussa un soupir de soulagement frémissant.

— Je ne sais pas ce que ça signifie, ni en quoi cela nous aide, mais j'ai été choisie pour découvrir tout cela et pour y croire. Si je ne trouve pas la clé, si Dana et Zoé ne trouvent pas les leurs ensuite, ces âmes continueront à gémir dans leur écrin jusqu'à la fin des temps.

— Excusez-moi...

Zoé se tenait sur le seuil de la pièce.

— Les messieurs dehors ont dit que je pouvais entrer. Euh... Flynn ? Moe est dehors, en train de se vautrer dans une chose qui ressemble à du poisson mort.

— Zut. Je reviens tout de suite. Zoé, voici Brad. Brad, voici Zoé.

Après ces présentations expéditives, il se précipita hors de la maison.

Brad se leva, tout en se demandant comment il parvenait à tenir debout alors que ses jambes s'étaient transformées en gélatine. Il entendit sa propre voix, plus froide qu'à l'accoutumée, un peu guindée, qui couvrait le rugissement du sang dans son crâne.

— Entre, je t'en prie. Assieds-toi. Veux-tu boire quelque chose ?

— Non, merci. Je suis venue dès que j'ai eu ton message, ajouta-t-elle en se tournant vers Malory. Il y a quelque chose qui ne va pas ?

— Je ne sais pas. Brad pense que j'ai pété un fusible, et je ne lui en veux pas.

— C'est ridicule.

Prenant instinctivement la défense de son amie, Zoé en oublia le charme distant de l'homme, l'enchantement de la maison, l'envie qu'elle avait de se déchausser pour fouler pieds nus le sublime plancher. Son sourire timide se transforma en un froncement de sourcils sévère tandis qu'elle avançait jusqu'à Malory.

— Si tu as dit une chose pareille, lança-t-elle à Brad, non seulement tu te trompes, mais tu es grossier.

146

— À vrai dire, je n'ai pas encore eu l'occasion de le dire. Et tu ne connais pas les circonstances…

— Pas besoin. Je connais Malory. Et si tu es un ami de Flynn, tu as mieux à faire que de la bouleverser.

— Je te demande pardon.

D'où lui venait ce ton froid et supérieur ? se demanda Brad. Comment la voix de son père s'était-elle retrouvée dans sa bouche ?

— Ce n'est pas sa faute si je suis bouleversée, Zoé. Je t'assure.

Malory rejeta ses cheveux en arrière et se leva en désignant le tableau du doigt.

— Regarde plutôt ceci.

Zoé se tourna vers le tableau et porta la main à sa bouche.

— Oh. Oh.

Ses yeux s'emplirent de larmes brûlantes.

— Comme c'est beau ! Et comme c'est triste ! Mais… il va avec l'autre. Comment se fait-il qu'il se trouve ici ?

Malory la prit par la taille.

— Pourquoi dis-tu qu'il va avec l'autre ?

— Ce sont les sœurs de verre, après le… le sortilège, la malédiction. L'écrin, les lueurs bleues, c'est exactement ce que tu as vu dans ton rêve. Et c'est le même… la même… Je ne sais pas quel mot employer, mais on dirait un élément d'une série de tableaux peints par une même personne.

Malory coula un regard vers Brad et haussa les sourcils.

— Es-tu experte ? demanda-t-il à Zoé.

— Non, riposta-t-elle sèchement, sans même le regarder. Je suis coiffeuse, mais je ne suis pas stupide.

— Je ne voulais pas sous-entendre…

— Non, tu voulais dire. Est-ce que ce tableau va t'aider à trouver la clé, Malory ?

— Je n'en sais rien. Mais il a une signification. J'ai un appareil dans la voiture, je peux prendre des photos ?

— Je t'en prie.

Brad enfonça les mains dans ses poches tandis que Malory s'en allait, le laissant seul avec Zoé.

— Tu es sûre que tu ne veux rien ? Un café ?

— Non, ça va. Merci.

— Je... euh... je débarque en cours de route, reprit-t-il. Ça t'ennuierait de me raconter un peu ce qui s'est passé ?

— Je suis certaine que Flynn te dira tout ce que tu as besoin de savoir.

Elle traversa la pièce et se posta devant une fenêtre comme pour guetter Malory, ce qui lui permit d'admirer la charmante vue sur la rivière.

— Malory vient de me dire qu'à son avis, les sœurs de verre existent réellement. Dans une certaine réalité, disons. D'après elle, les gens que vous avez rencontrés à Warrior's Peak ont plusieurs centaines d'années.

Zoé se retourna vers lui, impassible.

— Si elle le croit, elle doit avoir de bonnes raisons. Et j'ai suffisamment confiance en elle pour le croire aussi. Et maintenant, tu vas me dire que j'ai pété un fusible ?

— Je n'ai jamais dit cela à Malory, répondit-il avec une pointe d'irritation. Je l'ai pensé, mais je n'ai rien dit. Et je ne te le dis pas non plus.

— Mais tu le penses.

— Tu sais, je n'ai que deux pieds, mais avec toi, j'ai l'impression de les mettre dans le plat chaque fois que j'ouvre la bouche.

— Étant donné que nous ne risquons pas de danser ensemble, je ne me soucie guère de l'endroit où tu poses tes pieds. J'aime bien ta maison.

— Merci, moi aussi. Zoé...

148

— Je suis souvent allée chez HomeMakers. J'y ai trouvé des articles avec un bon rapport qualité-prix et un excellent service clientèle.

— Je m'en réjouis.

— J'espère que tu n'envisages pas d'apporter de changements radicaux au magasin d'ici, mais je trouve qu'il pourrait y avoir un peu plus de diversité au niveau des articles saisonniers. Tu sais, les plantes, les pelles à neige, le mobilier de jardin.

Les lèvres de Brad tressaillirent.

— J'y songerai.

— Et ce ne serait pas un luxe d'ajouter deux caissières le samedi. Il y a toujours la queue à la sortie.

— C'est noté.

— Je démarre ma propre affaire, alors je suis attentive à ce genre de choses.

— Tu vas ouvrir ton propre salon de coiffure?

— Oui, déclara-t-elle fermement, malgré le nœud qui se formait dans son ventre. J'épluchais la liste des locaux professionnels à louer quand j'ai eu le message de Malory.

Et pourquoi ne revenait-elle pas? La colère de Zoé retombait, et elle ne savait pas de quoi parler avec un homme qui vivait dans une maison pareille et qui dirigeait une branche d'un conglomérat national – si tel était le terme approprié.

— Tu veux t'installer à Pleasant Valley?

— Quoi? Ah, oui, je cherche en ville. Il me faudrait une belle surface. Je crois qu'il est important de maintenir un centre-ville de qualité, avec un maximum de commerces et de services, et je veux être près de chez moi pour pouvoir m'occuper facilement de mon fils.

— Tu as un fils?

Le regard de Brad se posa sur la main gauche de Zoé, et il faillit pousser un soupir de soulagement en n'y voyant pas d'alliance.

— Oui. Simon. Il a neuf ans.

— Désolée d'avoir été si longue, dit Malory en revenant dans la pièce. Flynn a attaché Moe à un arbre dans le jardin. Il l'arrose au jet, mais ça n'en fera qu'un chien puant mouillé au lieu d'un chien puant sec. Aurais-tu du shampooing ou du savon à lui prêter ?

— Je vais trouver quelque chose, répondit Brad. Prends tes photos.

Malory attendit que les pas de Brad se soient éloignés pour murmurer à Zoé :

— Quand on parle de dieux…

— Quoi ?

— Bradley Charles Vane IV. Tu ne le trouves pas sublime ?

— Le physique, ce n'est que génétique, rétorqua Zoé. Ce qui compte, c'est ce qui s'acquiert : la personnalité et les manières.

— En tout cas, le jour où il a été créé, c'était la fête dans la marmite à gènes.

Malory prit quelques clichés, puis baissa son appareil.

— Je sais que je t'ai donné l'impression qu'il n'était pas gentil avec moi, mais ce n'est pas du tout le cas.

— Peut-être. Mais il est snob et arrogant.

— Hou là là, fit Malory, étonnée par la véhémence de Zoé. Ce n'est pas l'impression que j'ai eue, moi.

— Je connais les types dans son genre, affirma Zoé. Ils s'intéressent trop à leur petite personne pour être humains. Mais peu importe. C'est la peinture qui compte, pas Brad.

— Tu as raison. Comme toi, je pense que les tableaux font partie d'une série de trois. Et je sens confusément qu'ils vont me conduire à la clé. Je vais me replonger dans les livres.

— Tu veux un coup de main ?

— Volontiers.

— Je vais repasser à la maison, j'ai deux ou trois choses à faire. Mais ensuite, je te rejoins chez toi.

Au moment où Brad sortait un flacon de shampooing d'un carton, il entendit une voiture démarrer, puis une autre. Il jeta un coup d'œil par la fenêtre et poussa un juron en voyant s'éloigner Zoé et Malory.

Pour une première rencontre, c'était la catastrophe totale. Il était rare, pourtant, que les femmes trouvent Brad odieux avant même de le connaître. Il était rare également que la vue d'une femme lui fasse l'effet d'un coup de poing dans le ventre. Dans ces conditions, on pouvait l'excuser de ne pas s'être montré sous son meilleur jour.

Il redescendit l'escalier et, au lieu de sortir rejoindre Flynn et Moe, retourna dans le salon pour contempler le tableau, comme il l'avait fait maintes et maintes fois depuis qu'il l'avait acheté.

Il aurait payé n'importe quel prix pour le posséder. Pas seulement pour les raisons qu'il avait données à Flynn, mais parce qu'un personnage, sur cette toile, l'avait fasciné, ébloui. Un seul regard sur le visage de Zoé, et il était tombé éperdument amoureux.

C'était déjà assez étrange, mais qu'allait-il se passer maintenant qu'il savait que cette femme existait en chair et en os ?

Ce soir-là, comme autrefois, Flynn et lui s'assirent sur le mur qui entourait Warrior's Peak et observèrent l'étrange bâtisse en buvant de la bière. Ils ne virent aucune silhouette derrière les carreaux.

— Ils savent probablement qu'on est là, dit Flynn au bout d'un moment.

— Si l'on accepte la théorie de ta copine et qu'on les considère comme des dieux celtes âgés de quelques centaines d'années, il y a en effet de grandes chances pour qu'ils soient au courant de notre venue.

— Je t'ai connu plus large d'esprit, commenta Flynn.

— Oh, non. Pas tant que ça. Jordan l'a toujours été plus que moi. Lui, il s'engouffrerait tête baissée dans la brèche.

— Tu l'as vu récemment ?

— Il y a deux mois. Il a beaucoup voyagé, et on ne s'est pas vus aussi souvent qu'avant. Vous m'avez vraiment manqué, tous les deux, ajouta-t-il en jetant un bras autour des épaules de Flynn.

— C'est réciproque. Alors, que penses-tu de Malory ?

— Classe, très, très sexy et intelligente, malgré son goût déplorable en matière d'hommes.

Flynn tapa contre le mur de pierre les talons de ses vieilles baskets.

— Je suis à moitié dingo d'elle.

— Dingo sérieux ou dingo pour le mambo ?

— Je n'en sais rien. Je n'ai pas encore bien fait le point.

Il étudia la maison et le quartier de lune qui brillait dans le ciel morose.

— Je préférerais que ce soit pour le mambo. Ce serait un peu prématuré de prendre ça au sérieux.

— Tu ne penses plus à Lily, j'espère ? Ce n'était qu'une opportuniste ambitieuse qui avait de gros seins.

— La ferme, Vane, protesta Flynn. J'étais amoureux d'elle, je te rappelle. On allait se marier.

— Tu ne l'es plus et vous ne vous êtes pas mariés. Et tant mieux. Elle n'était pas assez bien pour toi, Flynn.

— En voilà un drôle de truc à dire.

— Tu ne pourras tirer un trait définitif sur cette histoire que quand tu auras admis ça. En tout cas, ta Malory m'a plu.

— Même si tu la prends pour une folle.

Attention, terrain miné, songea Brad.

— Je crois qu'elle s'est trouvée dans des circonstances extraordinaires et qu'elle a cédé à l'attrait de cette histoire mystique. C'est compréhensible.

152

Flynn ne put s'empêcher de sourire.

— Manière très subtile et diplomatique de dire qu'elle est zinzin.

— Un jour, tu m'as balancé un coup de poing à la mâchoire parce que j'avais dit que Jenny Ridenbecker avait des dents de castor. Je n'ai pas l'intention d'arriver à mes réunions lundi matin avec un œil au beurre noir.

— Si je reconnais que Jenny avait effectivement des dents de castor, tu me croiras si je te dis que je n'ai jamais connu quelqu'un de plus cartésien que Malory Price ?

— Ça va, je te crois. Et j'avoue que l'histoire des tableaux est fascinante. J'aimerais bien voir celui d'ici, un de ces jours, ajouta-t-il en désignant Warrior's Peak avec sa canette de bière. En attendant, si tu me parlais un peu de cette Zoé ?

— Je ne la connais pas depuis longtemps, mais je me suis renseigné sur elle et sur Mal, au cas où Dana aurait été embarquée dans un coup foireux. Zoé est arrivée à Pleasant Valley il y a trois ans avec son fils.

— Pas de mari ?

— Non. Mère célibataire. Et une bonne mère, apparemment. J'ai rencontré le gamin, il est intelligent, adorable. Elle travaillait à Hair Today, un salon de coiffure pour femmes. Il paraît qu'elle a de l'or dans les mains, qu'elle est travailleuse et charmante avec la clientèle. Elle a été virée au même moment que Malory, à l'époque où on a réduit les heures de travail de Dana à la bibliothèque. Encore une coïncidence troublante. Elle est propriétaire de sa petite maison, qu'elle a retapée quasiment toute seule.

— Pas de petit copain ?

— Pas à ma connaissance. Elle… Mais attends une minute. D'abord, tu me demandes si elle est mariée, puis si elle a un petit copain… Mon instinct aiguisé de reporter me porte à croire que tu penses au mambo.

— Va savoir… Bon, je vais rentrer. J'ai des milliards de choses à faire dans les deux jours qui viennent. Mais j'ai une dernière question.

Il avala une gorgée de bière.

— Comment va-t-on descendre de ce mur ?

— Mmm, fit Flynn en examinant le terrain dans la pénombre. On n'a qu'à rester assis là et continuer à boire jusqu'à ce que chute s'ensuive.

Brad poussa un soupir et vida sa canette.

— Tu parles d'un plan !

10

Malory sortait de la douche quand elle entendit frapper à sa porte, le lundi matin. Elle serra la ceinture de son peignoir, attrapa une serviette et enroula ses cheveux mouillés dedans avant de répondre.

— Tod! Tu es bien matinal.

— Je vais au café lorgner les honnêtes travailleurs avant de partir à La Galerie.

Il coula un regard derrière elle et demanda :

— Tu es seule?

Malory ouvrit la porte en grand.

— Absolument.

— Quel dommage!

— À qui le dis-tu… Tu veux un café?

— Non, merci. Je te donne juste la bonne nouvelle et je file, répondit-il en s'installant néanmoins sur le canapé.

— Quelle bonne nouvelle?

— Notre Pamela nationale s'est mise dans un sacré pétrin.

— Pas possible! s'écria Malory en s'asseyant à côté de lui. Raconte, je veux tout savoir! Et n'oublie aucun détail, hein?

— Comme si j'allais omettre les détails, chérie. Bref, voilà l'histoire. Nous avons fait rentrer un bronze Art déco. Il représente une femme des années vingt en tenue légère – coiffe en plumes, perles, sandales, longue écharpe. Absolument charmante. Et des détails qui tuent, comme cette espèce de sourire sur le visage qui semble dire : « Hé, viens danser le charleston avec moi, beau blond. » En un mot, je suis tombé amoureux.

— As-tu appelé Mme Karterfield ?

— Tiens ! s'exclama-t-il en levant l'index, comme pour prouver quelque chose. Tout de suite, tu penses à Mme Karterfield. Si tu avais été là, tu l'aurais appelée toi-même, n'est-ce pas ?

— Cela va sans dire.

— J'ai appelé Mme Karterfield, bien sûr, qui, comme prévu, m'a demandé de lui réserver le bronze jusqu'à ce qu'elle puisse venir le voir cette semaine. Et que se passe-t-il chaque fois que notre chère Mme Karterfield de Pittsburgh vient voir un bronze Art déco à La Galerie ?

— Elle l'achète, ainsi que, la plupart du temps, une autre pièce. Et lorsqu'elle vient avec un ami, ce qui est généralement le cas, elle encourage vivement l'ami en question à acheter aussi quelque chose. Quand Mme Karterfield vient en ville, c'est une bonne journée pour La Galerie.

— Pamela ne l'a pas attendue pour vendre le bronze.

Malory mit plusieurs secondes avant de recouvrer la voix.

— Quoi ? Qu'est-ce que tu dis ? Comment ? Pourquoi ? Mme Karterfield est une de nos meilleures clientes ! Elle a toujours la priorité sur les bronzes Art déco.

Tod pinça les lèvres.

— Eh bien, figure-toi que Mme Karterfield est passée sans prévenir samedi après-midi. Elle était trop impatiente, m'a-t-elle dit. Et elle a amené deux amis. Deux, Mal. J'en aurais pleuré.

— Que s'est-il passé ?

— Pamela avait vendu le bronze le matin même, apparemment pendant que j'étais au téléphone en train de consoler Alfred parce que Pamela la Putride l'avait accusé de nous facturer trop cher l'emballage des nus en marbre.

— Alfred ? Trop cher ? Mon Dieu, j'ai du mal à le croire ! fit Malory en pressant les mains sur ses tempes.

— C'était horrible, horrible. Il m'a fallu vingt minutes pour le calmer. Enfin, bref, pendant que j'étais occupé avec Alfred, Pamela a vendu le bronze de Mme Karterfield à un inconnu. Un inconnu qui passait dans la rue !

Il se laissa retomber contre le dossier et porta une main à sa poitrine.

— Je ne m'en suis toujours pas remis. Mme Karterfield était furieuse, évidemment, et a demandé à te voir. J'ai dû lui expliquer que tu nous avais quittés, et là, ça a fait mal. Très mal.

— Elle m'a demandée ? Comme c'est gentil !

— Attends la suite. Pamela est descendue, et Mme Karterfield lui a demandé comment un article qui lui était réservé avait pu être vendu. Pamela a fait sa pète-sec et prétendu que ce n'était pas dans la politique de la maison de réserver un objet sans caution en espèces. Tu te rends compte ?

— Une caution en espèces !

Horrifiée, Malory écarquilla les yeux.

— Elle a dit ça à l'une de nos plus vieilles et plus fiables clientes ?

— Exactement. Alors, Mme Karterfield a réclamé James, et Pamela lui a répondu : « Je regrette, mais c'est moi la responsable, ici. » Mme Karterfield a rétorqué que si James avait placé une imbécile à la tête de La Galerie, c'était qu'il était devenu sénile.

— Bravo, Mme Karterfield !

— Pendant ce temps-là, Julia a couru chercher James pour lui dire qu'il y avait un gros problème. Quand il est arrivé, Mme Karterfield et Pamela en étaient pratiquement à se crêper le chignon. Il a essayé de les calmer, mais elles étaient lancées. Mme Karterfield a déclaré qu'elle refusait de traiter avec cette bonne femme – j'ai adoré « bonne femme ». Et Pamela a répliqué qu'une galerie d'art était une affaire sérieuse et qu'on ne pouvait pas céder aux petits caprices des clients.

— Mon Dieu !

— James a promis à Mme Karterfield d'arranger tout ça, mais elle était furieuse. Elle lui a dit qu'elle ne remettrait plus les pieds à La Galerie tant que « cette femme » y travaillerait. Et attends le clou, tu vas adorer : elle a ajouté que s'il avait laissé une perle rare comme Malory Price lui glisser entre les doigts, il méritait de faire faillite. Sur ce, elle est repartie avec ses deux amis.

— Elle m'a appelée une perle rare ! s'écria Malory, ravie. Je l'adore. Quelles bonnes nouvelles, Tod ! Je vais démarrer la journée en chantant.

— Et ce n'est pas tout. James était furibond. Tu as déjà vu James furibond ?

— Euh... non, jamais.

— Il était blanc comme un linge, la bouche pincée. Il a lancé à Pamela : « Il faut que je te parle, Pamela. En haut. » Une fois là-haut, ils ont fermé la porte – très décevant. Je n'ai pas pu entendre grand-chose, mais apparemment, ils ont eu une sacrée scène de ménage.

— Mon Dieu ! soupira Malory avec un grand sourire. Je vais sûrement rôtir en enfer pour tirer un tel plaisir de cette histoire.

— On se prendra un joli petit appart là-bas, tous les deux. Mais d'ici là, j'ai comme l'impression que James va te demander de revenir, Mal. J'en suis même certain.

Le cœur de Malory fit un bond.

— Tu crois ? glapit-elle. Qu'est-ce qu'il a dit ?

— Ce n'est pas tant ce qu'il a dit que ce qu'il n'a pas dit. Au lieu d'essuyer les larmes – de rage – des yeux bouffis de Pamela, il a épluché les comptes toute la journée. Et le soir, en partant, il faisait une de ces têtes... À mon avis, le règne de terreur de Pamela touche à sa fin.

— Quelle belle journée ! Quelle merveilleuse journée !

— Journée que je m'en vais de ce pas commencer, ma belle. Sois tranquille, je te tiendrai au courant des derniers développements. Oh, je voulais aussi te parler du tableau sur lequel tu m'as interrogé.

— Oui. Alors ?

— Eh bien, je me suis rappelé pourquoi il me paraissait si familier. Tu te souviens de cette huile sur toile non signée qu'on a eue à La Galerie il y a environ cinq ans ? Le jeune Arthur sur le point de tirer Excalibur d'un autel de pierre ?

Des doigts glacés effleurèrent l'échine de Malory tandis que le tableau surgissait dans son esprit.

— Mon Dieu, oui ! Bien sûr que je m'en souviens. La couleur, l'intensité, la manière dont la lumière vibrait autour de la lame...

— Indéniablement le même style et la même école que le tableau que tu m'as montré. Voire le même artiste.

— Oui... oui, c'est possible. Comment nous l'étions-nous procuré ? Une succession en Irlande, il me semble, non ? Oui, c'est ça. James était parti plusieurs semaines en Europe pour faire des acquisitions. C'était la plus belle œuvre qu'il avait rapportée. Qui a acheté cette toile ?

— Même ma mémoire exceptionnelle a ses limites, mais j'ai vérifié dans nos archives. C'est Julia qui l'a vendu à Jordan Hawke. L'écrivain, tu sais ? Il a grandi ici. Je crois qu'il vit à New York, maintenant.

— Jordan Hawke... répéta lentement Malory.

— Si tu veux lui parler du tableau, tu peux peut-être le contacter par le biais de son éditeur. Bon, il faut que je file.

Il se pencha pour l'embrasser sur la joue.

— Préviens-moi dès que James viendra ramper à tes pieds. J'exige de tout savoir.

En arrivant au troisième étage du *Dispatch*, Malory vit une demi-douzaine de personnes en train de pianoter sur des claviers d'ordinateur. Elle aperçut Flynn immédiatement, dans son bureau vitré. Il arpentait la pièce de long en large, visiblement plongé dans une grande conversation avec lui-même.

Elle se demanda comment il parvenait à travailler malgré cette absence d'intimité, cette sensation permanente d'être en vitrine. Sans parler du bruit. Entre les cliquetis des claviers, les sonneries des téléphones et les conversations, elle aurait été incapable de formuler une seule pensée créative.

Elle ne savait pas trop à qui s'adresser. Personne ici n'avait particulièrement l'air d'un assistant ou d'un secrétaire. Et elle se rendait soudain compte que Flynn était un homme très occupé. Un homme important. Pas un homme que l'on passait voir sans prévenir.

Flynn s'assit sur le rebord de son bureau. Il portait une chemise vert sombre, un pantalon en toile kaki et les chaussures de sport les plus vieilles qu'elle eût jamais vues.

Une bouffée indéfinissable lui chatouilla le ventre, suivie d'un petit coup juste sous son cœur.

Ce n'était pas embêtant d'être attirée par lui, décidat-elle. C'était acceptable. Mais elle ne pouvait laisser ses sentiments évoluer vers le niveau qu'ils étaient en train d'atteindre à la vitesse grand V. Ce n'était pas malin, ce n'était pas prudent. Ce n'était même pas...

Soudain, il leva la tête et l'aperçut à travers la baie vitrée. Leurs regards se croisèrent le temps d'un battement de cils brûlant et intense, et il sourit. Et le choc sous le cœur de Malory se répéta.

D'un geste de la main, il lui fit signe de le rejoindre. Elle se fraya un chemin entre les box qui divisaient la salle. Quand elle franchit la porte ouverte du bureau de Flynn, elle constata avec soulagement qu'il ne parlait pas tout seul, mais dans un interphone.

Par habitude, elle ferma la porte et se tourna vers l'endroit d'où émanait un ronflement placide. Moe était étalé de tout son long entre deux classeurs métalliques.

« Que voulez-vous faire d'un homme qui emmène au travail son chien énorme et idiot ? se demanda-t-elle. Ou, plus exactement, comment résister à un homme pareil ? »

Flynn leva un doigt pour lui demander d'attendre une minute, et elle en profita pour examiner son domaine professionnel. Un immense panneau d'affichage en liège était couvert de messages, d'articles, de photographies et de numéros de téléphone. Son bureau croulait sous une masse de papiers qu'elle brûla aussitôt de mettre en ordre. Les étagères étaient chargées de livres – manuels juridiques et médicaux, recueils de citations célèbres, guides de cinéma et de musique.

Il y avait aussi là un yo-yo et plusieurs figurines de guerriers, ainsi que diverses plaques et récompenses attribuées au journal et à Flynn lui-même, empilées au petit bonheur comme s'il n'avait jamais eu le temps de les accrocher. Malory voyait mal où elles auraient pu trôner, d'ailleurs : la seule portion de mur qui n'accueillait aucun rayonnage était occupée par un gigantesque calendrier.

Elle se tourna vers lui lorsqu'il raccrocha, mais recula dès qu'il s'approcha d'elle. Il s'immobilisa.

— Un problème ?

— Non. Peut-être. Oui.

— Choisis.

— J'ai eu un picotement dans l'estomac tout à l'heure, en posant les yeux sur toi.

Flynn sourit.

— Merci.

— Non, non, ce n'est pas bien. Je ne sais pas si je suis prête. J'ai des tas de choses dans la tête. Je ne suis pas venue ici pour parler de ça, mais tu vois, je me laisse déjà distraire.

— N'oublie pas ce que tu veux me dire, lui demanda-t-il alors que son téléphone sonnait de nouveau. Hennessy. Oui. Oui. À quelle heure ? Non, aucun inconvénient, poursuivit-il en griffonnant quelque chose sur un bloc exhumé du fouillis de son bureau. Je m'en occupe.

Il raccrocha et débrancha la prise du téléphone.

— C'est la seule façon de tuer la bête. Parle-moi encore de ce picotement.

— Non. Je ne sais même pas pourquoi je t'ai dit ça. Je suis venue te parler de Jordan Hawke.

— Ah ? Et à quel sujet ?

— Il a acheté un tableau à La Galerie il y a environ cinq ans…

— Un tableau ? Nous parlons bien du même Jordan Hawke ?

— Oui. Un tableau représentant le jeune Arthur qui s'apprête à retirer l'épée de la pierre. Je suis à peu près sûre qu'il est du même artiste que la toile de Warrior's Peak et celle de Brad. Il faudrait que je revoie ce tableau.

— Tu as raison, c'est une incroyable coïncidence.

— Si j'ai raison, il ne s'agit pas du tout d'une coïncidence. Tout cela a été fait dans un but précis. Peux-tu contacter Jordan Hawke ?

— Oui. S'il est en voyage, ça risque de prendre un certain temps, mais je le retrouverai. Je ne savais même pas que Jordan avait déjà mis les pieds à La Galerie.

— Son nom ne figure pas sur la liste des clients. Je pense qu'il n'y a plus jamais rien acheté d'autre. À mon sens, cela ne fait que rendre l'événement d'autant plus crucial.

L'excitation grimpait dans sa voix.

— Flynn, j'ai failli l'acheter, ce tableau, à l'époque. Il dépassait largement mon budget, mais je m'évertuais à faire des calculs pour justifier une telle dépense. Il a été vendu juste avant que je ne puisse discuter d'un crédit avec James. Je crois que cela aussi a son importance.

— Je vais contacter Jordan. Si cela se trouve, il l'a acheté pour l'offrir à quelqu'un. Jordan n'est pas porté sur les œuvres d'art, contrairement à Brad. Il voyage léger et consomme peu.

— Quoi qu'il en soit, il faut que je revoie cette toile.

— Compte sur moi. Je te dirai ce soir à dîner ce que j'ai pu apprendre.

— Non, ce n'est pas une bonne idée. Pas du tout.

— De dîner ? De tout temps, les gens ont dîné. C'est un fait avéré.

— Que nous dînions ensemble, ce n'est pas une bonne idée. Il faut que je ralentisse les choses.

Flynn s'approcha d'elle avant qu'elle ait pu s'écarter, lui prit la main et l'attira vers lui.

— Quelqu'un te bouscule ?

— Quelque chose, plutôt.

Le cœur de Malory commença à s'emballer, à battre dans ses poignets, dans ses tempes, même à l'arrière de ses genoux tremblants.

— Écoute, c'est mon problème, pas le tien, et… Stop, ordonna-t-elle quand la main libre de Flynn vint se poser sur sa nuque. Cet endroit n'est pas…

— Ils sont journalistes, répliqua-t-il avec un signe de tête vers la paroi de verre qui séparait son bureau de la salle de rédaction. À ce titre, ils sont au courant de bien des choses, y compris que j'embrasse les femmes.

— Je crois que je suis amoureuse de toi.

Elle sentit la main de Flynn tressauter, puis devenir molle. Elle vit l'étincelle amusée et la détermination sur son visage se transformer en une expression vide sous l'effet du choc. Et les démons jumeaux du chagrin et de la colère lui poignardèrent le cœur.

— Voilà. Maintenant, c'est devenu aussi ton problème.

Elle s'écarta de lui, ce qui ne fut pas difficile étant donné qu'il ne la touchait plus.

— Malory…

— Tais-toi. Ne me dis pas que c'est trop tôt, trop rapide, que tu ne cherches pas ce genre de relation. Je ne suis pas idiote. Je connais toutes les répliques. Et je ne serais pas dans cette situation maintenant si tu n'avais pas tout fait pour que je sorte avec toi.

— Hé, attends une minute…

L'affolement se lisait sur son visage, dans sa voix.

— Toi, attends une minute, riposta-t-elle, l'humiliation cédant rapidement le pas au ressentiment. Attends une semaine. Attends le reste de ta vie. Mais attends loin de moi.

Elle sortit en trombe de son bureau. Toujours en proie à une terreur glaciale, il ne songea même pas à lui courir après.

Malory était amoureuse de lui ? Mais elle n'était pas censée tomber amoureuse de lui ! Elle était censée se laisser séduire, coucher avec lui, se montrer assez raisonnable pour que leur relation reste simple. Elle était censée être prudente et se débrouiller pour que lui ne tombe pas amoureux d'elle.

Il avait tout bien planifié, et voilà qu'elle semait la pagaille dans son programme. Il s'était fait des promesses très précises, après la rupture de ses fiançailles avec Lily. La première étant de veiller à ne plus jamais se retrouver dans cette situation. Une situation où il était vulnérable, dépendant des besoins et des désirs de quelqu'un d'autre, au point d'oublier ses propres envies.

Sa vie ne ressemblait à rien de ce qu'il avait imaginé. Pendant longtemps, les femmes – sa mère, Lily – avaient tiré les ficelles pour lui. Mais bon sang, il aimait sa vie, maintenant.

— Ah, les femmes ! grommela-t-il en se laissant tomber dans son fauteuil. Elles sont incompréhensibles.

164

— Je déteste les hommes. Il faut toujours que tout se passe comme ces messieurs le désirent.

Dana leva son verre de vin en direction de Malory.

— Vas-y, défoule-toi, ma belle.

Malory soignait son orgueil froissé à l'aide d'un bon pinot et en compagnie de Dana et de Zoé, chez elle. Elles parleraient de tableaux, de clés et de destins plus tard, une fois qu'elle aurait vidé son sac.

— Flynn est peut-être ton frère, mais c'est un homme.

— Exact, approuva Dana en contemplant son verre d'un air chagrin. Je suis au regret de le confirmer, c'est un homme. Reprends des chips.

— Bonne idée.

Les cheveux tirés en arrière, le visage enduit d'un masque raffermissant à l'argile verte, Malory se servit dans la coupelle. Puis elle examina les papillotes en papier d'aluminium que Zoé disposait dans les cheveux de Dana.

— J'aimerais bien un balayage, moi aussi.

— Tu n'en as pas besoin, déclara Zoé. Ce qu'il te faut, c'est une petite coupe.

— Qui dit petite coupe, dit ciseaux.

— Tu ne te rendras même pas compte que je t'ai coupé les cheveux, mais tu seras et tu te sentiras encore plus jolie.

— Laisse-moi d'abord boire encore un peu. Et je prendrai une décision une fois que j'aurai vu le résultat de tes essais sur Dana.

— Ne parle pas d'« essais » à propos de mes cheveux, protesta Dana. Alors, vas-tu nous dire pourquoi vous vous êtes disputés, Flynn et toi ?

Malory renifla avec mépris.

— Il n'y a que le sexe qui l'intéresse. Typique.

— Quel fumier !

Dana se servit de chips, avant d'avouer :

— Ça me manque, le sexe.

— À moi aussi, renchérit Zoé en entortillant une nouvelle mèche dans un carré d'aluminium. Pas seulement le côté charnel, le plaisir de la chose, mais ce qui l'amène et ce qui suit. L'excitation et le trac avant, toute cette peau, ce mouvement et cette découverte pendant, et la sensation de plénitude après. Tout ça, ça me manque énormément.

— Je prendrais bien encore un verre, soupira Malory. Ça fait quatre mois que je n'ai pas couché avec un homme.

— Je te bats à plates coutures, déclara Dana en levant la main. Sept mois et demi.

— Femmes de petite vertu ! fit Zoé en riant. Moi, ça fait un an et demi.

— Ouille !

Dana prit la bouteille de pinot et les resservit.

— Franchement, un an et demi d'abstinence, ça ne me dit rien.

— Il suffit de s'occuper, ce n'est pas si terrible. Bon, j'en ai fini avec toi pour l'instant.

Zoé tapota l'épaule de Dana.

— Détends-toi pendant que je retire son masque à Malory.

— Quoi que tu me fasses, j'aimerais bien être sublime. Que Flynn souffre, la prochaine fois qu'il me verra.

— Je peux te le garantir.

— Tu es vraiment adorable, de nous chouchouter comme ça.

— Ça ne me dérange pas. Ça complète ma formation.

— Ta formation ? fit Dana en portant machinalement la main à ses cheveux. Tu me fais peur, Zoé.

— Ne t'inquiète pas, tu vas être ravissante, assura celle-ci. J'ai l'intention d'ouvrir un salon où je proposerai toutes sortes de services, alors je dois être certaine que je suis compétente dans tous les domaines. J'ai visité un lieu extraordinaire, ce matin.

Le regret se peignit sur son visage tandis qu'elle commençait à nettoyer la peau de Malory et ajoutait :

— Beaucoup trop grand pour moi, mais fabuleux. Deux étages, plus un immense grenier. C'est une maison à charpente en bois sur Oak Leaf Drive. Il y a une magnifique terrasse couverte, et même un jardin derrière où on pourrait installer des tables et des bancs. De hauts plafonds, des parquets en bois, des pièces bien distribuées, qui procurent à la fois une sensation d'intimité et d'espace…

— Je ne savais pas que tu cherchais sérieusement un local, observa Malory.

— Je me tiens au courant. C'est le premier endroit que je visite qui m'ait réellement fait de l'effet.

— S'il est trop grand et que tu l'adores, pourquoi ne pas chercher quelqu'un avec qui tu pourrais le partager ?

Zoé appliqua de la crème hydratante sur le visage de Malory.

— J'y ai songé. En fait, j'ai même eu une idée un peu folle. Ne me dites pas que je suis cinglée avant que j'aie fini. Chacune d'entre nous souhaite ardemment posséder son propre commerce, n'est-ce pas ?

— Mais…

— Laisse-moi terminer. Le rez-de-chaussée est doté de deux charmants bow-windows qui seraient parfaits pour des vitrines. Il y a une grande entrée et, de part et d'autre, de jolies pièces en enfilade. Si l'on voulait installer une belle galerie pour les arts et l'artisanat local, on ne pourrait rêver mieux. Et pour une librairie, la suite de pièces spacieuses de l'autre côté de l'entrée serait l'endroit rêvé. Il resterait même suffisamment de place pour un petit bistrot ou un salon de thé.

— Et où cases-tu l'institut de beauté, dans tout ça ? demanda Dana, qui écoutait Zoé avec intérêt.

— Au premier. Lorsqu'une cliente viendra pour une coupe, une manucure ou un soin, elle devra passer devant la galerie et la librairie, en montant comme en redescendant : l'occasion idéale pour choisir un ravissant cadeau pour tante Marie ou acheter un livre qu'elle lira en attendant que sa couleur ait pris. Et pourquoi ne pas siroter un petit thé ou un verre de vin avant de rentrer à la maison ? Et voilà mon concept trois en un, dans un cadre fabuleux.

— Tu y as mûrement réfléchi, murmura Malory.

— Et comment ! On pourrait proposer des offres sur les trois services, des tarifs à la carte. Je vois peut-être un peu grand, d'autant plus qu'on se connaît depuis peu, mais je pense que ça pourrait fonctionner. Je crois même que ce serait formidable. Réfléchissez-y avant de dire non.

— J'aimerais bien voir cette maison, déclara Dana. J'ai le cafard, à la bibliothèque, maintenant.

Malory était impressionnée par l'énergie et l'enthousiasme de Zoé. Elle aurait pu formuler une douzaine d'objections rationnelles, mais elle n'en avait pas le cœur. Néanmoins, il y avait une chose qu'elle se devait de lui dire.

— Je ne voudrais pas tout gâcher, mais je suis quasiment certaine que mon ancien patron désire me reprendre à La Galerie. Il m'a appelée cet après-midi pour me demander de passer le voir demain.

— Oh. Bon. C'est bien.

Zoé contourna le siège de Malory et commença à passer ses doigts dans ses cheveux pour tester leur texture et leur forme.

— Je sais que tu adorais ton travail là-bas.

— Je me sentais chez moi, admit Malory. Je suis désolée, Zoé, ton idée avait l'air fantastique, et rigolote, en plus, mais…

— Ne t'en fais pas pour ça.

— Hé, s'écria Dana en agitant la main. Et moi, alors ? Ça m'intéresse toujours. J'irai voir la maison demain. On pourrait éventuellement s'arranger à deux, Zoé.

— Super. Mal, viens te mouiller les cheveux.

Malory se sentait trop coupable pour protester. Une fois les cheveux humides, elle s'assit stoïquement sous les ciseaux de Zoé.

— Je vais vous raconter pourquoi je suis allée ce matin au journal voir Flynn, à qui je n'adresse plus la parole depuis.

Zoé continua à s'affairer pendant qu'elle leur parlait du tableau.

— Et vous ne devinerez jamais qui l'a acheté. Jordan Hawke.

— Jordan Hawke ? couina Dana. Nom d'un chien, il me faut du chocolat, vite ! Tu en as, Mal ?

— Petite réserve en cas de coup dur dans le placard, étagère du haut. Quel est le problème ?

— Nous avons eu une amorce d'aventure il y a des siècles. Mon Dieu, mon Dieu, mon Dieu, répéta Dana en ouvrant le placard, dans lequel elle trouva deux tablettes de Godiva. C'est du Godiva, ta provision d'urgence ?

— Quand tout va mal, autant s'offrir ce qu'il y a de mieux, non ?

— Entièrement d'accord.

— Tu es sortie avec Jordan Hawke ? demanda Zoé. Une vraie histoire d'amour ?

— J'étais encore jeune et stupide, à l'époque, répondit Dana en prenant un carré de chocolat. Ça s'est mal terminé, et il s'est barré. Fin de l'histoire. Quelle ordure !

Elle cassa un deuxième carré et croqua dedans.

— Bon. Ça va mieux.

— Je suis désolée, Dana, si j'avais su… Enfin, j'ignore ce que j'aurais fait, remarque. Il faut absolument que je voie ce tableau.

— Peu importe, je ne pense plus du tout à lui, affirma Dana en prenant un nouveau carré de chocolat.

— J'ai quelque chose à ajouter, et tu auras peut-être besoin de la deuxième tablette après : je ne crois pas aux coïncidences dans cette histoire. D'abord nous trois. Puis Flynn, ton frère. Et maintenant, ses deux meilleurs amis, l'un d'eux étant ton ancien petit copain. Vous ne trouvez pas que le cercle est franchement restreint ?

Dana la fixa.

— Tu aurais une autre bouteille de vin ?

— Oui. Dans le casier au-dessus du réfrigérateur.

— Soit je rentrerai à la maison à pied, soit j'appellerai Flynn pour qu'il vienne me chercher. Mais j'ai l'intention de prendre une belle cuite ce soir.

— Je te raccompagnerai chez toi, proposa Zoé. Vas-y, tu peux picoler. Du moment que tu es prête à repartir à 22 heures.

— C'est superbe.

Malory, qui tanguait légèrement, ayant essayé de suivre Dana dans sa consommation d'alcool, passa les doigts dans les cheveux de son amie. De discrets reflets cuivrés mettaient en valeur le teint de Dana et ses yeux sombres. Ses cheveux mi-longs semblaient miraculeusement brillants et souples.

— Je suis obligée de te croire sur parole. Je n'ai plus les yeux en face des trous.

— Et moi aussi, ma coiffure est une réussite. Zoé, tu es une magicienne.

— C'est vrai, approuva Dana.

Les joues roses de satisfaction, Zoé leur sourit.

— Utilise cet échantillon de crème de nuit que je t'ai donné pendant deux ou trois jours, conseilla-t-elle à Malory. Tu me diras ce que tu en penses. Viens, Dana, voyons si je peux t'enfourner dans ma voiture.

— OK. Je vous aime vraiment bien, les filles.

Avec un sourire aviné et sentimental, Dana les prit chacune par le cou.

— Je ne vois personne d'autre que vous avec qui j'aimerais me fourrer dans ce guêpier. Quand tout sera terminé, on devrait continuer à organiser des soirées coiffure et beuverie une fois par mois. Comme un club littéraire.

— Excellente idée. Bonne nuit, Mal.

— Tu veux que je t'aide ?

— Ça ira, répondit Zoé en passant un bras autour de la taille de Dana. Je la tiens bien. Je suis plus forte que je n'en ai l'air. Je t'appelle demain.

— Moi aussi ! bafouilla Dana. Je vous ai déjà dit que Jordan Hawke était un sombre crétin ?

— Seulement quatre ou cinq cents fois, fit Zoé en riant. Tu pourras me le répéter dans la voiture.

Malory ferma la porte et se dirigea vers sa chambre. Elle se plaça devant le miroir et examina sa nouvelle coupe, soulevant ses cheveux, les remuant, inclinant la tête. Elle n'aurait su dire exactement ce qu'avait fait Zoé, mais c'était parfait.

La prochaine fois qu'elle irait chez le coiffeur, elle boirait de l'alcool avant, au lieu de toujours vouloir tout contrôler. D'ailleurs, pourquoi ne pas appliquer cette résolution à d'autres aspects de sa vie ? Le dentiste, par exemple, ou les relations avec les hommes… Non, pas les hommes, songea-t-elle en fronçant les sourcils devant la glace. Si l'on n'était pas autoritaire avec les hommes, c'étaient eux qui l'étaient avec vous.

D'ailleurs, pourquoi penser aux hommes ? Aucun intérêt. Qu'ils aillent au diable !

Le lendemain, elle passerait une petite heure à essayer d'élucider le mystère des clés. Puis elle s'habillerait, avec soin et professionnalisme. Elle mettrait un tailleur, décida-t-elle. Son gris tourterelle avec un chemisier blanc. Non, le rouge. Oui, le tailleur rouge. Il lui donnait l'air volontaire et compétent.

Elle ouvrit sa penderie et examina ses vêtements rangés par fonction et par couleur. Puis elle revint en dansant vers le miroir avec son tailleur rouge et l'appliqua contre elle.

— James, commença-t-elle avec une expression compatissante bien que distante. Je suis navrée d'apprendre que La Galerie est en train de péricliter sans moi. Revenir ? Oh, je ne sais pas. J'ai eu plusieurs autres propositions. Je vous en prie, non, cessez de ramper devant moi, c'est gênant.

Elle fit bouffer ses cheveux.

— Oui, je sais, Pamela est diabolique. Nous nous en sommes tous rendu compte. Mon Dieu, si la situation est à ce point désespérée, je suppose qu'il va falloir que j'y mette du mien... Allons, James, ne pleurez pas. Tout va s'arranger dès que j'aurai repris les commandes.

Satisfaite à l'idée que son monde allait recommencer à tourner normalement, Malory se dévêtit. Quand elle entendit frapper à la porte d'entrée, elle ne portait qu'une nuisette en soie. Supposant que c'était Zoé qui avait oublié quelque chose, elle ouvrit... et cligna des yeux en découvrant le visage sombre de Flynn.

— Il faut que je te parle.

— Et moi, je n'ai peut-être pas envie de te parler, répliqua-t-elle en s'efforçant de s'exprimer distinctement au lieu de produire une bouillie indéchiffrable.

— Il faut qu'on discute, si toi et moi on doit...

Il s'interrompit et l'observa attentivement, depuis ses courbes sveltes sous sa nuisette moulante, jusqu'à sa merveilleuse cascade de cheveux, son visage rosi et son regard légèrement vitreux.

— Mais... tu es ivre ?

— À moitié seulement. De toute façon, j'ai parfaitement le droit de boire, et ça ne regarde que moi. Ta sœur, elle, est complètement ivre, mais ne te fais pas de souci pour elle. Zoé, qui n'a pas bu, l'a raccompagnée.

— Il faut je ne sais combien de bières pour que Dana soit soûle.

— En l'occurrence, ce fut du vin. Maintenant que ce fait est établi, je te rappelle que je ne suis qu'à moitié ivre. Entre donc et abuse de moi.

Il émit un son qui ressemblait à un rire et décida qu'il valait mieux qu'il mette ses mains dans ses poches avant qu'elles ne s'envolent ailleurs.

— C'est une charmante invitation, ma douce, mais...

Malory résolut le problème en saisissant fermement sa chemise et en tirant dessus.

— Entre, répéta-t-elle avant de plaquer sa bouche contre celle de Flynn.

11

Flynn trébucha et se retrouva acculé contre le mur. Son sang avait déserté en quasi-totalité sa tête quand Malory déposa des baisers sur sa gorge.

— Hou là... Attends, Mal.

— Je n'ai pas envie d'attendre.

Ses mains parcouraient le torse de Flynn, tandis que ses lèvres continuaient à s'affairer sur son visage et dans son cou. Comment avait-elle pu croire une seconde que les hommes n'avaient aucun intérêt ? Celui-ci lui plaisait, incontestablement. À tel point qu'elle rêvait de le dévorer tout entier, à grosses bouchées gourmandes.

— Pourquoi les gens te disent-ils toujours d'attendre ? Moi, j'ai envie que tu...

Elle colla sa bouche contre son oreille et murmura une demande créative.

— Mon Dieu !

Flynn ne savait pas trop si c'était une prière de remerciement ou une supplique pour qu'on lui vienne en aide. Ce dont il était sûr, en revanche, c'était que sa volonté avait des limites précises et qu'il s'en approchait très, très vite.

— D'accord, d'accord. Calmons-nous juste une minute... Malory.

Elle frotta son corps contre le sien, ses doigts impatients dansèrent jusqu'à la ceinture de son jean, et il sentit ses yeux rouler lentement derrière ses orbites. Non sans regret, il fit remonter les mains diligentes de Malory vers ses épaules.

— Écoute, voici l'alternative : soit tu me détesteras demain matin, soit c'est moi qui me détesterai, dit-il, le souffle court.

Elle leva vers lui des yeux brillants, un sourire félin sur les lèvres. Flynn poussa un long soupir.

— Mon Dieu, tu es encore plus jolie quand tu es éméchée… Tu devrais aller te coucher, maintenant.

— D'accord, répondit-elle en se plaquant contre lui et en ondulant des hanches. Allons-y.

Le ventre de Flynn n'était plus que désir.

— Je dois me refuser à la belle demoiselle ivre.

— Oh, non, murmura-t-elle en se hissant sur la pointe des pieds et en frottant de nouveau ses lèvres contre les siennes. Tu ne franchiras pas cette porte. Je sais ce que je fais, et je sais ce que je veux. Ça t'effraie ?

— Pas mal, oui. Malory, je suis venu te parler d'une chose dont je suis incapable de me souvenir maintenant. Je vais aller préparer du café et…

— Il n'y a que moi qui travaille, ma parole.

D'un mouvement fluide, elle fit passer sa nuisette par-dessus sa tête et la jeta par terre.

— Doux Jésus…

Son corps était rose et blanc, délicieux, avec un élégant nuage de cheveux qui venait chatouiller ses seins. Ses yeux d'un bleu intense restèrent rivés aux siens tandis qu'elle s'approchait de nouveau de lui.

Elle noua les bras autour de son cou. Sa bouche était une tentation chaude et soyeuse.

— Ne crains rien, chuchota-t-elle. Je vais très bien m'occuper de toi.

— Je n'en doute pas.

Bizarrement, les mains de Flynn s'étaient égarées dans la masse sexy de ses cheveux. Son corps n'était plus qu'un labyrinthe de douleurs et de désirs, et la raison ne trouvait pas la sortie.

— Malory, je ne suis pas un héros.

— Qui veut d'un héros ?

Elle rit et lui mordilla le lobe de l'oreille.

— Soyons débauchés, Flynn. Soyons dépravés.

— Très bien. Tu l'auras cherché.

Il la fit pivoter, de manière qu'elle se retrouve à son tour prisonnière entre la porte et son corps.

— Je croise les doigts pour que tu te rappelles que c'est toi qui as eu cette idée et que j'ai tout fait pour...

— Tais-toi et embrasse-moi.

Quitte à aller en enfer, autant que le voyage en vaille la peine. Il la souleva sur la pointe des pieds et distingua l'éclat du triomphe sur son visage un instant avant que sa bouche ne s'empare de la sienne.

Il avait l'impression de tenir une braise incandescente, tout en étincelles et crépitements, une femme dangereuse qui connaissait son pouvoir. La peau de Malory était brûlante, et lorsqu'il posa les mains sur elle, les mots qu'elle prononça ne furent pas des murmures, mais des injonctions. Avec un grognement d'impatience, il enfouit son visage dans ses cheveux et glissa une main entre ses cuisses.

Malory poussa un cri rauque, tandis que ses ongles s'enfonçaient dans le dos de Flynn. Elle lui arracha sa chemise, la fit passer par-dessus sa tête, tout en lui mordillant l'épaule et en s'attaquant aux boutons de son jean.

— Sur le lit, gémit-il en l'entraînant vers la chambre.

Il aurait adoré la prendre contre le mur, à la hussarde, mais le plaisir aurait été trop bref.

Malory se fichait de l'endroit. Tout ce qu'elle désirait, c'était continuer à ressentir cette fièvre insensée, cette puissance, ces pulsations ardentes dans son corps. Elle tournoyait dans un monde fou d'exquises sensations, et chaque caresse en ajoutait de nouvelles. Elle voulait sentir les muscles de Flynn frémir, sa peau nue brûler et savoir, tout au fond d'elle, qu'elle en était la cause.

Ils tombèrent sur le lit, hors d'haleine, et roulèrent ensemble sur le joli couvre-lit pastel, leurs membres emmêlés.

Elle rit lorsqu'il lui saisit les poignets et emprisonna ses bras au-dessus de sa tête.

— Ne va pas si vite, parvint-il à articuler.

Elle se cambra vers lui.

— Pourquoi ?

— Parce que j'ai envie de te faire des choses et que ça prend du temps.

Elle passa la langue sur sa lèvre supérieure.

— Par où veux-tu commencer ?

Le désir noua le ventre de Flynn. Il baissa la tête vers sa bouche charnue, douce, brûlante et humide et l'embrassa jusqu'à ce qu'ils tremblent tous les deux. Puis il glissa la langue dans le creux de sa gorge et sentit son pouls vibrer. Lentement, il descendit jusqu'à sa poitrine ronde et délicate et prit la pointe d'un sein entre ses dents.

Avec un gémissement, Malory s'abandonna au plaisir, à l'absolue béatitude de se savoir savourée et admirée. Son corps était complètement offert à Flynn, à sa bouche avide, à ses mains qui l'exploraient.

Puis il releva la tête vers elle, et le cœur de Malory bondit devant l'intensité de son expression. C'était une réponse. Une réponse à une de ses questions, au moins.

Il était à elle. Elle se plaqua contre son corps, s'enroula autour de lui avec ardeur.

Leurs lèvres se joignirent de nouveau, et leur baiser frissonnant fit chavirer Flynn. Malory dégageait quelque chose de secret, un parfum de séduction magique. Ses halètements, ses soupirs saccadés lui poignardaient le cœur comme autant de minuscules couteaux. Il aurait voulu s'enfouir en elle jusqu'à ce que la terre cesse de tourner. Et quand elle fit glisser ses mains sur son corps, quand de doux murmures d'approbation bourdonnèrent dans sa gorge, il se demanda si ce n'était pas déjà le cas.

Elle lui griffa le ventre, le faisant frissonner.

— J'ai envie de toi, murmura-t-elle. J'ai envie que tu viennes en moi. Dis-moi que tu me veux.

— Oui, je te veux, dit-il en l'embrassant. Je te veux depuis l'instant où j'ai posé les yeux sur toi.

Elle sourit contre ses lèvres.

— Je le sais. Maintenant, ajouta-t-elle en plaquant ses hanches contre les siennes.

Soudain, un semblant de raison transperça la brume de la folie.

— Oh, non. Préservatif. Portefeuille. Pantalon. Où est mon pantalon ?

— Mmm, pas de panique.

Elle roula au-dessus de lui en lui mordillant l'épaule et ouvrit le tiroir de la table de nuit.

— Préservatif. Table de nuit. Tiroir.

— Je t'ai déjà dit que j'adorais les femmes pratiques et organisées ?

— Laisse-moi t'aider.

Elle prit tout son temps, et il dut serrer dans ses poings le couvre-lit froissé pour s'empêcher de gémir de frustration. Cette femme avait des doigts cruels, songea-t-il. Des doigts cruels mais merveilleux.

Elle s'écarta et rejeta ses cheveux en arrière.

— Voilà, dit-elle en souriant.

Sans plus attendre, il l'allongea sur le dos et se plaça sur elle.

— Voilà, répéta-t-il en s'enfonçant en elle.

Il regarda le choc s'inscrire sur le visage de Malory, la sentit vibrer sous lui. Ils tremblèrent tous les deux, emportés par la même extase.

Et, les yeux rivés aux siens, elle commença à bouger. Elle se soulevait, s'éloignait, puis revenait, dans un mouvement si doux, si souple qu'il avait l'impression de glisser sur de la soie. Le nom de Malory résonna dans sa tête telle une chanson... telle une prière.

Malory sentit le plaisir grandir en elle. Seigneur, quelle fabuleuse sensation ! Elle avait l'esprit dans un bienheureux brouillard. Enfin, avec un dernier soupir, elle s'embarqua pour la cime ultime. Les jambes serrées autour de lui, elle l'emporta au zénith.

Il ne voulait pas penser. Penser, dans les circonstances actuelles, ne pouvait être productif. Il valait beaucoup mieux pour tout le monde qu'il fasse de son cerveau un mur aveugle et se contente de savourer le contact de ce corps doux et sexy au-dessous de lui.

S'il ne pensait pas, il parviendrait peut-être à garder Malory là assez longtemps pour recommencer à lui faire l'amour. Et s'ensuivrait une nouvelle période de néant. Avec un peu de chance, peut-être pourrait-il reproduire le schéma indéfiniment.

Mais elle bougea et dit en passant la main dans son dos :

— J'ai soif. Tu veux de l'eau ?

— Pas si cela m'oblige à remuer d'ici les cinq ou dix années à venir.

Elle lui pinça légèrement les fesses.

— Mais moi, j'ai soif. Alors, il va falloir que tu bouges.

— D'accord, fit-il en enfouissant le nez dans ses cheveux. J'y vais dans une minute.

— Ça ne me dérange pas de descendre, dit-elle en le poussant doucement et en se tortillant pour se dégager.

Elle se leva, s'arrêta à côté du placard, et il aperçut un vêtement fin et soyeux qui ondoyait sur son corps magnifique avant qu'elle ne quitte la pièce.

— Peut-être bien que je rêve, marmonna-t-il. Peut-être que je prends mes désirs pour des réalités et que je suis dans mon lit avec Moe qui ronfle à mes pieds.

Mais peut-être pas.

Il s'assit et se massa le visage. Et malheureusement, il se mit à penser. Il était venu voir Malory parce que la scène qui s'était déroulée ce matin-là au journal l'avait perturbé et contrarié.

Et il se retrouvait dans son lit, nu, après un épisode absolument torride. Et elle était ivre. Ou, du moins, privée d'une partie de sa lucidité.

Il aurait dû repartir aussitôt. Il aurait dû trouver la force de fuir cette femme nue et offerte aux inhibitions estompées par l'alcool.

Malory revint dans la chambre, vêtue d'un court peignoir en soie rouge, et il se rembrunit.

— Je suis un être humain. Un homme.

— Oui. Je crois que nous avons établi cela sans aucun doute possible.

Elle s'assit sur le lit et lui tendit un verre d'eau.

— Tu étais nue, ajouta-t-il en prenant le verre, qu'il vida d'un trait. Tu t'es jetée sur moi.

Elle inclina la tête et fronça légèrement les sourcils.

— Où veux-tu en venir ?

— Si tu regrettes ce qui s'est passé…

— Pourquoi le regretterais-je ? demanda-t-elle en reprenant le verre. J'ai obtenu de toi ce que je voulais. J'avais bu, Flynn, mais je savais très bien ce que je faisais.

— Bon, d'accord. Mais… c'est juste qu'après ce que tu m'as dit ce matin…

— Que je suis amoureuse de toi ?

Elle posa le verre sur la table de nuit.

— C'est vrai, je suis amoureuse de toi.

Des émotions trop intenses et trop fulgurantes pour être déchiffrées le traversèrent, laissant sur leur chemin un voile d'angoisse.

— Malory…

Elle continua à le regarder tranquillement, et la peur commença à nouer la gorge de Flynn.

— Écoute, je n'ai pas envie de te faire de la peine.

— Alors, ne m'en fais pas.

Elle lui pressa la main, rassurante.

— Tu as beaucoup plus de raisons de t'inquiéter que moi, en réalité.

— Ah bon ?

— Mais oui. Moi, je t'aime et, naturellement, je voudrais que tu m'aimes aussi. Je n'obtiens pas toujours ce que je veux, mais je trouve souvent le moyen de l'obtenir. Presque toujours, même. Donc, à mon avis, tu finiras par m'aimer aussi. Conclusion, puisque cette idée te fait peur, tu te tracasses plus que moi.

Elle fit glisser un doigt sur son torse.

— Tu as un corps remarquable, pour quelqu'un qui passe ses journées assis derrière un bureau.

Il lui saisit la main avant qu'elle ne descende plus bas.

— Restons concentrés, si tu veux bien. Les histoires d'amour, ce n'est pas pour moi.

— Tu as vécu une expérience malheureuse, répondit-elle en se penchant pour l'embrasser. Ce genre de chose laisse inévitablement des traces. Heureusement pour toi, je sais me montrer patiente. Et douce, ajouta-t-elle en se plaçant à califourchon au-dessus de lui. Et très, très déterminée.

— Mon Dieu, Malory…

— Tu ne veux pas te détendre et profiter des avantages en nature de la cour que je te fais ?

Excité, troublé, reconnaissant, il se laissa plaquer contre le lit.

— Difficile de discuter dans ces conditions.

— Ce serait une perte de temps.

Elle dénoua la ceinture de son peignoir, qui glissa de ses épaules. Puis elle fit remonter ses mains sur la poitrine de Flynn et encadra son visage, avant de l'embrasser passionnément.

— Je vais t'épouser, murmura-t-elle.

Elle rit quand Flynn sursauta sous elle.

— Ne t'inquiète pas. Tu t'y feras.

Sans cesser de rire, elle étouffa dans un baiser ses protestations inintelligibles.

Malory se sentait merveilleusement bien. Ce n'était pas seulement à cause du sexe, songea-t-elle en chantonnant sous la douche – quoique cet élément fût impossible à exclure. Elle se sentait toujours confiante et sereine, lorsqu'elle avait un objectif clair et défini à atteindre.

La quête de la clé était si nébuleuse qu'elle la perturbait autant qu'elle la stimulait. Mais convaincre Flynn qu'ils étaient faits l'un pour l'autre lui apparaissait comme une mission nette et limpide.

Elle ne savait absolument pas pourquoi elle était tombée amoureuse de lui, et c'était précisément ce qui la convainquait qu'il s'agissait véritablement d'amour.

Flynn ne correspondait pas du tout à l'image qu'elle avait de l'homme idéal. À sa connaissance, il ne cuisinait pas de bons petits plats raffinés, ne parlait pas couramment français ni italien, ne passait pas tout son temps libre dans les musées, ne portait pas de costumes sur mesure et ne lisait pas de poésie.

Elle avait toujours pensé qu'elle tomberait amoureuse d'un homme qui posséderait certaines de ces qualités. Et naturellement, cet homme lui aurait fait la cour, l'aurait charmée, séduite, avant de lui jurer un amour éternel.

Lors de ses précédentes relations, elle avait analysé et disséqué chaque défaut et chaque qualité de l'autre jusqu'à épuisement. Et au bout du compte, aucun de ses amoureux n'avait été le bon.

Mais elle n'éprouvait pas le besoin de se soucier des défauts de Flynn. Elle savait seulement qu'elle était tombée amoureuse de lui au moment où elle s'y attendait le moins. Et cela lui plaisait.

L'idée qu'il était terrifié par sa déclaration d'amour lui plaisait aussi. C'était fascinant et galvanisant, de déstabiliser un homme par sa seule franchise, d'être pour une fois celle qui poursuivait l'autre de ses assiduités.

Quand il avait enfin réussi à s'extirper du lit, vers 3 heures du matin, elle avait deviné sa peur et sa confusion aussi sûrement que son envie de rester avec elle.

Elle s'amusa à téléphoner au fleuriste pour demander qu'on lui envoie une douzaine de roses au journal. Elle dansait presque en partant pour son rendez-vous avec James.

— Eh bien, en voilà une qui est de bonne humeur, commenta Tod lorsqu'elle arriva à La Galerie.

— Quel sens de l'observation, remarqua-t-elle en prenant son visage entre ses mains pour l'embrasser bruyamment sur la joue. James est là ?

— En haut. Il t'attend. Tu es radieuse, mon chou. À croquer.

Elle lui tapota la joue avec un sourire rayonnant, puis monta l'escalier, frappa à la porte du bureau de son ancien patron et entra.

— Bonjour, James.

— Malory, dit-il en se levant aussitôt, les mains tendues vers elle. Merci infiniment d'être venue.

— Je vous en prie.

Elle s'assit sur le fauteuil qu'il lui désignait et demanda :

— Alors ? Comment vont les affaires ?

James se rassit, et un masque d'affliction se peignit sur son visage.

— Tu as dû entendre parler des difficultés qu'a eues Pamela avec Mme Karterfield. Un terrible malentendu, qui a fait perdre à La Galerie, je le crains, une précieuse cliente.

Malory prit l'air soucieux, malgré les bonds de joie qui agitaient son cœur.

— Je suis navrée que les choses aient été un peu… délicates pendant cette période de transition.

— Délicates. C'est le mot. Pamela est très enthousiaste, mais hélas, elle débute encore. Je comprends à présent que je lui ai donné trop d'autonomie trop rapidement.

Pour s'interdire de brandir les deux poings en l'air, Malory croisa sagement les mains sur ses genoux.

— Elle a une vision des choses bien précise, qui ne s'accorde pas toujours avec l'esprit de La Galerie, commenta-t-elle.

— Oui, voilà.

James tripota son stylo, puis sa cravate.

— Il est possible que ses talents résident dans un autre secteur que celui des relations avec la clientèle. Je sais qu'il y a eu des frictions entre vous deux…

« Garde ton calme », se dit Malory.

— J'ai moi aussi une vision bien précise des choses, James, qui ne coïncide malheureusement pas avec la sienne. D'où de considérables frictions, en effet.

Il s'éclaircit la gorge.

— En ce qui concerne ton licenciement, j'avoue que j'ai sans doute laissé Pamela m'influencer. Mais j'ai sincèrement cru qu'il était temps que tu voles de tes propres ailes, que tu exploites tes talents. Je comprends à présent que je n'ai pas tenu suffisamment compte de ton attachement et de ta loyauté envers La Galerie. Je n'ai pas pensé non plus que cela te bouleverserait d'être poussée ainsi hors du nid.

— Je reconnais que cela a été le cas.

Mais elle tempéra sa déclaration par un charmant sourire.

— J'ai réfléchi à tout cela ces derniers jours, poursuivit James. J'aimerais que tu reviennes, Malory. Tu reprendrais ton ancien poste. Avec une augmentation de salaire de dix pour cent.

— C'est tellement inattendu…

Pour ne pas bondir en l'air, elle dut s'imaginer que son postérieur était collé au fauteuil.

— Je suis flattée. Mais… puis-je parler en toute franchise ?

— Bien entendu.

— Les frictions dont nous parlions seront toujours là. Me retrouver hors du nid a été une expérience douloureuse et terrifiante, mais une fois dehors, j'ai pu prendre du recul et j'ai vu que le nid était… un peu encombré, disons.

— Je comprends. Je te promets que Pamela ne s'opposera pas à tes décisions. C'est toi qui auras le dernier mot à propos des acquisitions et des expositions, des artistes à privilégier, etc. Tout comme avant.

C'était exactement ce qu'elle voulait. Et même mieux, réalisa-t-elle en se rappelant l'augmentation de salaire promise par James. Elle pourrait recommencer à faire ce qu'elle adorait et ce pour quoi elle était compétente, tout en ayant la satisfaction personnelle et mesquine de rabattre son caquet à Pamela.

Elle aurait gagné. Sans le moindre effort.

— Merci, James. Je ne puis vous dire à quel point c'est important pour moi de savoir que vous souhaitez me voir revenir, que vous avez confiance en moi.

— Merveilleux, merveilleux, fit-il, rayonnant. Tu peux commencer dès aujourd'hui, si cela te convient. Nous ferons comme si ces deux semaines n'avaient jamais existé.

À ces mots, l'estomac de Malory exécuta un saut périlleux. Puis, soudain, la Malory rationnelle se déroba et écouta, sous le choc, la Malory téméraire prendre le relais.

— Je suis désolée, James, mais je ne peux pas revenir. Je vous serai éternellement reconnaissante de tout ce que vous m'avez appris. Et je vous remercie de m'avoir mise dehors pour m'éviter de m'encroûter. En fait, je vais ouvrir ma propre affaire.

« Mon Dieu ! songea-t-elle. Je vais ouvrir ma propre affaire. »

— Ce sera plus petit que La Galerie, bien sûr. Plus...

Elle faillit lâcher « accessible », mais parvint à dire :

— Intime. Je me concentrerai essentiellement sur les artistes et artisans locaux.

— Mais... as-tu pensé au temps et à l'énergie que prend ce genre de projet ? Sans parler du risque financier.

Aucun doute, James était affolé.

— J'en suis consciente. Curieusement, prendre des risques ne m'inquiète plus autant qu'avant. En fait, je suis même très excitée par ce projet. Mais je vous remercie infiniment pour tout ce que vous avez fait pour moi. Bon, il faut que j'y aille, maintenant.

Elle se leva vivement, de peur de changer d'avis si elle restait plus longtemps. Elle avait eu la sécurité à portée de main, et elle était prête à s'embarquer sur un terrain accidenté et inconnu, où les chutes étaient si dures qu'on ne se relevait pas.

— Malory, j'aimerais que tu prennes le temps de bien réfléchir à tout cela.

— Savez-vous ce qui se passe quand on regarde toujours en contrebas avant de sauter ?

Elle lui toucha brièvement la main, avant de se diriger vers la porte.

— On ne saute pratiquement jamais.

Elle ne perdit pas de temps. Dès qu'elle eut quitté La Galerie, elle fila à l'adresse indiquée par Zoé, où elle trouva la voiture de Dana.

Bon emplacement, songea-t-elle. Les piétons pouvaient y accéder facilement, mais il y avait aussi de la place pour se garer.

La maison était charmante, accueillante. En conjuguant leurs talents, elles en feraient une petite merveille. Elles pourraient repeindre la terrasse, planter du lierre grimpant... Zoé devait avoir une foule d'idées sur la question.

Malory sortit son carnet, nota plusieurs petites choses concernant l'extérieur de la maison, puis ouvrit la porte d'entrée.

Le hall était vaste et lumineux, les planchers magnifiques. Quant aux murs, un peu de peinture, et le tour serait joué.

Elle parcourut le rez-de-chaussée. Il était exactement tel que Zoé l'avait décrit, avec des pièces en enfilade de part et d'autre de l'entrée. Une excellente manière de mêler leurs différentes affaires.

Après avoir rempli deux pages de notes, elle retourna dans l'entrée. Dana et Zoé, qui descendaient l'escalier, ne l'aperçurent pas tout de suite.

— Et à terme, j'aimerais bien réaménager la salle de bains principale et y faire installer une douche suédoise, disait Zoé. Mais pour l'instant... Tiens, Malory ! Salut !

— Coucou, les filles, fit Malory. J'ai reconsidéré la question, et je suis prête à tenter l'aventure avec vous.

— J'en étais sûre !

Zoé poussa un cri de joie et dévala les marches pour la serrer dans ses bras.

— Je le savais. Tu as visité le rez-de-chaussée ? Tu ne trouves pas ça formidable ? Absolument parfait ?

— Oui, oui et oui. Je n'ai pas encore vu l'étage, mais rien qu'en bas... j'adore.

Dana, qui s'était immobilisée dans l'escalier, demanda en plissant les yeux :

— Qu'est-ce qui t'a fait changer d'avis ?

— Je ne sais pas. Du moins, je n'ai aucune raison logique à te donner. En entendant James me proposer de me rendre mon job, avec une augmentation en prime, je me suis dit : « Dieu soit loué, tout va redevenir normal. »

Elle relâcha son souffle et, son bloc-notes serré contre sa poitrine, tourna lentement sur elle-même.

— Et puis, avant de me rendre compte de ce que je faisais, je me suis entendue répondre que je ne pouvais pas revenir, que je démarrais ma propre affaire. J'ai dû réaliser que je n'avais pas envie que tout redevienne comme avant, en fait. Je veux me lancer dans cette aventure avec vous deux. Voilà tout ce que je sais.

— Il faut que nous soyons toutes les trois sûres de ce que nous voulons. Zoé, raconte-lui ce que tu m'as dit. Au sujet de la maison.

— Voilà. Le propriétaire est disposé à la louer, mais ce qu'il cherche, c'est un acquéreur. Effectivement, c'est beaucoup plus intéressant financièrement d'acheter la maison que de la louer.

— Acheter ?

Le fossé qu'était en train de franchir Malory s'élargissait soudain.

— Combien ?

Zoé cita un prix. En voyant son amie pâlir, elle ajouta précipitamment :

— Cela peut sûrement se négocier. Et puis, j'ai fait des calculs, et si tu compares les remboursements sur trente ans au loyer mensuel, cela revient au même. Sauf qu'à la fin, tu es propriétaire. C'est un bon investissement. Et il faut aussi considérer les avantages fiscaux.

— Ne la laisse pas se lancer sur les avantages fiscaux, par pitié, dit Dana à Malory. Sinon, ton cerveau va te sortir par les oreilles. Crois-moi sur parole, elle a tout étudié.

— Il nous faut un notaire pour rédiger un acte d'association commerciale légal, poursuivit Zoé sans se démonter. Ensuite, nous mettrons notre argent en commun. En obtenant une petite baisse du prix de vente, nous pouvons y arriver.

— Je te crois. C'est sans doute pour ça que j'ai mal à l'estomac, fit Malory en se massant le ventre.

Puis elle se tourna vers Dana et demanda :

— On achète ?

— On achète. À la grâce de Dieu !

— Alors, on devrait se serrer la main ou quelque chose comme ça, fit Zoé en tendant la main.

— Attendez. D'abord, je veux vous dire une chose.

Malory s'éclaircit la gorge.

— J'ai couché avec Flynn hier soir. Trois fois.

— Trois fois ? répéta Dana en s'asseyant sur une marche. Avec Flynn ?

— Ça ne t'ennuie pas ?

— Je suis sa sœur, pas sa mère, répondit Dana en se frottant la tempe. Tu n'étais pas ivre, hier soir ?

— Non, c'est toi qui l'étais. Moi, j'étais juste gaie. J'ajouterai qu'étant donné mon état d'ébriété, il a tenté, avec beaucoup de conviction, de faire le gentleman et de se soustraire à mes avances.

— Comme c'est charmant ! s'exclama Zoé.

— Alors que j'étais déjà toute nue, ajouta Malory.

— C'est... Waouh !

Malory éclata de rire, mais Dana garda le silence.

— Ne vous méprenez pas. Je ne lui ai pas sauté dessus simplement parce que j'étais éméchée. Je suis amoureuse de lui. Je ne sais pas pourquoi je l'aime, pas plus que je ne sais pourquoi je veux acheter cette maison avec vous deux. C'est comme ça, voilà tout. Ça vient de quelque part, très loin, au fond de moi. J'aime Flynn et je vais l'épouser.

— Mais c'est merveilleux ! s'écria Zoé en se jetant au cou de Malory. Je suis tellement contente pour toi !

— Mais ne préparez pas tout de suite les fleurs d'oranger. Il me reste à le convaincre qu'il ne peut pas se passer de moi.

Malory fit un pas vers l'escalier.

— Je suis amoureuse de lui, Dana.

— Je vois ça.

— Je sais que ça risque de compliquer notre amitié et les projets que nous avons ensemble...

— Et ?

— Et si cela arrive, j'en serai désolée. Mais je préfère sacrifier notre amitié et nos projets d'association plutôt que Flynn. Je le garderai, que cela lui plaise ou non.

Un lent sourire se dessina sur les lèvres de Dana tandis qu'elle se levait.

— Dans ce cas, il est cuit. Alors, qu'est-ce qu'on attend pour se serrer la main et chercher un notaire ?

12

Dana n'aurait su dire ce qu'elle ressentait, ni ce qu'elle comptait faire. Mais ces petits détails ne l'avaient jamais arrêtée.

Dès qu'elle en eut l'occasion, elle se mit en quête de Flynn. La nouvelle que lui avait annoncée Malory l'avait contrariée, et le temps qu'elle arrive chez son frère, elle éprouvait une sainte colère.

Elle claqua la porte et entra dans le salon. Flynn était affalé sur le canapé, Moe à ses pieds.

— Il faut que je te parle, Casanova.

— Ne crie pas.

Flynn resta sur le canapé. Par terre, Moe gémit.

— J'ai fait faire ses rappels de vaccins à Moe. Nous avons été traumatisés tous les deux. Reviens demain.

— Pas question. Qu'est-ce qui t'a pris de coucher avec Malory alors que tu sais parfaitement qu'elle doit rester concentrée sur son objectif ?

— Je n'en sais rien. Peut-être est-ce parce que j'ai trébuché sur son corps nu. Par ailleurs, je conteste le terme « coucher », qui n'est pas approprié. Et de toute façon, ça ne te regarde pas.

— Si, ça me regarde, parce qu'elle vient de devenir mon associée. Et parce que, avant déjà, nous étions associées d'une autre façon, et parce que je l'aime beaucoup et qu'elle est amoureuse de toi. Ce qui est la preuve d'un remarquable manque de goût, mais n'en reste pas moins vrai.

La culpabilité refit lentement son nœud dans le ventre de Flynn.

— Ce n'est pas ma faute si elle se croit amoureuse de moi.

— Je n'ai pas dit qu'elle se « croyait » amoureuse. Malory n'est pas idiote, elle sait ce qu'elle ressent. Et si tu défais encore une fois ta braguette sans tenir compte de ses sentiments...

— Pour l'amour du Ciel, arrête de m'enguirlander ! Ça fait déjà des heures que je me descends en flammes, et ça n'a donné aucun résultat. Je ne sais absolument pas quoi faire.

Dana s'assit sur la table basse et se pencha vers lui.

— Je suis paumé, marmonna Flynn. Figure-toi qu'elle m'a envoyé des fleurs.

— Pardon ?

— Elle m'a envoyé une douzaine de roses rouges ce matin. La carte disait : « Pense à moi. » Comment pourrais-je ne pas penser à elle ?

— Des roses ? répéta Dana, amusée. Où sont-elles ?

Il se tortilla sur le canapé, gêné.

— Euh... je les ai mises dans la chambre. C'est le monde à l'envers, ce n'est pas normal, pas dans l'ordre des choses. Ça va à l'encontre de toutes les règles scientifiques. Il faut que je remette tout ça sur des rails... Arrête de me dévisager avec ce sourire idiot.

— Tu es accro.

— Pas du tout. Et je conteste cette expression également. Quelqu'un qui a une maîtrise en bibliothéconomie devrait savoir choisir des termes plus appropriés.

— Elle est parfaite pour toi, déclara Dana en l'embrassant sur la joue. Félicitations. Je ne suis plus fâchée contre toi.

— Je me fiche de savoir contre qui tu es fâchée. Et il ne s'agit pas de savoir qui est parfait pour moi. Moi, je ne suis parfait pour personne. Je suis un imbécile égoïste qui n'a aucun égard pour les autres. J'aime que ma vie soit dissolue et sans contraintes.

— Tu es un imbécile, c'est sûr. Mais tu n'es ni égoïste ni sans égards. C'est cette sale garce de Lily qui t'a mis ça dans la tête. Si tu crois ça, tu es plus bête que je ne le pensais.

— Alors, tu voudrais que ta nouvelle copine soit avec un imbécile ?

— Peut-être. Je t'aime, Flynn.

— Eh bien, dis donc, j'en reçois de l'amour, ces derniers temps.

Il lui tapota le nez avec son doigt.

— Moi aussi.

— Dis-le. Dis : « Je t'aime. »

— Arrête.

— Allez, Flynn. Crache-les, ces mots-là.

— Je t'aime. Et maintenant, va-t'en.

— Je n'ai pas fini.

Il grogna et retomba sur le canapé.

— Je te signale que Moe et moi sommes en train d'essayer de faire une sieste, pour notre hygiène mentale.

— Lily ne t'aimait pas, Flynn. Elle aimait le personnage que tu étais à Pleasant Valley, elle aimait se montrer à ton bras, et elle adorait te prendre le chou. Elle t'a exploité.

— Et c'est censé me consoler ?

— Je dis ça pour que tu cesses de te reprocher ce qui s'est passé avec Lily.

— Je ne me le reproche pas. Je hais les femmes.

Il lui adressa un sourire libidineux.

— La seule chose qui m'intéresse, c'est de les mettre dans mon lit. Et maintenant, tu veux bien partir d'ici ?

— Tu as des roses rouges dans ta chambre.

— Dana…

— Tu es accro, répéta-t-elle en enfonçant un doigt dans son ventre.

— J'aimerais te poser une question. Est-ce que quelqu'un ici aimait bien Lily ?

— Non.

Il relâcha son souffle et contempla le plafond.

— C'était juste pour savoir.

À cet instant, quelqu'un frappa à la porte, faisant jurer Flynn et sursauter Dana.

— J'y vais, dit-elle, avant d'ajouter d'une voix chantante : Si ça se trouve, ce sont encore des fleurs.

Amusée, elle ouvrit. Et ce fut à elle de jurer, avec plus d'imagination et de vulgarité que Flynn.

— Salut. Joli vocabulaire, Trognon.

Jordan Hawke, beau comme le diable et deux fois plus mauvais, adressa un clin d'œil à Dana et refit irruption dans sa vie.

Elle envisagea, pendant un bref instant enivrant, de lui faire un croche-pied.

— Salut. Personne ne t'a prié d'entrer.

— Tu habites ici, maintenant ?

Du haut de son mètre quatre-vingt-dix, il la dépassait de treize centimètres. Autrefois, elle trouvait cela excitant, mais à présent, cela l'agaçait.

Malheureusement, il n'avait pas grossi, ni enlaidi, ni été victime d'une calvitie précoce. Non, il était toujours mince et sublime, et ses épais cheveux noirs encadraient avec charme un visage bronzé où étincelaient des yeux d'un bleu éclatant. Sa bouche était charnue, ferme et, elle le savait d'expérience, très inventive.

Son lent sourire moqueur lui donna envie de le gifler.

— Tu as l'air en forme, Dana.

Il lui lissa les cheveux d'une main, et elle se dégagea d'un coup sec.

— Bas les pattes. Non, je n'habite pas ici. Qu'est-ce que tu veux ?

— Un rendez-vous avec Julia Roberts, faire un bœuf avec Bruce Springsteen et une bière bien fraîche. Et toi ?

— Lire dans le journal les détails de ta lente agonie. Qu'est-ce que tu fabriques ici ?

— Je t'ennuie, visiblement. Mais ce n'est qu'un effet secondaire. Flynn est là ?

Sans attendre de réponse, il se dirigea vers le salon. Moe releva la tête et poussa un grognement peu convaincu.

— C'est bien, Moe, fit Dana pour l'encourager. Attaque !

Peu inquiet à l'idée d'être victime d'une masse canine colossale, Jordan s'accroupit.

— Alors, voici le fameux Moe.

Le traumatisme des vaccins oublié, Moe se redressa, posa les deux pattes avant sur les épaules de Jordan et le lécha avec effusion.

Dana grinça des dents tandis que le rire de Jordan se mêlait aux aboiements joyeux de Moe.

— En voilà un gros pépère ! Regardez-moi cette tête.

Il ébouriffa les poils de Moe, lui gratta les oreilles, puis leva les yeux vers Flynn.

— Comment ça va ?

— Bien. Je ne t'attendais pas si tôt.

— Je n'avais pas d'engagements, alors je suis venu tout de suite.

— Désolée d'interrompre ces attendrissantes retrouvailles, fit Dana d'un ton glacial, mais peut-on savoir ce qu'il fait là ?

— Je viens rendre visite à mes copains dans ma ville natale, répondit Jordan en se relevant. Je peux toujours dormir chez toi ?

— Absolument, approuva Flynn en s'extirpant du canapé.

Il donna une bourrade à Jordan.

— Hé, mon vieux, ça me fait plaisir de te revoir.

— Moi aussi. Belle maison. Chouette chien. Infâme canapé.

Flynn rit et prit son vieil ami dans ses bras.

— Ça me fait vraiment plaisir que tu sois là.

Pendant un bref instant, en regardant les deux hommes s'étreindre, Dana sentit son cœur s'adoucir. Quels que pussent être ses griefs à l'encontre de Jordan Hawke, et Dieu sait s'ils étaient nombreux, il était et avait toujours été l'*alter ego* de Flynn, son frère autant que son ami.

Puis les yeux bleus perçants de Jordan croisèrent les siens, et sa colère se ranima.

— Si tu allais nous chercher des bières, Trognon ? Ensuite, tu me raconteras comment tu t'es fait embarquer dans la recherche de clés imaginaires.

Dana adressa à Flynn un regard accusateur, puis releva le menton.

— Je m'en vais. Contrairement à vous deux, j'ai des choses à faire.

— Tu ne veux pas voir le tableau ?

À cette question, elle faillit se figer sur place, mais céder à la curiosité aurait gâché sa sortie. Elle marcha jusqu'à la porte et sortit sans un regard en arrière.

Elle avait des choses à faire, effectivement. En premier lieu, sculpter une poupée de cire à l'effigie de Jordan Hawke et enfoncer des aiguilles dans ses parties sensibles.

— Tu étais obligé de la mettre en rogne ? demanda Flynn.

— Le simple fait que je respire la met en rogne, répondit Jordan.

À cette idée, il eut un petit pincement au cœur.

— Pourquoi est-ce qu'elle n'habite pas ici ? reprit-il. Cette maison est assez grande pour deux.

— Elle ne veut pas.

Avec un haussement d'épaules, Flynn le conduisit vers la cuisine.

— Elle préfère avoir son propre espace, etc. Tu connais Dana. Une fois qu'elle a décidé quelque chose, rien ne peut la faire changer d'avis.

— Je suis bien placé pour le savoir.

— Tu as apporté le tableau, alors ?

— Oui. Je ne sais pas si tu vas en tirer quelque chose.

— Espérons surtout que Malory pourra en tirer quelque chose.

— La fameuse Malory, commenta Jordan en s'appuyant contre le comptoir. Quand vais-je avoir l'honneur de la rencontrer ?

— Je n'en sais rien. Bientôt.

— Je croyais que le délai pour trouver les clés était assez court.

— Oui, oui. Il nous reste deux semaines.

— Il y a un problème, Flynn ?

— Non. Enfin, je ne sais pas. On sort ensemble depuis peu de temps, mais c'est devenu sérieux très vite. Je ne sais plus trop où j'en suis.

— Comment est-elle ?

— Intelligente, drôle, sexy.

— Tu as mis sexy en troisième place. L'affaire est grave. Quoi d'autre ?

— Je dirai, orientée vers ses objectifs.

Flynn se mit à arpenter la pièce.

— Elle est ordonnée. Sincère. Rationnelle... Ne ris pas, elle l'est. C'est pourquoi le fait qu'elle se soit embarquée dans cette affaire de clés laisse supposer que tout est possible. Et elle a les yeux bleus. De grands yeux bleus, conclut-il avec un soupir.

— Tiens donc, là encore, le physique vient en bas de la liste. Tu l'as dans la peau, mon vieux. Je dirai que tu as déjà de l'eau jusqu'aux genoux et que tu t'enfonces lentement et sûrement. Pourquoi ne l'appelles-tu pas ? Qu'elle vienne jeter un coup d'œil au tableau, et moi, je jetterai un coup d'œil sur elle.

— Ça peut attendre demain.

— Tu as peur d'elle ! Finalement, tu es enlisé jusqu'à la taille et tu ne vas pas tarder à couler.

— Tais-toi. Je me disais juste qu'on pourrait demander à Brad d'apporter son tableau et examiner les deux à fond. Voir ce qu'on en déduit, tous les trois, sans l'élément féminin.

— Pas de problème. Tu as quelque chose à grignoter ?

— Non. Mais je connais les numéros de tous les traiteurs qui livrent à domicile. Je te laisse choisir.

— Fais-moi la surprise. Je vais chercher mes affaires.

Cette réunion aurait pu se produire quinze ans plus tôt, à ceci près que le salon dans lequel ils se trouvaient appartenait à l'un d'entre eux et non à leurs parents. Ils mangeaient des plats italiens et avaient remplacé la bière par une bouteille de Johnnie Walker apportée par Brad.

Assis tous les trois par terre, ils examinaient les tableaux dressés côte à côte contre le mur. Moe avait pris possession du canapé.

— Je ne connais pas grand-chose à l'art... commença Flynn.

— Mais tu sais ce que tu aimes, acheva Brad.

— Je ne voulais pas m'abaisser à formuler un tel cliché.

— Mais c'est un fait, reconnut Jordan. L'art est, par essence, subjectif. La boîte de soupe Campbell d'Andy Warhol, la montre fondue de Dalí, la *Joconde* de Léonard de Vinci... Tout réside dans l'œil du spectateur, et ce qu'on aime est toujours beau.

— Il est aussi impossible de comparer les *Nymphéas* de Monet à la *Femme en bleu* de Picasso que de comparer Dashiell Hammet à Steinbeck. C'est une question de style, d'optique, de perception.

Flynn roula les yeux.

— Ce que je voulais dire avant que vous ne vous lanciez dans cette petite joute intellectuelle, tous les deux, c'est que j'ai l'impression qu'une même personne a peint ces deux œuvres. Et que s'il s'agit de deux artistes différents, l'un a copié le style de l'autre.

— Je suis d'accord, répondit Brad en faisant tourner le whisky dans son verre. Et qu'est-ce que ça nous apprend ?

— Je l'ignore, mais on en saura plus si on fait expertiser le tableau de Jordan. Nous savons déjà que celui de Warrior's Peak et le tien ont été exécutés à plus de cinq cents ans d'écart. Nous devons savoir de quand date celui de Jordan.

— Du XVe siècle.

Flynn tourna la tête et dévisagea son ami.

— Tu l'as déjà fait expertiser ?

— Oui, deux ans après l'avoir acheté. Je devais faire assurer des biens. J'ai appris qu'il valait plusieurs fois ce que je l'avais payé. C'est bizarre, d'ailleurs, parce que La Galerie a la réputation d'être chère.

— Pourquoi l'as-tu acheté ? demanda Flynn.

— Je me suis posé la question un nombre incalculable de fois. Je ne sais même pas pourquoi je suis allé là-bas ce jour-là. Je n'avais pas pour habitude d'entrer à La Galerie. Mais dès que j'ai vu ce tableau, je suis tombé en arrêt devant lui. Ce moment de grâce, ce souffle juste avant le destin, entre innocence et puissance… Il va dégager l'épée. On le sait. Et à cet instant, le monde change. Camelot naît, le destin d'Arthur est scellé. Il va rassembler un peuple, être trahi par une femme et par un ami, et engendrer l'homme qui le tuera. On le voit adolescent, mais on sait qu'à la seconde suivante, il sera roi.

— On pourrait objecter qu'il est né roi.

Jordan secoua la tête.

— Non. Il devient roi en posant les mains sur la poignée de l'épée. Il aurait pu s'en détourner. Je me demande d'ailleurs s'il s'en serait détourné s'il avait su ce qui l'attendait. La gloire et la grandeur, certes, mais aussi le mensonge, la trahison, la guerre. Et une mort prématurée.

— Eh bien, c'est gai, commenta Flynn en remplissant leurs verres.

Il s'interrompit soudain et regarda de nouveau les tableaux.

— Une seconde. On tient peut-être quelque chose, là. Dans l'autre tableau, nous voyons ce qui suit ce tournant du destin dont nous parlons. Le dieu-roi aurait-il épousé une mortelle et conçu trois filles s'il avait connu leur destin ? La clé de l'énigme réside-t-elle dans les choix, les orientations que nous prenons ?

— Et quand bien même ? objecta Brad. En quoi cela nous avance-t-il ?

— Ça nous donne un thème. Et si nous admettons que les peintures constituent des indices censés nous aider à découvrir l'emplacement des clés, il ne reste qu'à suivre le fil. La première clé se trouve peut-être dans un endroit où une décision a été prise, une décision qui a changé le cours de certaines vies.

— Flynn...

Jordan hésita, puis reprit :

— Tu crois sincèrement que ces clés existent ?

— Oui. Et si vous aviez été là tous les deux dès le début, vous en seriez arrivés à cette conclusion aussi.

— Et toi, tu y crois ? demanda Jordan à Brad.

— J'essaie de garder l'esprit ouvert. Nous devons établir la liste de toutes les coïncidences, ou de ce qui ressemble à des coïncidences. Toi et moi, Jordan, nous sommes propriétaires de ces tableaux. Nous sommes

200

tous réunis à Pleasant Valley, et les toiles aussi. Flynn est impliqué affectivement auprès de deux des femmes qui ont été invitées à Warrior's Peak. Toi, Jordan, tu étais avec Dana autrefois. Et moi, j'ai acheté ce tableau parce que j'ai été attiré par le visage de Zoé. Quand je l'ai vu, j'ai été bouleversé. Et que ce petit détail reste entre nous, d'accord ?

— Tu t'intéresses à Zoé ? demanda Flynn.

— Oui, ce qui est merveilleux, étant donné qu'elle m'a détesté à la seconde où elle m'a vu. Je ne comprends pas pourquoi, du reste, ajouta-t-il. Les femmes ne me détestent pas comme ça, d'emblée.

— Non, il leur faut un peu de temps, d'habitude, fit Jordan.

— N'importe quoi. Je sais très bien m'y prendre avec les femmes.

— C'est vrai. Il suffit de se rappeler la façon dont tu t'y es pris avec Marsha Kent.

— J'avais dix-sept ans, sinistre crétin, répliqua Brad.

— Tu as toujours l'empreinte de son pied sur tes fesses ? demanda Jordan.

— Et toi, tu as toujours celle de Dana entre les jambes ?

Jordan fit la grimace.

— D'accord, je l'ai cherché. Une question. Zoé et Malory ressemblent-elles autant aux deux sœurs du tableau que Dana à la troisième ?

— Oh, oui, répondit Flynn. C'est frappant.

— Et la datation de ton tableau est incontestable, Brad ?

— Absolument.

Jordan garda un instant le silence, plongé dans la contemplation du visage de Dana, si figé, si pâle, si inexpressif.

— D'accord. Je renonce à la logique et entre dans votre dimension. Nous sommes six et il existe trois clés.

Il reste environ quinze jours pour retrouver la première, c'est cela ?

Il tendit le bras vers la bouteille de whisky.

— Un jeu d'enfant.

Abstraction faite de l'énigme à résoudre, songea Flynn, il était heureux que ses vieux copains soient revenus. Il était ravi de savoir, lorsqu'il se coucha à 4 heures du matin, que Jordan était affalé sur le lit de la chambre d'amis et que Brad ronflait doucement sur le canapé du salon, sous la garde de Moe.

Il lui avait toujours semblé que lorsqu'ils étaient ensemble, rien ne pouvait leur résister. Lutter contre une invasion d'extraterrestres, apprendre à dégrafer un soutien-gorge d'une main, faire du cross dans une vieille Buick… Ils avaient toujours tout réussi ensemble.

Quand la mère de Jordan était tombée malade, Brad et Flynn avaient tenu compagnie à leur ami durant ces nuits interminables à l'hôpital.

Lorsque Lily l'avait plaqué, Flynn avait toujours su qu'il pouvait compter sur ses amis.

Ils avaient toujours été présents les uns pour les autres, dans les bons comme dans les mauvais moments, songea-t-il dans un accès de sentimentalisme. La distance n'avait jamais affaibli leur amitié.

Mais c'était mieux, sacrément mieux, de les avoir là. Avec eux à ses côtés, il avait l'impression que la première clé était presque dans la serrure.

Il ferma les yeux et s'endormit instantanément.

Un froid mordant régnait dans la maison obscure. Son souffle formait des bouffées de vapeur blanche tandis qu'il errait dans les longs couloirs sombres qui semblaient ne pas avoir de fin. Dehors, l'orage se déchaînait.

Dans son rêve, il savait qu'il arpentait les immenses corridors de Warrior's Peak. En plissant les yeux, il reconnaissait la maison, ce tournant du couloir, telle pierre du mur sous ses doigts.

La pluie fouettait les vitres du deuxième étage, illuminées par la lueur bleue de chaque éclair. Et il vit le fantôme de son propre visage, flou, reflété dans le carreau.

Il cria. Sa voix résonna dans la maison, encore et encore, mais personne ne lui répondit. Pourtant, il savait qu'il n'était pas seul.

Quelque chose parcourait ces couloirs avec lui, tapi juste dans son dos, hors de portée, hors de vue. Une chose sombre qui le poussait à monter l'escalier.

La peur lui noua le cœur.

Le couloir était jalonné de portes toutes fermées à clé. Les doigts engourdis par le froid, il essaya en vain de les ouvrir les unes après les autres.

La chose qui le suivait rampa plus près. Il entendait son souffle, à présent, semblable à des goulées liquides qui se mêlaient à ses propres halètements.

Il fallait qu'il sorte de là, qu'il trouve une issue. Il se mit à courir dans le noir, talonné par son poursuivant, dont les griffes, sans doute, produisaient ce cliquetis rapide derrière lui.

Il déboucha brusquement sur un parapet, dans la tourmente. Des éclairs lacéraient le ciel et faisaient fumer la pierre. L'air était glacial, les gouttes de pluie s'abattaient sur lui comme autant d'éclats de verre.

Pris au piège, le ventre tordu par la peur, il se retourna pour se battre.

Mais l'ombre était si immense, si proche qu'elle le recouvrit avant même qu'il ne puisse brandir les poings. Le froid le transperça, le plia en deux, et il tomba à genoux.

Il sentit que quelque chose lui était arraché et fut saisi d'une douleur violente, épouvantable, paralysante. Et il sut que c'était son âme qu'on lui avait volée.

Flynn se réveilla en grelottant, le corps moite de terreur.

Il reprit lentement son souffle et s'assit dans son lit. Il avait déjà fait des cauchemars, mais aucun n'avait jamais été aussi intense. Et jusqu'à ce jour, aucun ne lui avait procuré une douleur réelle.

Il souffrait encore, réalisa-t-il en serrant les dents tandis que des élancements lui déchiraient la poitrine et le ventre.

Il essaya de se convaincre que c'était dû à l'abus de whisky, ajouté au manque de sommeil. Mais il n'y croyait pas.

Lorsque la douleur se fut estompée, il sortit précautionneusement du lit, marcha lentement, tel un vieillard, jusqu'à la salle de bains et ouvrit le robinet d'eau chaude de la douche. Il était frigorifié.

Il aperçut son reflet dans le miroir de l'armoire à pharmacie, et la pâleur de sa peau, ses yeux vitreux l'effrayèrent. Mais par rapport au reste, ce n'était rien : il était trempé. Ses cheveux étaient mouillés, sa peau luisait. À croire qu'il venait d'essuyer un orage, songea-t-il en s'asseyant sur le siège des toilettes, les jambes flageolantes.

Ce n'était pas seulement un cauchemar. Il était allé à Warrior's Peak. Il était monté sur le parapet. Et il n'y était pas monté seul.

Il ne s'agissait pas uniquement de la quête de trois clés magiques. Cette histoire n'était pas qu'une énigme à résoudre en échange d'une bourse d'or.

Il y avait autre chose. Une chose puissante et ténébreuse.

Et Flynn avait la ferme intention de découvrir ce qui se passait avant qu'aucun d'eux ne s'engage davantage dans cette quête.

Il entra dans la douche et laissa l'eau brûlante ruisseler sur lui jusqu'à ce qu'elle réchauffe ses os glacés. Puis, un peu plus calme, il prit une aspirine et enfila un vieux pantalon.

Il allait se préparer du café, et ensuite, il pourrait commencer à réfléchir. Dès qu'il aurait les idées claires, il réveillerait ses amis.

Il était temps qu'ils se rendent tous les trois à Warrior's Peak et qu'ils extorquent la vérité à Pitte et Rowena.

Alors qu'il descendait au rez-de-chaussée, la sonnette retentit. Moe fila vers la porte en aboyant.

— Ça va, ça va, tais-toi.

Le whisky ne lui avait pas donné la migraine, mais le souvenir de son cauchemar faisait encore battre le sang à ses tempes. Il prit Moe par son collier et le tira en arrière, puis ouvrit la porte de sa main libre.

Elle était radieuse. Ce fut la seule pensée nette qui lui vint tandis qu'il contemplait Malory. Vêtue d'un joli tailleur bleu qui mettait ses jambes en valeur, elle lui souriait. Elle avança d'un pas et le prit dans ses bras.

— Bonjour, dit-elle.

Il suffit qu'elle appuie ses lèvres contre les siennes, encore exsangues, pour que son cerveau redevienne un magma incohérent.

Il lâcha le collier de Moe et glissa ses doigts dans les cheveux de Malory. Les douleurs et l'angoisse qui l'avaient réveillé se dissipèrent aussitôt.

En cet instant, Flynn eut l'impression que rien n'était impossible.

Moe renonça à s'interposer entre eux et se contenta de sauter et d'aboyer pour attirer leur attention.

— Bon sang, Hennessy, tu ne peux pas dire à ton chien de…

Arrivé en haut de l'escalier, Jordan se tut. Dans la clarté du soleil matinal, Flynn et sa compagne se noyaient l'un dans l'autre.

— Bonjour, dit Jordan quand son ami remarqua enfin sa présence. Désolé de vous avoir dérangés. Tu dois être Malory.

— Oui, je dois l'être.

Ses pensées étaient un peu confuses après ce baiser, mais elle était quasiment certaine de dévisager un beau garçon en caleçon noir.

— Je suis navrée. Je ne savais pas que Flynn avait de la compagnie… Oh! Jordan Hawke. Je suis une fervente admiratrice.

— Merci.

— Euh… attends une seconde, fit Flynn en voyant que son ami commençait à descendre. Si tu enfilais d'abord un pantalon?

— Pas de problème.

— Viens avec moi dehors, Mal. Il faut que je sorte Moe.

Flynn réussit à la déloger de l'endroit où elle s'était figée à la vue de Jordan. Mais elle s'immobilisa de nouveau à l'entrée du salon. Brad était allongé à plat ventre sur le canapé, dans la même tenue que Jordan, version blanche.

Il était intéressant de noter, songea Malory, que le jeune héritier de l'empire Vane avait de jolies petites fesses.

— Soirée entre garçons? supposa-t-elle.

— Les garçons ne font pas de soirées entre garçons. Ils traînent juste ensemble. Moe!

Le chien avait entrepris de lécher le visage de Brad – du moins, la portion qui n'était pas écrasée contre les coussins.

— Brad a toujours eu un sommeil de plomb.

— On dirait, oui. Tu dois être content que tes amis soient revenus.

— Oui.

Il l'entraîna vers la cuisine. Moe les devança et se mit à danser devant la porte qui donnait dans le jardin, comme s'il attendait depuis des heures. Il détala dehors dès que Flynn lui ouvrit.

— Tu veux que je prépare du café ? proposa Malory.

— Ça ne te dérange pas ?

— C'est inclus dans le service.

Elle se dirigea vers la cafetière, posée sur le plan de travail.

— Si tu m'épouses, je préparerai le café tous les matins. Évidemment, il faudra que tu sortes la poubelle tous les soirs.

Elle lui sourit par-dessus son épaule.

— Je suis pour le partage des tâches domestiques.

— Ouais.

— Et tu auras un accès illimité au sexe.

— C'est un gros avantage.

Elle mesura l'eau en riant et disposa un filtre.

— J'adore te rendre nerveux. Je ne crois pas avoir déjà rendu nerveux un homme.

Elle remplit le filtre de café et se retourna.

— Mais il faut dire que je n'ai jamais été amoureuse. Pas comme ça.

— Malory...

— Je suis une femme très déterminée, Flynn.

— Il me semble que ce message commence à s'imprimer très clairement dans mon cerveau.

Il recula au moment où elle s'approchait de lui.

— Je crois juste qu'on devrait...

— Quoi ? demanda-t-elle en faisant remonter ses mains sur la poitrine de Flynn.

— Je ne sais plus. Je perds la mémoire dès que tu me regardes.

— Je considère cela comme un bon signe.

Elle effleura légèrement ses lèvres des siennes.

— Désolé, dit Jordan en entrant. Encore une fois.

— Ce n'est pas grave.

Malory repoussa ses cheveux en arrière et se mit en quête de tasses à café propres.

— J'étais juste passée demander Flynn en mariage. Je suis contente de rencontrer encore un de ses amis. Tu vas rester longtemps à Pleasant Valley?

— Ça dépend. Qu'est-ce qu'il a répondu à ta question?

— Oh, il a du mal à formuler des phrases cohérentes chaque fois que j'aborde le sujet de l'amour et du mariage. Bizarre, non, pour un journaliste?

— Hé, je vous signale que je suis là, à côté de vous, protesta Flynn.

— C'est du café? demanda Brad en entrant dans la cuisine, tel un zombie.

Il cligna des yeux en voyant Malory et ressortit aussitôt.

— Pardon.

Amusée, elle essuya les tasses.

— Cette maison est pleine de beaux garçons, et je les ai tous vus en caleçon. Comme ma vie a changé! Comment prends-tu ton café, Jordan?

— Noir, merci.

Il s'appuya contre le plan de travail tandis qu'elle remplissait sa tasse.

— Flynn m'a dit que tu étais intelligente, drôle et sexy. Il avait raison.

— Merci. Bon, il faut que je file. J'ai rendez-vous pour signer des papiers.

— De quoi s'agit-il? demanda Flynn.

— De notre association, avec Dana et Zoé. Je pensais que Dana t'en avait parlé.

— Parlé de quoi?

— Nous achetons la maison. Nous nous lançons dans les affaires.

— Quelle maison? Quelles affaires?

— La maison sur Oak Leaf. Et par affaires, je veux parler de ma galerie d'art, de la librairie-salon de thé de Dana et de l'institut de beauté de Zoé.

208

— Génial! approuva Jordan.

— J'ai du mal à croire que je m'embarque là-dedans, soupira-t-elle. Ça ne me ressemble pas du tout. Je suis morte de trouille.

Elle alla vers Flynn, prit son visage éberlué entre ses mains et l'embrassa de nouveau.

— J'y vais, je ne veux pas être en retard. Je t'appellerai plus tard. Nous espérons que tu feras un papier sur notre nouveau business. Enchantée de t'avoir rencontré, Jordan.

— Le plaisir est réciproque.

Il la regarda s'en aller et, une fois la porte fermée, commenta :

— Jolies jambes, des yeux à tomber par terre, et assez brillante pour éclairer des catacombes. Tu t'es déniché de la dynamite, mon vieux.

Les lèvres de Flynn continuaient à vibrer de l'énergie de celles de Malory.

— Mais maintenant que je l'ai, qu'est-ce que je vais faire d'elle?

— Tu finiras par trouver la réponse, assura Jordan. Ou elle la trouvera.

— Ouais.

Flynn se massa le torse, au niveau du cœur, dont il sentit les battements précipités sous sa main. Voilà ce que cela faisait de toucher de la dynamite.

— Je reprends un café, et ensuite, il faut que je vous parle, à Brad et toi. J'ai fait un rêve incroyable, cette nuit.

13

— Je n'arrive pas à croire qu'ils ne t'aient pas montré le tableau, dit Dana en cherchant la clé de Flynn dans son sac.

— Moi non plus. Je n'y ai même pas pensé, ajouta Malory avec agacement. Je ne savais pas que Jordan l'avait apporté avec lui. En plus, ils étaient à moitié nus tous les trois, c'était déconcertant.

Zoé lui tapota gentiment le dos.

— De toute façon, nous allons le voir maintenant.

— Ils mijotent quelque chose, marmonna Dana. Je le sens. Quand ils sont ensemble, ces trois-là, ils mijotent toujours quelque chose.

Elle ouvrit la porte.

— Bizarre qu'il n'y ait personne, commenta Malory. Ils se levaient à peine il y a deux heures.

Elle entra sans le moindre scrupule.

— Maintenant que j'y pense, Flynn semblait effectivement avoir quelque chose en tête.

— Ils veulent nous court-circuiter.

Dana était toute disposée à se lancer dans une croisade contre les hommes.

— C'est typique de leur espèce. « Nous sommes plus intelligents que vous, mes petites dames, laissez-nous faire. »

— J'ai horreur de ce genre de réaction, approuva Zoé. Vous savez, comme le mécanicien qui vous adresse un

sourire condescendant et dit qu'il va expliquer le problème à votre mari.

Dana hocha la tête.

— Je ne supporte pas ça.

— Je soupçonne ce Bradley Vane d'être à l'origine de
tout ça, décréta Zoé en campant les poings sur ses
hanches. C'est tout à fait le genre de bonhomme à
essayer de régir son monde. Je l'ai deviné dès que je l'ai
vu.

— Non, c'est sûrement Jordan, grommela Dana en
donnant un coup de pied dans une chaussure abandonnée au milieu du salon. Ce type a le vice dans le sang.

— À mon avis, c'est un coup de Flynn, intervint
Malory. C'est sa maison, ce sont ses amis, et... ô mon
Dieu !

Les rayons obliques du soleil tombaient sur les deux
toiles toujours appuyées négligemment contre le mur.
Devant tant de beauté, son cœur se serra.

Elle avança lentement vers les tableaux, éblouie et fascinée. La gorge nouée, elle s'agenouilla par terre.

— Ils sont magnifiques, dit Zoé, debout derrière elle.

— Plus que cela.

Délicatement, Malory prit le portrait d'Arthur et l'inclina vers la lumière.

— Il ne s'agit pas seulement de talent. Le talent peut
être uniquement technique, aboutir à une sorte de perfection des équilibres et des proportions.

Elle-même en était très proche, songea-t-elle, lorsqu'elle peignait. Elle frisait la perfection technique... et
restait à des années-lumière de la magie qui faisait d'une
image de l'art.

— C'est du génie, quand ce talent transcende la technique et s'élève vers l'émotion, continua-t-elle. Quiconque possède cela éclaire le monde. Vous ne sentez
pas son cœur battre ? demanda-t-elle en étudiant le
jeune Arthur. Ses muscles qui frémissent au moment où

211

il s'empare de l'épée ? Voilà le pouvoir de l'artiste. Je donnerais n'importe quoi pour être capable de créer ainsi.

Un frisson la parcourut, à la fois brûlant et glacé. Le temps d'un battement de cils, elle eut l'impression que ses doigts étaient en feu. Et pendant ce temps, quelque chose en elle s'ouvrit, s'éclaira, et elle vit comment on pouvait atteindre ce but. Comment elle pouvait dépasser la technique et créer de l'art. Cette découverte la bouleversa tant qu'elle se sentit sur le point de défaillir.

L'impression cessa en un instant.

— Mal ? Malory ?

Zoé s'accroupit et la prit par les épaules.

— Qu'est-ce que tu as ?

— Hein ? Rien. J'ai eu un vertige.

— Tes yeux étaient tout bizarres. Immenses et sombres.

— Ce doit être la lumière.

Mais elle se sentait étrangement nauséeuse en cherchant sa loupe dans son sac. À la lumière naturelle, elle entreprit un examen lent et attentif de chaque tableau.

Il y avait l'ombre, l'esquisse d'une forme qui rôdait sous le couvert de la forêt verte et profonde. Au loin, deux silhouettes, un homme et une femme, observaient Arthur et l'épée fichée dans la pierre. Accrochées à une chaîne autour de la taille de la femme pendaient les trois clés en or.

— Qu'est-ce que tu en penses ? demanda Dana.

— Je crois que nous nous trouvons devant un dilemme.

Malory s'assit sur ses talons.

— Soit nous convainquons Brad et Jordan de faire expertiser ces tableaux pour s'assurer qu'il s'agit du même artiste. Mais si nous faisons cela, nous sommes obligées de les mettre dans le secret de notre projet.

— Quelle est l'autre option ?

— Nous nous fions à ce que j'en pense. Tout ce que je sais, tout ce que j'ai étudié et appris me dit que c'est la même personne qui a peint ces deux œuvres, ainsi que le tableau de Warrior's Peak.

— Si l'on adhère à cette théorie, que faisons-nous ? s'enquit Dana.

— Nous essayons de comprendre ce que nous disent les tableaux. Et nous retournons à Warrior's Peak demander à Rowena et à Pitte par quel miracle ces toiles ont pu être peintes à plusieurs siècles d'intervalle.

— Il existe une autre solution, dit doucement Zoé. Nous acceptons la magie. Nous y croyons.

— C'est toujours un plaisir de recevoir trois beaux jeunes gens, ronronna Rowena en faisant entrer Flynn, Brad et Jordan dans le salon où trônait le portrait des trois sœurs de verre.

Elle marqua une pause, jusqu'à ce que l'attention de tous se porte sur la toile.

— Je présume que ce tableau vous intéresse, monsieur Vane. Votre famille possède une imposante collection d'œuvres d'art, m'a-t-on dit.

Brad fixait le tableau, en particulier le personnage qui portait une dague et un petit chien. Face à lui, Zoé soutenait son regard.

— En effet.

— Et vos parents vous ont-ils transmis leur amour de l'art ?

— Tout à fait. D'ailleurs, je crois posséder un tableau exécuté par le même artiste que celui-ci.

Rowena s'assit. Un sourire énigmatique flotta sur ses lèvres tandis qu'elle lissait sa longue robe blanche.

— Vraiment ? Comme le monde est petit !

— Plus encore que vous ne le croyez, intervint Jordan. Je pense avoir moi-même un autre tableau du même auteur.

— C'est fascinant. Ah, fit-elle alors qu'une domestique entrait avec une table roulante. Voulez-vous du café ? Je me suis dit que vous préféreriez cela à du thé. Les Américains n'aiment guère le thé, n'est-ce pas ?

— Vous ne nous demandez pas quel est le sujet des autres tableaux, remarqua Flynn en s'asseyant à côté d'elle.

— Vous allez certainement me le dire. De la crème ? Du sucre ?

— Rien, merci. Ce serait une perte de temps de vous expliquer ce que représentent ces deux tableaux, car je suis convaincu que vous le savez déjà. Qui est cet artiste, Rowena ?

Tout en versant le café d'une main ferme, elle leva les yeux vers Flynn.

— Est-ce Malory qui vous a demandé de venir ici aujourd'hui ?

— Non. Pourquoi ?

— Cette quête est la sienne, c'est donc à elle de poser les questions. Ces affaires-là sont soumises à des règles. Si elle vous avait demandé de la représenter, ce ne serait pas la même chose. Avez-vous amené votre chien ?

— Oui. Il est dehors.

— Il peut entrer, s'il le souhaite.

— Un gros chien noir et une robe blanche... Vous risquez de le regretter, Rowena. C'est vrai, Malory ne nous a pas demandé de venir, mais elle, Zoé et Dana savent que nous les aidons dans leurs recherches. Elles n'y voient pas d'objection.

— Mais vous ne leur avez pas dit que vous veniez nous parler. Pourquoi les hommes supposent-ils toujours que les femmes souhaitent être déchargées des responsabilités ?

Son visage était ouvert et amical, sa voix légèrement moqueuse.

— Nous ne sommes pas venus ici pour discuter de la dynamique homme-femme, intervint Jordan.

— Est-ce que tout ne se résume pas à cela, franchement ? L'homme face à la femme, la femme face à l'homme, poursuivit Rowena avec un gracieux geste de la main. L'essentiel réside dans ce que les êtres humains sont les uns pour les autres. Même l'art, quelle que soit sa forme, n'est qu'une représentation des rapports entre les êtres. Si Malory a des préoccupations ou des questions au sujet des tableaux, qu'elle m'en fasse part. Vous ne découvrirez pas la clé à sa place, Flynn. Elle ne vous est pas destinée.

— J'ai rêvé que je me trouvais ici, la nuit dernière. Mais ce n'était pas un simple rêve. C'était plus que ça.

Il vit les yeux de Rowena changer, s'assombrir sous le choc, mais elle répondit :

— Ce genre de rêve n'est pas anormal, compte tenu des circonstances.

— Jusqu'à la nuit dernière, je ne connaissais de Warrior's Peak que l'entrée et deux autres pièces, ajouta Flynn. Je peux vous dire maintenant combien de portes il y a au deuxième étage. Je sais également que l'escalier qui mène au troisième a un pilastre sculpté en forme de dragon. Je ne l'ai pas bien vu dans l'obscurité, mais je l'ai senti sous mes doigts.

— Attendez, je vous prie.

Rowena se leva vivement et quitta la pièce.

— Tu t'es fourré dans une histoire sacrément bizarre, Flynn, commenta Jordan en remuant les jolis biscuits disposés sur une soucoupe en cristal. C'est étrange, cette femme me dit quelque chose. J'ai l'impression de l'avoir déjà vue.

— Où ?

— Je n'en sais rien. Ça me reviendra. C'est une vraie beauté, en tout cas. Un visage comme le sien, ça ne s'oublie pas. À ton avis, pourquoi était-elle si troublée que tu aies rêvé de Warrior's Peak ?

— Elle avait peur, déclara Brad en s'avançant vers le tableau. La terreur l'a envahie en l'espace d'une fraction de seconde. Elle sait tout ce qu'il y a à savoir sur les tableaux, et elle prenait un malin plaisir à nous faire marcher jusqu'à ce que Flynn parle de son rêve.

— Et je n'en étais même pas encore au passage le plus effrayant. Il y a quelque chose de curieux dans cette affaire.

— C'est maintenant que tu t'en rends compte ? plaisanta Jordan.

Flynn ouvrit un petit coffre à liqueurs laqué et, ignorant la remarque de Jordan, poursuivit :

— Rowena est une femme calme et sûre d'elle. Or la femme qui vient de quitter la pièce n'était rien de tout cela… Hou là là, il y a de l'alcool de qualité, là-dedans.

— Désirez-vous un verre, monsieur Hennessy ?

Flynn tressaillit en se tournant vers la porte, mais s'adressa à Pitte d'un ton égal :

— Non, merci. Il est encore un peu tôt pour moi, répondit-il en refermant le coffre. Comment allez-vous ?

Rowena posa la main sur le bras de Pitte avant qu'il ne puisse répondre.

— Terminez votre récit, ordonna-t-elle à Flynn. Racontez votre rêve.

— Écoutez, dit Flynn en retournant s'asseoir sur le canapé, vous voulez connaître la fin du rêve, et nous voulons comprendre les tableaux. C'est donnant donnant.

— Vous marchandez avec nous ?

Le ton outré de Pitte étonna Flynn.

— Oui.

— Ce n'est pas autorisé.

Rowena posa de nouveau la main sur le bras de Pitte, mais il lui lança un regard impatient.

216

— Nous ne pouvons pas vous donner les réponses à vos questions. Il existe des limites. Des passages. Il est important que nous sachions ce qui vous est arrivé.

— Donnez-moi quelque chose en contrepartie.

Pitte prononça un mot dans une langue étrangère. Flynn ne le connaissait pas, mais il comprit aisément qu'il s'agissait d'un juron. Il fut suivi d'un éclair aveuglant, pareil à un croissant électrique traversant l'air. Avec méfiance, Flynn baissa les yeux. Sur ses genoux étaient posées des liasses de billets de cent dollars.

— Ah. Joli tour.

— Qu'est-ce que...

Jordan avait déjà bondi et pris une liasse. Il la déploya en éventail, puis la tapota contre sa paume, avant de regarder Pitte.

— Il est grand temps que vous vous expliquiez.

— Avez-vous besoin de plus d'argent ? demanda Pitte.

Rowena se tourna vers lui d'un mouvement brusque, visiblement furieuse. Les paroles qu'ils échangèrent étaient incompréhensibles. Ce devait être du gaélique, se dit Flynn. Peut-être du gallois. Mais leur ton était éloquent. Leur colère faisait vibrer les murs.

— Bon, on se calme, décréta Brad en se levant et en se plaçant entre eux deux. Cela ne nous mènera nulle part.

Rowena et Pitte tournèrent vers lui leur visage courroucé. Sans se laisser impressionner, il reprit, en jetant un coup d'œil vers Flynn :

— Notre hôte vient de sortir... combien ?

— Cinq mille dollars, apparemment.

— Cinq mille dollars, comme ça. Mon Dieu, je connais des actionnaires qui aimeraient bien vous parler ! Ce monsieur semble penser que tu désires de l'argent en échange de tes informations. Est-ce le cas ?

— Si difficile que ce soit de refuser cinq mille dollars magiques, non.

À contrecœur, Flynn déposa les billets sur la table.

— Je m'inquiète pour trois femmes qui n'ont fait de mal à personne, et un peu pour moi aussi. J'aimerais bien comprendre ce qui se passe.

— Racontez-nous votre rêve, et nous vous dirons ce que nous pouvons faire pour vous aider. Parlez-nous spontanément, ajouta Rowena en revenant vers Flynn. Je préférerais ne pas vous y contraindre.

Irrité, à présent, Flynn se pencha en avant.

— M'y contraindre ?

La voix de Rowena était glaciale quand elle reprit la parole.

— Mon cher, je pourrais vous faire cancaner comme un canard, mais cela ne nous avancerait guère. Vous pensez que nous vous voulons du mal, à vous ou à vos femmes ? Aucunement. Nous ne désirons nuire à personne. Cela, je suis en droit de vous le garantir. Pitte ?

Elle se tourna vers lui.

— Tu as insulté notre hôte avec cette grossière démonstration. Excuse-toi.

Pitte tapota sa cuisse avec agitation.

— Les femmes, quelle engeance !

— Absolument d'accord, approuva Jordan.

— Je suis navré de vous avoir offensé.

D'un mouvement du poignet, Pitte fit disparaître l'argent.

— Est-ce mieux ainsi ?

— Je ne vois aucune manière raisonnable de répondre à cette question. Je vais donc vous en poser une autre à la place : qui donc êtes-vous, tous les deux ? demanda Flynn.

— Nous ne sommes pas ici pour répondre à un interrogatoire. Même un journaliste – dont je t'avais prévenu qu'il nous causerait des ennuis –, ajouta Pitte en aparté à Rowena, devrait savoir qu'il existe certaines règles de savoir-vivre en société.

— Et si moi, je vous disais qui vous êtes... reprit Flynn, avant de s'interrompre lorsqu'un aboiement ravi précéda Moe de quelques secondes. Oh, non...

— Le voilà !

Rowena tendit les bras pour accueillir le chien, et Moe se précipita vers elle au moment où Malory, Zoé et Dana entraient dans la pièce.

— Désolée de faire irruption ainsi, commença Malory en promenant son regard autour d'elle et en l'arrêtant sur Flynn. Mais certaines personnes estiment qu'elles doivent tout faire à la place des femmes.

— Ce n'est pas exactement vrai.

— Ah bon ? Et qu'est-ce qui est exactement vrai, alors ?

— Nous avons juste suivi une piste. Tu étais occupée à te lancer dans les affaires, à acheter une maison...

— Je me lance dans pas mal de choses, ces derniers temps. Mais ce n'est pas parce que je suis amoureuse de toi et qu'on couche ensemble que ça te donne le droit de diriger ma vie.

— Moi, diriger ta vie ?

Éberlué, Flynn décrivit des moulinets avec les bras.

— C'est plutôt toi qui essaies de diriger la mienne, il me semble. Je suis impliqué dans cette histoire, Malory, que je le veuille ou non. Et je suis venu ici pour découvrir ce que cela signifie. Et si les choses prennent le tour que je crois, j'aimerais que vous vous désistiez. Toutes les trois, ajouta-t-il avec un regard furieux vers Zoé et Dana.

— Tiens, tu t'es autoproclamé chef ? lança Dana. Je refusais déjà de t'obéir quand j'avais dix ans, tu ne crois pas que je vais commencer maintenant ?

— Tu n'es pas au bout de tes surprises, Dana. Vous leur avez donné l'impression que tout cela était un jeu, ajouta-t-il avec un regard réprobateur à l'adresse de Rowena. Une sorte de quête romantique, même. Mais vous ne leur avez pas dit qu'elles risquaient d'en être les victimes.

— De quoi parles-tu ? demanda Malory.

— Les rêves, continua Flynn sans lui répondre. Ce sont des avertissements, n'est-ce pas ?

— Vous ne nous avez toujours pas raconté la fin de votre rêve, justement. Peut-être pourriez-vous reprendre depuis le début.

— Tu as fait un rêve ? Comme le mien ? Pourquoi ne me l'as-tu pas raconté ?

— Vas-tu te taire une minute, à la fin ?

À bout de patience, Flynn fit asseoir Malory.

— Ne dis plus rien, ordonna-t-il. Je ne veux plus rien entendre tant que je n'aurai pas terminé.

Il commença par le début – l'errance dans les couloirs, la sensation d'être espionné, suivi, la sortie sur le parapet, la peur, la douleur – et finit par son réveil, trempé des pieds à la tête.

— Il... enfin, la chose... voulait mon âme. Elle me faisait comprendre que cela pourrait être le prix à payer pour m'être mêlé de cette histoire.

— Il ne doit pas en être ainsi, murmura Pitte en serrant le bras de Rowena et en lui parlant comme s'ils étaient seuls dans la pièce. Il ne saurait en être ainsi. Aucun mal ne doit leur être fait. C'était la première promesse, la plus sacrée.

— Puisque nous n'avons pas le droit de franchir le Rideau, nous ne pouvons savoir quelle situation y règne à présent. Peut-être a-t-il trahi son serment. Il doit croire... que ce sont les élues, ajouta-t-elle dans un souffle. Qu'elles peuvent réussir. Il a ouvert le Rideau pour les en empêcher. Il est passé de l'autre côté.

— Si elles échouent...

— Elles ne peuvent pas échouer.

Rowena fit volte-face vers ses hôtes, le visage déterminé.

— Nous vous protégerons.

— Vous nous protégerez ?

Ébranlée, Malory croisa les mains sur ses genoux et serra les poings, enfonçant les ongles dans ses paumes jusqu'à ce que la douleur lui éclaircisse les idées.

— Tout comme vous avez protégé les sœurs de verre ? Car c'est vous, la préceptrice et le guerrier.

Elle se leva et se dirigea vers le tableau.

— Vous êtes là, dit-elle en désignant le couple enlacé sur la toile. Et vous êtes ici, dans cette pièce. Et vous pensez que ce qui se trouve là, dans l'ombre des arbres, est également ici. On ne voit pas son visage.

— Il en a plus d'un, répondit Rowena avec un calme terrifiant.

— C'est vous qui avez peint ce tableau, ainsi que les deux autres, n'est-ce pas ?

— La peinture est une de mes passions, confirma Rowena. Pitte, ajouta-t-elle en se tournant vers lui. Ils ont déjà compris beaucoup.

— Je ne comprends rien du tout, moi, déclara Dana.

— Viens ici, du côté des sceptiques, lui dit Jordan.

— C'est ce que sait Malory qui compte à présent, fit Rowena en tendant la main vers la jeune femme. Je ferai tout ce qui est en mon pouvoir pour vous protéger.

— Cela ne suffit pas, déclara Flynn en secouant la tête. Elle se retire du marché. Et les autres aussi. Si vous voulez récupérer votre argent, nous...

— Excuse-moi, puis-je parler en mon nom ? intervint Malory d'un ton sec. Il n'y a pas de remboursement possible, je suppose ? demanda-t-elle à Rowena. On ne peut pas se retirer du jeu comme ça, n'est-ce pas ?

— Le contrat a été passé.

— Sans que tous les éléments aient été donnés au départ, objecta Brad. Le contrat que ces femmes ont passé avec vous, quel qu'il soit, n'a aucune valeur juridique.

— Il ne s'agit pas de cela, fit Malory avec impatience. C'est une question morale. Et même une question de destin. Tant que les quatre semaines ne seront pas écoulées, je continuerai à chercher la clé. Si je la trouve, l'une d'elles sera la suivante, dit-elle en désignant Zoé et Dana, et celle que le sort désignera sera exposée à un risque pendant la prochaine phase de la lune.

— En effet, répondit Rowena.

— Vous savez où se trouvent les clés, s'exclama Flynn. Alors, dites-le-leur, et qu'on n'en parle plus.

— Croyez-vous que, si c'était possible, nous resterions dans cette prison ? rétorqua Pitte d'une voix où perçaient le dégoût et l'amertume. Depuis des siècles, nous sommes enfermés dans un monde qui n'est pas le nôtre. Croyez-vous que nous vivions avec vos semblables par choix ? Que nous remettions notre sort, le sort de celles qui nous ont été confiées, entre vos mains parce que nous le souhaitons ? Nous sommes confinés ici, liés par cette tâche.

— Et à présent, nous aussi.

Après l'éclat de Pitte, la voix calme de Zoé résonna comme un chant dans la pièce.

— Vous auriez dû nous dire quels étaient les risques avant de nous entraîner là-dedans.

— Nous l'ignorions, répondit Rowena avec un soupir d'impuissance.

— Pour des dieux, il y a beaucoup de choses que vous ignorez et contre lesquelles vous ne pouvez rien, intervint Flynn.

Les yeux de Pitte lancèrent des éclairs.

— Peut-être aimeriez-vous une démonstration de nos facultés ?

— Messieurs, s'il vous plaît…

L'injonction de Rowena fit l'effet d'une déferlante d'eau froide destinée à abaisser la température de la pièce.

222

— Le mâle, quelles que soient ses origines, reste déplorablement prévisible dans certains domaines. Votre orgueil et votre virilité ne courent en l'occurrence aucun danger. Flynn, quel que soit le monde, sa trame est faite de règles et de lois.

— Déchirez la trame. Enfreignez les lois.

— Même s'il était en mon pouvoir de vous donner les clés, cela ne résoudrait rien.

— Elles n'ouvriraient pas les serrures, ajouta Malory, ce qui lui valut un hochement de tête approbateur de la part de Rowena.

— Vous comprenez.

— Je crois que oui. Si ce sortilège… S'agit-il d'un sortilège ?

— C'est le mot le plus simple, admit Rowena.

— S'il doit être brisé, il faut que ce soit par nous. Des femmes. Des mortelles. Grâce à notre cerveau, notre intelligence et notre énergie, grâce aux ressources que nous puiserons dans notre monde. Autrement, aucune clé n'ouvrira l'écrin. Parce que… les vraies clés, c'est nous. La réponse est en nous.

— Vous êtes si proches de là où vous devez être…

Le visage bouleversé par l'émotion, Rowena se leva et posa les mains sur les bras de Malory.

— Plus proche que quiconque ne l'a été jusqu'à présent.

— Mais pas assez, pas encore. Et la moitié du temps qui m'a été imparti est écoulé. Il faut que je vous pose certaines questions. En privé.

— Hé, une pour toutes, toutes pour une, lui rappela Dana.

Malory lui adressa un regard suppliant.

— D'accord, d'accord. Nous attendrons dehors.

— Je reste avec toi, déclara Flynn.

Il posa la main sur l'épaule de Malory, mais elle se dégagea.

— C'est personnel. J'aimerais que tu sortes.

Le visage de Flynn devint froid et sévère.

— Comme tu voudras. Je cesse de t'importuner.

Manifestement à regret, Rowena poussa gentiment Moe vers son maître. Elle fronça les sourcils en voyant ce dernier claquer la porte.

— Votre homme a un cœur sensible. Plus vite blessé que le vôtre.

— Est-il mon homme ? Non, attendez, chaque chose en son temps. Pourquoi ai-je été emmenée de l'autre côté du Rideau ?

— Il voulait vous montrer son pouvoir.

— Qui est-il ?

Rowena hésita, puis, comme Pitte hochait la tête, elle continua :

— Kane, un sorcier. Le sorcier maléfique.

— Celui qui reste dans l'ombre, celui de mon rêve. Le voleur d'âmes.

— Il s'est montré à vous pour vous faire peur. Or il serait inutile de vous faire peur si vous n'aviez pas une chance de succès.

— Pourquoi a-t-il blessé Flynn ?

— Parce que vous l'aimez.

— Est-ce que je l'aime ? demanda Malory d'une voix nouée par l'émotion. Ou bien me laisse-t-on penser que je l'aime ? Est-ce encore un tour qu'on me joue ?

— Ah, fit Rowena avec un soupir imperceptible. Peut-être n'êtes-vous pas si près du but que je le pensais. Ne connaissez-vous pas votre propre cœur, Malory ?

— J'ai rencontré Flynn il y a deux semaines, et j'ai l'impression que ma vie entière ne sera jamais véritablement accomplie s'il n'en fait pas partie. Mais est-ce réel ? À l'issue de ces quatre semaines, ressentirai-je toujours la même chose ?

Elle porta la main à son cœur.

224

— Ou bien cela me sera-t-il retiré ? Est-il pire de se faire arracher son âme que son cœur ?

— L'un nourrit l'autre. Et je ne puis vous donner la réponse, car vous la détenez déjà.

— Alors, dites-moi ceci : Flynn sera-t-il en sécurité si je m'éloigne de lui ? Si je le chasse de mon cœur, n'aura-t-il plus rien à craindre ?

— Vous renonceriez à lui pour le protéger ? demanda Pitte.

— Oui.

Songeur, il alla vers le coffre laqué, l'ouvrit et en sortit une bouteille de cognac.

— Et vous le lui diriez ?

— Non. Il l'ignorerait.

— Donc, vous le tromperiez.

Avec un petit sourire, Pitte versa du cognac dans un verre.

— Et vous justifieriez ce mensonge en prétendant agir pour son bien. Les femmes, quelles que soient leurs origines, sont prévisibles, conclut-il avec un salut moqueur à l'intention de Rowena.

— L'amour, corrigea celle-ci, est une force constante dans n'importe quel univers. Mais votre homme ne vous remerciera pas du sacrifice que vous avez fait pour le protéger, Malory.

Elle adressa à son tour une courbette moqueuse à Pitte.

— Ils ne nous en remercient jamais. Allez-y, maintenant.

Elle effleura la joue de Malory.

— Laissez un peu votre esprit en repos, jusqu'à ce que vous y voyiez plus clair. Et vous avez ma parole que nous ferons tout ce que nous pouvons pour vous protéger, vous et vos amis.

— Ces filles représentées sur ce tableau, je ne les connais pas, répondit Malory. Mais je connais celles qui sont dehors. Sachez que, si je dois faire un choix, je choisirai celles que je connais.

Pitte attendit qu'ils soient seuls avant d'apporter un verre de cognac à Rowena.

— Je t'ai aimée à travers le temps et à travers les mondes.

— Et moi aussi, mon adoré.

— Mais je ne t'ai jamais comprise. Tu aurais pu répondre à sa question sur l'amour et la tranquilliser.

— Elle sera plus heureuse de découvrir la réponse elle-même.

— Tu as raison, répondit-il en se penchant vers elle et en appuyant ses lèvres contre son front.

14

Malory avait besoin de temps. Elle dévalait des montagnes russes depuis le début du mois et, si l'expérience avait été exaltante, il lui fallait néanmoins faire une pause.

Rien dans sa vie n'était plus pareil, songea-t-elle en rentrant chez elle. Auparavant, elle pouvait toujours se reposer sur la cohérence de son existence, or cet élément ne faisait plus partie de son quotidien.

Elle n'avait plus La Galerie, et elle n'était pas complètement certaine de posséder encore toute sa raison. À un moment donné, elle avait cessé d'être la Malory Price raisonnable et fiable pour devenir une Malory Price irrationnelle, passionnée et fantasque. Une femme qui croyait à la magie et au coup de foudre.

Enfin, elle n'avait pas à proprement parler eu le coup de foudre pour Flynn, se corrigea-t-elle en fermant les rideaux avant de se coucher. Mais cela revenait au même.

Elle avait investi l'argent qui aurait pu la faire vivre pendant plusieurs mois dans une affaire montée avec deux femmes qu'elle connaissait depuis à peine trois semaines... mais en qui elle avait une confiance totale.

Elle s'apprêtait à démarrer sa propre affaire, sans aucun stock, aucun plan solide, aucun filet de protection. Et contre toute attente, cette idée la ravissait.

Pourtant, son estomac se retournait lorsqu'elle songeait à Flynn : et si elle n'était pas amoureuse, finalement ? Si la joie et le plaisir qu'elle éprouvait avec lui n'étaient qu'illusion ?

Si l'illusion volait en éclats, elle craignait d'en souffrir jusqu'à la fin de ses jours.

Elle roula son oreiller en boule sous sa tête et s'efforça de trouver le sommeil.

Il faisait beau et chaud quand elle se réveilla. Elle resta blottie dans son lit un moment. Le parfum des roses d'été embaumait l'air, et les draps chauds gardaient encore faiblement l'odeur de son homme.

Elle roula paresseusement sur le côté et cligna des yeux. Quelque chose de bizarre lui trottait dans la tête. Pas vraiment désagréable, mais bizarre.

Elle s'assit et s'étira. Nue, détendue, elle se leva et huma les roses jaune paille sur sa coiffeuse avant d'enfiler son peignoir. Elle s'arrêta devant la fenêtre pour admirer son jardin, puis l'ouvrit en grand pour laisser l'air parfumé et les chants d'oiseaux entrer dans la chambre.

Le sentiment étrange qu'elle avait eu au réveil se dissipait déjà. Elle descendit l'escalier. La lumière jouait sur le parquet à travers la vitre de la porte d'entrée. Là encore, dans le vase ancien sur la desserte de l'entrée, il y avait des fleurs, de jolies grappes d'orchidées blanches. Il avait jeté ses clés à côté, dans le vide-poches en céramique.

Elle se rendit dans la cuisine et sourit. Debout devant la cuisinière, il faisait glisser une tranche de pain perdu dans la poêle. À côté de lui, sur le plan de travail, un plateau était déjà garni d'un verre de jus de fruits, d'une rose dans un soliflore, de sa jolie tasse à café.

La porte du jardin était ouverte. Elle entendait les oiseaux chanter et, de temps à autre, les aboiements joyeux du chien. Avec un soupir d'aise, elle passa les bras autour de sa taille et lui embrassa la nuque.

— Attention, ma femme pourrait se réveiller d'un instant à l'autre.

— Tant pis, on prend le risque.

Il se retourna, l'embrassa longuement et passionnément. Le cœur de Malory bondit, son sang s'embrasa, et elle songea : « Parfait. Tout est absolument parfait. »

— Je voulais te faire la surprise, annonça Flynn en s'écartant d'elle. Le petit déjeuner au lit. Le Hennessy Spécial.

— Rends la surprise encore meilleure en venant prendre le petit déjeuner au lit avec moi.

— Je devrais pouvoir me laisser convaincre. Attends.

Il prit une spatule et retourna le pain.

— Il est plus de 8 heures. Tu n'aurais pas dû me laisser dormir si longtemps.

— Je ne t'ai pas laissée dormir beaucoup hier soir, fit-il avec un clin d'œil. Je me suis dit que tu avais droit à une petite grasse matinée. Tu travailles si dur pour ton exposition, Mal.

— Je suis presque prête.

— Et ensuite, j'emmènerai ma belle et talentueuse petite femme en voyage. Tu te souviens de cette semaine que nous avons passée à Florence ?

Malory songea à ces journées baignées de soleil, à ces nuits baignées d'amour.

— Comment pourrais-je l'oublier ? Tu es sûr que tu peux te permettre de prendre des vacances ? Je ne suis pas la seule à être très occupée, par ici.

— Nous fabriquerons le temps.

Il fit glisser le pain sur une assiette.

— Tiens, prends le journal, on va se recoucher une heure… ou deux.

Des cris ensommeillés retentirent dans le veille-bébé posé sur l'étagère. Flynn jeta un coup d'œil à l'appareil.

— Ou zéro, ajouta-t-il.

— Je vais le chercher. Retrouve-moi en haut.

Elle monta l'escalier, en regardant machinalement les tableaux accrochés aux murs : la scène de rue qu'elle avait peinte à Florence, la marine, le portrait de Flynn dans son bureau au journal.

Elle se dirigea vers la chambre du bébé. Là aussi, ses peintures décoraient les murs, des scènes joyeuses pleines de petites fées qu'elle avait peintes pendant sa grossesse.

Dans le berceau, son petit garçon réclamait son attention avec impatience.

— Chut, mon petit chéri, maman est là.

Elle le prit dans ses bras et le serra contre elle.

Il aurait les cheveux de son père, songea-t-elle en lui murmurant des mots doux à l'oreille. Ils commençaient déjà à foncer et prenaient des reflets auburn qui brillaient à la lumière.

Il était parfait, si parfait.

Mais lorsqu'elle le porta vers la table à langer, ses jambes faillirent se dérober sous elle.

Comment s'appelait-il ? Comment s'appelait son bébé ? Paniquée, elle le serra plus fort, puis pivota en entendant Flynn à la porte.

— Tu es si belle, Malory. Je t'aime.

— Flynn.

Elle avait quelque chose de bizarre aux yeux, comme si elle voyait à travers lui, comme s'il s'effaçait.

— Ce n'est pas normal…

— Tout est normal. Tout va très bien, ma chérie. Les choses se passent exactement comme tu le souhaitais.

— Ce n'est pas réel, n'est-ce pas ?

Des larmes commençaient à lui picoter les yeux.

— Ce n'est pas réel.

— Cela pourrait l'être.

Il y eut un éclair, et elle se retrouva dans un atelier inondé de lumière. Des toiles étaient accrochées aux murs ou posées sur des chevalets. Elle se tenait devant un tableau aux couleurs éclatantes. Un pinceau à la main, elle s'activait déjà sur sa palette.

— C'est moi qui ai fait cela, chuchota-t-elle en contemplant la toile.

Elle représentait une forêt nimbée d'une lumière verte. Le personnage qui marchait dans le sentier était seul. Seul, mais pas solitaire, songea Malory. Sa maison se trouvait au bout du chemin, et il lui restait un peu de temps pour savourer la quiétude et la magie du bois.

Sa main avait créé cela. Son esprit, son cœur. Elle le sentait, se rappelait chaque coup de pinceau sur chaque toile de la pièce.

La puissance de cette révélation se mêlait à la douleur et au plaisir.

— Je peux faire ça.

Avec une jubilation frénétique, elle se remit à peindre.

— Il faut que je le fasse.

L'allégresse était comme une drogue. Elle en voulait encore plus. Elle savait comment créer la bonne nuance de couleur, comment l'étaler, comment exécuter les détails les plus infimes, produire cette lumière et cette ombre afin que le spectateur ait l'impression de pouvoir se glisser dans ce bois, marcher sur ce sentier et trouver sa maison au bout.

Mais tandis qu'elle peignait, des larmes se mirent à couler sur ses joues.

— Ce n'est pas réel.

— Cela pourrait l'être.

Le pinceau tomba par terre, projetant des gouttelettes de peinture, tandis qu'elle faisait volte-face.

Il se dressait derrière elle, illuminé par le soleil. Mais il restait sombre. Ses cheveux noirs et brillants retombaient sur ses épaules comme des ailes. Ses yeux étaient gris foncé, ses pommettes saillantes, et sa bouche charnue avait un pli horriblement cruel.

Quelle beauté, songea-t-elle. Comment pouvait-il être si beau ?

— Tu pensais que je ressemblerais à un démon ? À un monstre sorti d'un cauchemar ?

Son amusement ne faisait qu'accroître son charme.

— Pourquoi serais-je un monstre ? Ils t'ont donné une piètre idée de moi, n'est-ce pas ?

— Vous êtes Kane.

La frayeur palpitait dans le cœur de Malory, ses mains glacées se refermaient autour de sa gorge.

— Vous avez volé les âmes des sœurs de verre.

— Tu n'as pas à te soucier de cela, dit-il de sa voix mélodieuse et apaisante. Tu es une femme ordinaire dans un monde ordinaire. Tu ne sais rien du mien ni de moi. Je ne te veux aucun mal. Bien au contraire.

Avec la grâce d'un danseur, il circula dans la pièce, les semelles de ses bottes silencieuses sur le plancher moucheté de peinture.

— Ceci est ton œuvre.

— Non.

— Oh, si, tu le sais.

Il prit une toile et étudia les courbes d'une sirène assise sur un rocher.

— Tu te rappelles avoir peint ce tableau. Et les autres. Tu connais maintenant l'exaltation que procure le génie. L'art transforme les hommes en dieux.

Il reposa le tableau.

— Ou les femmes. Que sommes-nous, dans mon monde, sinon des artistes et des bardes, des magiciens et des guerriers ? Désires-tu conserver ce pouvoir, Malory ?

Elle regarda son œuvre à travers ses larmes.

— Oui.

— Tu peux avoir tout ceci, et davantage. L'homme que tu veux, la vie que tu veux. Je te les donnerai. L'enfant que tu as tenu dans tes bras ? Il peut être réel. Tout peut t'appartenir.

— À quel prix ?

— Un prix dérisoire.

Il passa un doigt sur la joue humide de la jeune femme, et la larme qu'il y déroba s'enflamma à la pointe de son index.

— Il te suffit de rester dans ce rêve. De te réveiller, de dormir, de marcher, de parler, de manger, d'aimer dedans. Tout ce que tu désires sera à toi. Une vie parfaite... sans la douleur, et sans la mort.

Elle relâcha son souffle en frissonnant.

— Il n'y a pas de clés dans ce rêve.

— Tu es une femme intelligente. Pourquoi te préoccuper des clés et de déesses bâtardes qui n'ont rien à voir avec toi ? Pourquoi risquer ta vie et la vie de ceux que tu aimes pour trois sottes qui n'auraient jamais dû naître ? Renoncerais-tu à ton rêve pour des inconnues ?

Déchirée, Malory répondit d'une voix frémissante :

— Je ne veux pas d'un rêve. Je veux ma vie. Je n'échangerai pas ma vie contre vos illusions.

La peau de Kane pâlit, ses yeux s'assombrirent.

— Eh bien, perds tout !

Elle poussa un cri quand il se jeta sur elle, un autre quand le froid la pénétra. Puis elle fut arrachée au sol, tomba en chute libre et se réveilla en nage dans son lit.

Elle entendait frapper à la porte, crier. La terreur la fit bondir du lit. Elle courut dans le salon en trébuchant, alluma la lumière et aperçut Flynn de l'autre côté de la porte-fenêtre du patio. Il s'apprêtait à fracasser la vitre avec une chaise de jardin.

Il la lâcha lorsqu'elle lui ouvrit. Il la prit par la taille et la souleva de terre pour l'écarter de son chemin.

— Qui est là ? demanda-t-il. Qui t'a blessée ?

— Personne. Il n'y a personne.

— Tu hurlais. Je t'ai entendue.

Il se dirigeait déjà vers l'escalier, les poings serrés.

— J'ai fait un cauchemar. Ce n'était qu'un horrible rêve. Je suis toute seule. J'ai besoin de m'asseoir.

Elle posa une main sur l'accoudoir du canapé et s'y laissa tomber.

Les jambes de Flynn oscillaient un peu aussi. Malory avait crié comme si quelque chose la déchiquetait. Il avait lui-même éprouvé de la terreur la nuit précédente, mais ce n'était rien comparé à ce hurlement déchirant qu'il avait entendu.

Il alla chercher un verre d'eau à la cuisine.

— Tiens, bois ça. Lentement.

— Ça va aller, laisse-moi juste un petit moment. Je me suis réveillée, et tu cognais à la porte en criant. Tout est encore confus dans ma tête.

— Tu trembles.

Il jeta un coup d'œil autour de lui et aperçut un plaid. Il le prit, le drapa autour des épaules de Malory et s'assit sur le canapé à côté d'elle.

— Parle-moi de ton rêve.

Elle secoua la tête.

— Non. Pour l'instant, je n'ai pas envie de le raconter ni d'y penser. J'ai juste besoin d'être seule. Je ne veux pas de toi ici.

— C'est la deuxième fois que tu me dis ça. Mais cette fois, ce n'est pas toi qui décides. Je vais appeler Jordan pour lui dire que je dormirai ici cette nuit.

— Je suis chez moi. Personne ne reste ici à moins que je ne l'y invite.

— Erreur. Déshabille-toi et couche-toi. Je vais te préparer une soupe ou une tisane.

— Je n'ai pas envie de soupe, je n'ai pas envie de ta présence. Et je n'ai aucune envie de me faire dorloter.

— Alors, de quoi as-tu envie, bon sang ?

Il se leva d'un bond, vibrant de fureur et de frustration.

— Hier encore, tu me harcelais, tu clamais que tu étais amoureuse de moi, que tu voulais passer ta vie à

234

mes côtés. Et tout à coup, tu me chasses. J'en ai par-dessus la tête des femmes, de leurs messages contradic-
toires et de leurs esprits capricieux! Pour l'instant, tu vas
faire ce que je te dis : te coucher pendant que je te prépare quelque chose de chaud.

Elle le dévisagea une seconde. Et soudain, elle fondit
en larmes.

— Mon Dieu, soupira Flynn en se frottant le visage.
Bien joué, Hennessy. Salue bien bas, maintenant.

Il se dirigea vers la fenêtre à grandes enjambées et
regarda dehors pendant qu'elle sanglotait derrière lui.

— Je suis désolé. Je ne sais pas comment m'y prendre
avec toi. Je ne suis pas de taille. Si tu ne veux pas de
moi, d'accord. Mais il n'est pas question que tu restes
toute seule. Je vais appeler Dana.

— Moi non plus, je ne sais pas comment m'y prendre
avec moi, dit-elle. Si je t'ai envoyé des messages contra-
dictoires, c'était involontaire.

Elle se leva et prit un paquet de mouchoirs en papier
dans le tiroir de la commode. Elle s'essuya les yeux et le
visage, mais ses larmes continuèrent à ruisseler.

— Je ne suis pas capricieuse, reprit-elle en se ras-
seyant. Du moins, je ne l'étais pas avant cette histoire.
Et je ne sais pas ce que j'attends de toi. Je ne sais même
plus ce que j'attends de moi. J'ai peur de ce qui se passe
autour de moi et en moi. Et j'ai peur parce que je ne sais
pas ce qui est réel. Je ne sais pas si tu es vraiment là,
debout devant moi.

Il revint s'asseoir à côté d'elle.

— Je suis là, dit-il en lui prenant fermement la main.
C'est réel.

— Flynn...

Elle se ressaisit en contemplant leurs mains jointes.

— Toute ma vie, j'ai aspiré à certaines choses. Depuis
toujours, je voulais être une artiste. Une artiste de génie.
J'ai étudié, travaillé. Mais je n'ai jamais eu le don.

Elle ferma les yeux.

— Cela a été douloureux à admettre, plus que je ne saurais le dire.

Elle se calma un peu, poussa un grand soupir et le regarda.

— Ce que je peux faire de mieux, c'est travailler au contact de l'art, m'en entourer. Et pour cela, je suis bonne, ajouta-t-elle en portant son poing serré contre son cœur.

— Ne trouves-tu pas qu'il y a une certaine noblesse à faire ce pour quoi on est doué, même si ce n'est pas ce que l'on aurait vraiment aimé accomplir au départ ?

— Jolie pensée. Mais c'est difficile de renoncer à un rêve. Je suppose que tu le sais.

— Oui, je le sais.

— Mon autre vœu, c'était d'aimer quelqu'un et d'être aimée de lui. Totalement. Savoir en me couchant le soir et en me réveillant le matin que cette personne serait avec moi, qu'elle me comprendrait et me désirerait. Je n'ai pas eu beaucoup de chance dans ce domaine non plus. Je n'ai jamais aimé sans retenue. Je n'ai jamais éprouvé ce serrement de cœur, cette brûlure qui se transforme en une divine chaleur, cette certitude d'avoir trouvé celui qu'on attendait. Jusqu'à ce que je te rencontre. Ne dis rien, ajouta-t-elle vivement. Laisse-moi terminer.

Elle reprit le verre d'eau et but deux ou trois gorgées.

— Quand on espère une chose toute sa vie et qu'on la trouve, c'est une sorte de miracle. Tout ce qui en nous était en attente s'épanouit et commence à vibrer. Avant, ça allait. On avait un objectif, des occupations. Mais lorsqu'on trouve la personne qui nous est destinée, c'est… plus que cela. On ne peut pas expliquer ce que représente ce plus, mais on sait que si on le perd, on aura un manque qu'on ne pourra jamais combler. Plus jamais. C'est terrifiant. J'ai peur que ce que je ressens au fond de moi ne soit qu'un leurre. J'ai peur de me réveiller demain et que la vibration ait cessé. Que tout redevienne calme. Que je ne ressente plus ce que j'ai espéré ressentir toute ma vie.

Elle avait de nouveau les yeux secs, et elle ne tremblait plus.

— Je peux supporter que tu ne me rendes pas mon amour, car je garde l'espoir que tu m'aimeras un jour. Mais je ne sais pas si je pourrais supporter de ne pas t'aimer. Ce serait comme… comme si on me volait quelque chose d'essentiel. Je crois que je ne pourrais plus redevenir celle que j'étais avant.

Il passa une main dans ses cheveux, puis l'attira contre lui pour qu'elle pose la tête sur son épaule.

— Personne ne m'a jamais aimé comme ça. Je ne sais pas quoi en faire, Malory, mais je ne veux pas le perdre non plus.

— J'ai vu ce qui pourrait être, mais ce n'était pas la réalité. Une journée ordinaire si parfaite qu'elle ressemblait à un joyau au creux de ma main. Il me l'a montrée, me l'a fait ressentir. Me l'a fait désirer.

Flynn recula légèrement pour la regarder en face.

— C'est ce que tu as vu en rêve ?

Elle acquiesça de la tête.

— J'ai cru que je ne pourrais pas y renoncer. Ça a été un terrible sacrifice, Flynn.

— Peux-tu me le raconter ?

— Il le faut, je crois. J'étais épuisée, tout à l'heure, quand tu es arrivé. Je voulais l'occulter, l'effacer.

Elle lui raconta tout, la sensation de bien-être total, la maison pleine d'amour, lui qui préparait le petit déjeuner à la cuisine.

— Ça aurait dû te mettre la puce à l'oreille. Moi, faire la cuisine ? Je suis nul.

— Tu me préparais du pain perdu. J'adore ça. Nous parlions de partir en vacances, je me remémorais tous les endroits où nous étions allés ensemble, tout ce que nous avions fait. Ces souvenirs étaient en moi. Puis le bébé s'est réveillé.

— Le bébé ? fit Flynn, soudain livide. Nous avions... il y avait... un bébé ?

— J'allais le chercher dans son berceau.

— Le chercher ?

— Oui. C'était un garçon. Et tous les murs étaient couverts de tableaux extraordinaires que j'avais peints. Lorsque j'ai pris le bébé dans mes bras, j'ai ressenti un tel amour pour lui... Cela m'a submergée. Et soudain, je me suis rendu compte que je ne connaissais pas son nom. Je sentais son corps contre moi, la douceur et la chaleur de sa peau, mais je ne me rappelais pas son nom. Tu es arrivé à la porte, et j'ai vu à travers toi. Alors, j'ai compris que ce n'était pas réel. Que rien de tout ça n'était réel.

Elle se leva, alla rouvrir les rideaux.

— J'ai commencé à souffrir, puis je me suis retrouvée dans un atelier. Mon atelier, au milieu de mes œuvres. Ça sentait la térébenthine et la peinture. J'avais un pinceau à la main, je savais m'en servir. Je savais tout ce que j'ai toujours rêvé de savoir. C'était enivrant, comme quand je tenais mon enfant dans mes bras. Et tout aussi factice. Et il était là.

— Qui ?

Elle inspira profondément et retourna vers lui.

— Il s'appelle Kane. Le voleur d'âmes. Il m'a parlé. Je pouvais tout avoir, cette vie, l'amour, le talent. Cela pouvait devenir réel. Si je restais dans ce rêve, je n'aurais jamais à y renoncer. Nous nous aimerions. Nous aurions un fils, je peindrais. Tout serait parfait. Il suffisait que je vive dans le rêve pour qu'il devienne réalité.

— T'a-t-il touchée ? T'a-t-il fait mal ?

Les mains de Flynn la parcoururent, cherchant des blessures.

238

— À moi de choisir le monde dans lequel je souhaitais vivre, continua-t-elle. J'aurais adoré rester, mais je ne veux pas d'un rêve, Flynn, fût-il parfait. Si ce n'est pas réel, cela ne représente rien. Et accepter ce marché, n'aurait-ce pas été une façon de lui céder mon âme ?

— Tu hurlais.

Bouleversé, Flynn posa son front contre le sien.

— Tu hurlais…

— Il a essayé de me la prendre. Mon âme. Mais à ce moment-là, je t'ai entendu crier, et cela m'a sortie de ses griffes. Pourquoi es-tu venu ?

— Tu étais en colère contre moi. Ça me contrariait.

— Irritée, pas en colère, corrigea-t-elle en glissant les bras autour de lui. Je le suis toujours, mais mon irritation me semble un peu difficile à retrouver, au milieu de tout ça. Je veux bien que tu restes. J'ai peur de me rendormir, j'ai peur de retourner là-bas et de ne pas avoir la force d'en sortir, cette fois.

— Tu es forte. Et si tu en as besoin, je t'aiderai à sortir de ce rêve.

— Ceci n'est peut-être pas réel non plus, dit-elle en levant sa bouche vers la sienne. Mais j'ai besoin de toi.

— Si, c'est réel.

Il lui prit les mains et les embrassa l'une après l'autre.

— C'est la seule chose dont je sois sûr dans cette fichue pagaille. Ce que je ressens pour toi, Malory, est bien réel.

— Si tu ne peux pas me dire ce que tu ressens, alors montre-le-moi, dit-elle en l'attirant vers elle. Montre-le-moi maintenant.

Toutes les émotions de Flynn, ses désirs, ses doutes et ses besoins se mêlèrent dans son baiser. Et tandis qu'elle les acceptait, il se sentit apaisé. Le cœur gonflé de tendresse, il la souleva et la serra dans ses bras.

— J'ai envie de te protéger. Et je me moque que cela t'énerve.

Il la porta dans la chambre et la posa sur le lit, où il la déshabilla.

— S'il le faut, je passerai mon temps à me mettre dans tes pattes pour veiller sur toi.

Elle sourit et se cambra pour qu'il puisse lui retirer sa chemise de nuit.

— C'est une drôle de chose à dire, mais c'est gentil. Allonge-toi à côté de moi.

Ils étaient l'un en face de l'autre, leurs visages tout proches.

— Je me sens plutôt en sécurité, là, et ce n'est pas particulièrement irritant.

— Te sentirais-tu un peu trop en sécurité ? murmura-t-il en effleurant du doigt le renflement de ses seins.

— Possible.

Elle soupira quand il enfouit le nez dans son cou.

— Ça ne me fait pas peur du tout. Il va falloir que tu te donnes beaucoup plus de mal.

Il roula sur elle, la cloua au matelas et plaqua sa bouche contre la sienne.

— Oh, joli coup, réussit-elle à chuchoter.

Elle tremblait un peu, mais Flynn sentait que sa peau se réchauffait. Il voulait s'immerger en elle, se perdre dans le désir impérieux de lui donner du plaisir.

Il était lié à elle. Peut-être l'était-il même avant de la connaître. Se pouvait-il que toutes les erreurs qu'il avait commises, toutes les décisions qu'il avait prises au cours de son existence n'aient été destinées qu'à le mener jusqu'à cette femme ?

Avait-il jamais eu le choix ?

Malory le sentit s'éloigner.

— Non, reste, supplia-t-elle. Laisse-moi t'aimer. J'ai besoin de t'aimer.

Elle noua ses bras autour de son cou, approcha sa bouche tentatrice de la sienne. Tandis que son corps ondulait sous celui de Flynn, elle le sentit frémir.

Caresses, baisers, gémissements, désir…

Il remuait avec elle, maintenant, prisonnier d'un rythme trop primaire pour qu'il puisse lui résister. Les martèlements de son cœur menaçaient de briser sa poitrine.

Il aurait voulu se gaver de l'odeur de Malory, se noyer dans l'océan de ses désirs. Elle était souple, implorante. En l'entendant sangloter son nom, il crut qu'il allait devenir fou.

Elle se mit à califourchon au-dessus de lui. Les mains agrippées aux siennes, elle l'emmena dans une chevauchée lente, affreusement lente.

— Malory…

Elle se pencha pour frotter ses lèvres contre les siennes.

— Laisse-toi aller. Maintenant.

Elle se cambra, s'abandonna totalement.

Et l'explosion brûlante réduisit les muscles de Flynn en bouillie, lui écorcha les os. Malory se dressait au-dessus de lui, mince et forte, blanche et dorée. Elle l'entoura, le posséda.

« Vivants » fut le seul mot auquel elle put penser. Ils étaient vivants. Le sang bouillonnait dans leurs veines. Une sueur saine glissait sur leur peau.

C'était la vie.

Flynn se débrouilla comme un chef pour la soupe. Ignorant le regard amusé de Malory, il tourna impassiblement le contenu de la casserole, debout devant la cuisinière. Ensuite, il mit de la musique, tamisa les lumières – pas pour créer une ambiance romantique, mais dans l'espoir désespéré qu'elle reste détendue.

Il avait une foule de questions à lui poser à propos de son rêve, mais pour l'instant, il s'agissait avant tout de l'apaiser.

— Ça te dirait que je sorte louer des DVD ? On pourrait s'installer tranquillement devant la télévision.

— Ne t'en va nulle part.

Elle se blottit plus près de lui sur le canapé.

— Tu n'as pas besoin de me distraire, Flynn. Il faudra qu'on finisse par en parler.

— Pas forcément maintenant.

— Je croyais que les journalistes voulaient à tout prix des scoops.

— Puisque le *Dispatch* n'écrira pas son article sur les mythes celtes à Pleasant Valley avant que tout cela soit terminé, rien ne presse.

— Et si tu travaillais pour le *New York Times* ?

— Ce serait différent.

Il lui caressa les cheveux et but une petite gorgée de vin.

— Je serais intraitable, cynique et je te bombarderais de questions jusqu'à ce que tu craques. Et je serais probablement stressé et au bout du rouleau. Voire alcoolique. J'en serais à mon second divorce. Et je garderais une rousse sous le coude.

— Comment crois-tu sincèrement que serait ta vie si tu étais parti à New York ?

— Je n'en sais rien. J'aime à penser que j'aurais fait du bon boulot. Du boulot important.

— Tu ne crois pas que ton travail ici est important ?

— Il sert une cause.

— Une cause importante, insista Malory. Non seulement informer et distraire les gens, mais en faire travailler un bon nombre : les journalistes, ceux qui livrent le journal, leur famille. Que seraient-ils devenus si tu étais parti ?

— Je n'étais pas le seul à pouvoir prendre la relève.

— Peut-être étais-tu le seul qui était destiné à le faire. Partirais-tu maintenant, si tu le pouvais ?

Il ne réfléchit pas longtemps.

— Non. J'ai fait mon choix. La plupart du temps, je m'en félicite. Mais parfois, je m'interroge.

— Moi, j'ai fait le choix de ne pas peindre. Mais j'y ai renoncé parce que je n'étais pas assez bonne, tout simplement. Avoir un don pour quelque chose et s'entendre dire qu'on ne peut pas le faire, c'est différent.

— Ce n'est pas exactement ce qui s'est passé.

— Que s'est-il passé, alors ?

— Il faut comprendre quel genre de personnage est ma mère. Elle établit des plans très précis. Pour elle, la mort de mon père a entraîné l'échec du plan A.

— Flynn…

— Je ne dis pas qu'elle ne l'aimait pas, qu'elle n'a pas été triste. Si, elle l'a été. Nous l'aimions tous. Il arrivait toujours à la faire rire. Après sa disparition, je crois bien que je ne l'ai pas entendue rire pendant au moins un an.

— Flynn, murmura-t-elle, le cœur serré. Je suis tellement désolée.

— Elle est dure. Une chose que l'on peut dire au sujet d'Elizabeth Flynn Hennessy Steele, c'est que ce n'est pas une femmelette.

— Tu l'aimes, commenta Malory en lui caressant les cheveux. Je me posais la question.

— Bien sûr, mais tu ne m'entendras jamais dire qu'elle est facile à vivre. Quoi qu'il en soit, une fois son deuil fini, il a été temps de passer au plan B, dans lequel, notamment, elle devait me déléguer la responsabilité du journal le moment venu. À l'époque, ça ne me dérangeait pas, ça me paraissait à des années-lumière. J'aimais bien travailler pour le *Dispatch*, y apprendre les ficelles du métier…

— Mais tu voulais être journaliste à New York.

— Je me trouvais trop balèze pour un bled comme Pleasant Valley. Trop de vérités à dire, trop de choses à faire. Trop de Pulitzer à gagner. Puis ma mère a épousé Joe. Un type super. Le père de Dana.

— Est-ce qu'il sait faire rire ta mère ?

— Mmm, oui. Nous formions une chouette famille, tous les quatre. Je ne me rendais pas compte, à l'époque,

que j'appréciais cela. Avec l'arrivée de Joe, une partie de la pression que le plan B m'avait mise sur les épaules m'a été retirée. Nous pensions tous que ma mère et Joe s'occuperaient du journal ensemble pendant des décennies.

— Joe est journaliste ?

— Oui. Il travaillait au journal depuis des années. Il plaisantait en disant qu'il épouserait la patronne. Ils composaient une belle équipe, d'ailleurs. Après la fac, je me suis dit que je resterais encore un an ou deux au *Dispatch*, histoire d'acquérir plus d'expérience, puis que j'irais proposer mes services et compétences inestimables à New York. J'ai rencontré Lily, qui avait les mêmes ambitions que moi.

— Puis Joe est tombé malade…

— En fait, je crois que ma mère était folle d'inquiétude à l'idée de perdre encore un être qu'elle aimait. Il fallait qu'ils déménagent, car Joe avait plus de chances de s'en sortir s'il changeait de climat et ne subissait plus de stress. Donc… soit je restais, soit le journal mettait la clé sous la porte.

— Et ta mère trouvait naturel que tu restes.

— J'ai fait mon devoir, soupira-t-il. Je lui en ai voulu pendant un an, et je suis resté énervé pendant encore un an. Dans le courant de la troisième année, j'ai fini par me résigner. Je ne sais pas exactement à quel moment cela s'est transformé en… disons en satisfaction. C'est à cette époque-là que j'ai acheté la maison. Puis j'ai adopté Moe.

— Tu as quitté le plan B de ta mère pour te lancer dans le tien.

Il émit un petit rire.

— Ma foi… je crois bien, oui.

15

Très peu de choses pouvaient arracher Dana à son lit. Le travail, bien sûr, constituait sa principale motivation. Mais si elle avait une journée de congé, ce qu'elle préférait, c'était dormir.

Y renoncer parce que Flynn le lui avait demandé prouvait, à son sens, une affection fraternelle extrême. Et devrait lui valoir quantité de bons points utilisables lorsqu'elle aurait à son tour besoin des services de Flynn.

Elle frappa à la porte de Malory à 7 h 30, vêtue d'un tee-shirt Groucho Marx, d'un jean effrangé et de baskets.

Flynn ouvrit la porte. Il tenait à la main une grande cafetière pleine destinée à amadouer sa sœur.

— Tu es un amour, déclara-t-il. Tu es un trésor. Tu es...

— Arrête ton cinéma.

Elle entra, s'assit sur le canapé et commença à renifler le café.

— Où est Mal ?

— Elle dort encore.

— Il y a des bagels ?

— Je ne sais pas. Je n'ai pas regardé. J'aurais dû vérifier, ajouta-t-il aussitôt. Je suis un sale égoïste, je ne pense qu'à moi.

— Excuse-moi, mais j'aurais bien aimé le dire moi-même.

— J'économise ton temps et ton énergie. Il faut que je file, je dois être au journal dans... merde, vingt-six minutes.

— Dis-moi juste pourquoi je suis chez Malory, en train de boire du café et d'espérer y trouver des bagels, alors qu'elle dort.

— Je n'ai pas le temps d'entrer dans les détails, mais elle a eu une sale expérience, et je ne veux pas qu'elle reste seule.

— Mon Dieu, Flynn, que s'est-il passé ? On l'a tabassée ?

— On pourrait dire ça. Émotionnellement. Et ce n'est pas moi le fautif, précisa-t-il en se dirigeant vers la porte. Reste avec elle, d'accord ? Je viendrai te libérer dès que je le pourrai, mais j'ai une journée chargée. Laisse-la dormir, et ensuite, je ne sais pas, occupe-la. Je t'appellerai.

Il s'éloignait déjà quand Dana le rattrapa, les sourcils froncés.

— Pour un journaliste, tu es drôlement chiche en révélations.

Puis, résignée, elle se dirigea vers la cuisine.

Elle prenait une première bouchée enthousiaste d'un bagel aux graines de sésame quand Malory entra. Les paupières lourdes, remarqua Dana. Un peu pâle. Et très échevelée.

La partie échevelée devait être l'œuvre de Flynn.

— Salut. Tu veux la moitié de mon bagel ?

Visiblement groggy, Malory cligna des yeux.

— Salut, Dana. Où est Flynn ?

— Il a dû partir. Tu veux du café, à la place ?

— Oui, répondit-elle en se frottant les yeux et en s'efforçant de réfléchir. Que fais-tu ici, Dana ?

— Aucune idée. Flynn m'a appelée il y a quarante-cinq minutes environ, soit à une heure parfaitement indue, pour me demander de venir. Il a été succinct sur les détails et interminable sur les supplications, et je suis venue. Que se passe-t-il ?

— Il doit s'inquiéter pour moi.

Malory considéra un instant cette idée et décida que cela ne l'ennuyait pas trop.

— C'est plutôt mignon, ajouta-t-elle.

— Oui, Flynn est un ange. Et pourquoi s'inquiète-t-il pour toi ?

— Je crois qu'on ferait mieux de s'installer.

Elles s'assirent dans le salon, et Malory raconta tout à Dana.

— À quoi ressemblait Kane ? demanda cette dernière.

— Un visage marquant, un peu austère mais beau. Attends, je peux l'esquisser.

Elle prit un bloc et un crayon dans un tiroir, puis se rassit.

— Il avait des traits bien dessinés, ce ne devrait pas être trop difficile. Mais, plus que sa beauté, c'était surtout l'impression qu'il dégageait qui était forte. Fascinante. Charismatique, même.

— Et la maison où vous vous trouviez ? insista Dana.

— Je n'en ai que des impressions. Elle me semblait familière, comme si c'était chez moi. Du coup, je ne me suis pas arrêtée sur les détails. Un étage, un joli jardin derrière, une cuisine ensoleillée.

— Ce n'était pas la maison de Flynn ?

Malory releva la tête de son bloc.

— Non, répondit-elle lentement. Ce n'était pas la sienne. Tiens, oui, bizarre, cela aurait dû être chez lui, pourtant... Si mon rêve est de vivre avec lui, pourquoi n'habitions-nous pas chez lui ? J'adore sa maison.

— Peut-être que d'autres personnes l'occupaient déjà et que... Oh, je ne sais pas. Cela n'a sans doute pas d'importance.

— Je crois que tout a de l'importance, au contraire. Tout ce que j'ai vu, éprouvé et entendu. Mais pour l'instant, je ne sais pas encore dans quelle mesure. Tiens, dit-elle en tournant son bloc vers elle. C'est juste une esquisse, mais ça donne une bonne idée de lui.

— Waouh ! fit Dana en sifflant. Un sacré beau garçon, ce Kane.

— Il me terrifie, Dana.

— Il ne pouvait pas te faire de mal. Pas vraiment. Pas physiquement.

— Pas cette fois. Mais il était dans ma tête. J'ai vécu cela comme une intrusion.

Elle pinça les lèvres et ajouta :

— Une sorte de viol. Il savait ce que je ressentais et ce que je désirais.

— Je vais te dire ce qu'il ne savait pas. Il ne savait pas que tu allais l'envoyer sur les roses.

Malory se carra contre le dossier du canapé.

— Tu as raison. Il ne s'attendait pas que je refuse et que je comprenne, même dans le rêve, qu'il voulait me piéger, m'enfermer dans une cage dorée où je ne trouverais jamais la clé. Ces deux choses l'ont surpris et irrité. Cela signifie qu'il ne sait pas tout.

Avec une infinie réticence, Dana accompagna Malory chez Flynn. C'était une bonne idée d'aller travailler là-bas, puisque les deux tableaux s'y trouvaient. Le problème, c'était que Jordan Hawke s'y trouvait aussi.

Avec un peu de chance, il serait sorti.

Ses espoirs furent réduits à néant lorsqu'elle vit la vieille Thunderbird de collection devant la maison.

— Les voitures, ça a toujours été son truc, marmonna-t-elle.

Elle fit mine de mépriser la T-Bird, mais admira secrètement ses lignes, les gracieuses ailettes et l'éclat du chrome. Elle aurait été prête à payer pour se mettre au volant et faire ronronner ce moteur sur une ligne droite.

— Va savoir pourquoi ce type a besoin d'une voiture alors qu'il habite Manhattan.

En entendant le ton à la fois boudeur et amer de son amie, Malory marqua une pause avant de frapper à la porte.

— Ça va être trop pénible pour toi ? On peut essayer de s'arranger pour revoir les tableaux à un moment où Jordan ne sera pas là.

— Aucun problème. Ce mec n'existe même plus pour moi. Je l'ai noyé il y a longtemps dans une cuve de bière. Ce fut une opération répugnante mais ô combien satisfaisante.

— Bon. Alors, allons-y, déclara Malory en s'apprêtant à frapper.

Mais Dana l'écarta.

— Je ne frappe pas pour entrer chez mon frère, décréta-t-elle en introduisant sa clé dans la serrure. Et je me fiche pas mal des imbéciles qui squattent chez lui.

Les tableaux étaient toujours dans le salon, posés contre le mur.

— Tu sais quoi ? fit Dana. Je ne leur trouve rien de différent. Voilà, on peut partir. Allons faire des courses ou autre chose.

— J'ai envie de les examiner de plus près. Mais tu n'es pas obligée de rester avec moi.

— Je l'ai promis à Flynn.

En sentant un mouvement dans son dos, Dana se raidit.

— Et, contrairement à certaines personnes, je tiens mes promesses.

— Et tu entretiens tes rancœurs, commenta Jordan. Bonjour, mesdames. Que puis-je pour vous ?

— J'aimerais bien étudier les tableaux, expliqua Malory. J'espère que ça ne t'ennuie pas.

— Pourquoi aurait-il son mot à dire ? Il n'est pas chez lui.

— Absolument, admit Jordan, adossé au chambranle, grand et sublime dans son jean et son tee-shirt noirs.

— Tu es obligé de traîner autour de nous ? lança Dana. Tu n'as pas un livre à faire semblant d'écrire, un éditeur à plumer ?

— Je vois que tu connais bien notre race d'écrivaillons de fictions commerciales. On torche nos salades en quinze jours, puis on se la coule douce avec nos droits d'auteur.

— Ça ne me dérange pas que vous vous disputiez, intervint Malory en posant sur la caisse sa mallette remplie de notes. Mais vous pourriez peut-être le faire à côté ?

— On ne se dispute pas, expliqua Jordan. Ce sont des préliminaires.

— Dans tes rêves.

— Trognon, dans mes rêves, tu es beaucoup plus légèrement vêtue. Appelle-moi si je peux t'être utile, Malory.

Il se redressa et s'en alla.

— Je reviens tout de suite, fit Dana en lui emboîtant le pas. Toi, le petit génie, viens dans la cuisine.

Elle passa devant lui avec un sourire fielleux et attendit qu'il la rattrape.

Il allait à son rythme, remarqua-t-elle. Comme toujours. Sa colère monta tandis qu'elle le regardait la rejoindre tranquillement. Elle préparait sa première salve quand il s'approcha, la prit par les hanches et couvrit sa bouche choquée de la sienne.

Une explosion de chaleur la parcourut tout entière. Le feu, l'éclair et les promesses se mêlèrent en une sorte de comète fondue qui explosa dans son cerveau et court-circuita ses pensées.

Pas cette fois, pas cette fois, s'ordonna-t-elle avec l'énergie du désespoir. Plus jamais.

Avec force, elle le fit reculer d'un pas. Elle s'interdit de le gifler – trop prévisible, trop féminin. Mais elle faillit lui donner un coup de poing.

— Désolé. Je croyais que tu m'avais attiré ici pour ça.

Avec un haussement d'épaules, il se dirigea vers la cafetière.

— Tous les droits que tu as eus de me toucher ont expiré il y a longtemps. Tu fais partie de cette histoire parce que tu as acheté ce fichu tableau, et c'est la seule raison pour laquelle je te tolérerai. Et parce que tu es l'ami de Flynn. Mais tant que tu resteras ici, tu te plieras à mes règles.

Il leur servit deux tasses et posa la sienne sur le plan de travail.

— Énonce-les-moi.

— Tu ne me toucheras plus. Si je m'apprête à passer sous un bus, tu ne lèveras pas le petit doigt pour me ramener sur le trottoir.

— D'accord. Tu préfères mourir sous un bus plutôt que de sentir mes mains sur toi. Compris. Ensuite ?

— Tu n'es qu'un salaud.

Une ombre qui ressemblait à du regret passa sur le visage de Jordan.

— Je sais. Écoute, Flynn est important pour nous deux, et ceci est important pour Flynn. La femme qui est là est importante pour lui, et elle l'est pour toi. Nous sommes tous liés les uns aux autres, que nous le souhaitions ou non. Alors, essayons de comprendre. Flynn est passé ce matin en coup de vent, juste deux, trois minutes, avant de repartir au journal. Je n'ai pas pu lui soutirer grand-chose, hormis le fait que Malory a des ennuis. Pourrais-tu me renseigner ?

— Si Malory veut que tu sois au courant, elle te parlera.

« Tendez-lui un rameau d'olivier, songea-t-il, et elle vous l'enfoncera dans la gorge. »

— Toujours aussi dure à cuire…

— Il s'agit d'une affaire privée, riposta-t-elle. Intime. Elle ne te connaît pas. Et moi non plus, ajouta-t-elle en sentant avec horreur ses yeux la picoter.

251

Cette larme sur le point de tomber creusa un trou dans la poitrine de Jordan.

— Dana...

Il s'avança vers elle, et elle s'empara du couteau à pain posé sur la table.

— Ne me touche pas. Sinon, je te tranche le poignet.

Il s'immobilisa et enfonça les mains dans ses poches.

— Tu ferais aussi bien de me le planter dans le cœur une fois pour toutes et qu'on n'en parle plus.

— Flynn ne veut pas que Malory reste seule. Tu peux considérer que c'est ton tour de garde, car je m'en vais.

— Si je dois la protéger, j'aimerais autant savoir contre quoi.

— De grands méchants sorciers.

Elle ouvrit la porte qui donnait sur le jardin.

— S'il lui arrive quoi que ce soit, non seulement je te fiche ce couteau dans le cœur, mais je le découpe et je le donne au chien.

— Toujours le don des images éloquentes, murmura-t-il quand elle fut sortie en claquant la porte.

Il se frotta l'estomac. Cette conversation avec Dana lui avait noué le ventre. Encore une chose pour laquelle elle était douée. Il regarda le café qu'elle n'avait pas touché. Tout en sachant que c'était stupidement symbolique, il prit la tasse et la vida dans l'évier.

— Évacué, Trognon. Exactement comme nous deux.

Malory étudia les toiles jusqu'à ce qu'elle voie flou. Elle prit encore des notes, puis s'étendit par terre pour contempler le plafond. Elle réfléchit à tout ce qu'elle savait, tenta de rassembler les éléments dont elle disposait, dans l'espoir de former un motif nouveau, moins énigmatique.

Une déesse chantante, des ombres et de la lumière, qui était en elle et au-dehors d'elle, l'amour qui forgeait la clé...

Trois tableaux, trois clés. Cela signifiait-il qu'il existait un indice, un cheminement dans chaque toile susceptible de conduire à chacune des clés ? Ou bien fallait-il rapprocher les trois œuvres pour résoudre le mystère de la première clé ?

De toute façon, cela lui échappait.

Il existait des éléments communs aux tableaux. Les personnages et le contexte légendaire, bien sûr. La présence de la forêt et de l'ombre. La silhouette qui s'y cachait.

Kane, sans aucun doute.

Que faisait Kane dans le portrait d'Arthur ? Était-il présent lorsque le futur roi avait tiré Excalibur de la pierre ? Ou cette inclusion était-elle symbolique, ainsi que celle de Rowena et de Pitte ?

Curieusement, en dépit de ces points communs, le portrait d'Arthur ne semblait pas appartenir à la série dont Malory était sûre qu'elle existait. Existait-il un autre tableau des sœurs de verre, pour compléter le triptyque ?

Où le trouver ? Et que lui dirait-il ?

Elle roula sur le côté, examina une nouvelle fois le portrait du jeune Arthur. Il y avait une colombe blanche dans le coin supérieur droit. Que représentait-elle ? Le commencement de la fin ? La trahison par l'amour ? Les conséquences de l'amour ?

N'était-elle pas en train de connaître les conséquences de l'amour, en elle ? Comme le cœur, l'âme était un symbole de l'amour et de la beauté. Elle abritait les émotions, la poésie, l'art, la musique. La magie.

Sans âme, pas de beauté.

Si la déesse chantait, cela ne signifiait-il pas qu'elle possédait encore son âme ?

La clé se trouvait peut-être dans un endroit environné d'art ou d'amour. De beauté ou de musique. Ou bien un lieu où l'on choisissait de les conserver.

Un musée, alors ? Une galerie ? La Galerie ! songea-t-elle en bondissant sur ses pieds.

— Dana !

Elle courut à la cuisine et s'arrêta net en voyant Jordan assis devant la table, en train de travailler sur un petit ordinateur portable.

— Pardon. Je croyais que Dana était là.

— Elle est partie il y a des heures.

— Des heures ?

Malory passa une main sur son visage, comme si elle émergeait d'un rêve.

— J'ai perdu la notion du temps.

— Ça m'arrive régulièrement, à moi aussi. Tu veux du café ?

Il jeta un coup d'œil à la cafetière vide.

— Il suffit que j'en refasse.

— Non, en fait, j'aurais voulu... Mais tu travailles, je suis désolée de t'avoir interrompu.

— Pas de problème. C'est une de ces journées où je rêve d'exercer un autre métier. Être bûcheron dans le Yukon, par exemple, ou barman sous les tropiques. Tout me paraît plus rigolo que ce que je fais.

Malory engloba du regard la tasse de café vide, le cendrier sale, l'ordinateur, posés sur une vieille table de camping dans cette abominable cuisine.

— L'ambiance n'est peut-être pas particulièrement propice à la créativité.

— Quand tout va bien, je peux travailler dans un égout avec un carnet et un crayon à papier.

— Sans doute, oui, mais je me demande si tu n'es pas confiné dans cette pièce... affligeante parce que tu veilles sur moi.

— Ça dépend.

Il s'appuya contre le dossier de sa chaise et joua avec son paquet de cigarettes.

— Si ça ne te dérange pas, la réponse est oui. Si ça risque de t'énerver, alors je ne vois pas de quoi tu parles.

Elle pencha la tête sur le côté.

— Et si je te disais que je dois partir, que je veux aller vérifier quelque chose ?

Il lui sourit. Sur un visage moins espiègle, son sourire aurait pu paraître innocent.

— Je te demanderais si ça t'ennuie que je vienne avec toi. Ça me changerait les idées de sortir un peu. Où veux-tu aller ?

— À La Galerie. Je viens de réaliser que la clé doit se rattacher à l'art, à la beauté, aux tableaux. C'est l'endroit le plus logique où chercher.

— Je vois. Tu comptes donc perquisitionner un endroit public pendant les heures d'ouverture, sans que ça dérange personne ?

— Évidemment, dit comme ça...

Découragée, elle s'assit en face de lui.

— Tu crois que toute cette aventure n'est qu'une histoire de fous ?

Jordan se rappela avoir vu apparaître et disparaître par magie plusieurs milliers de dollars.

— Pas forcément.

— Et si je te disais que j'ai probablement le moyen de m'introduire dans La Galerie après les heures d'ouverture ?

— Je répondrais que tu as été choisie pour cette mission parce que tu es une femme créative à l'esprit souple, prête à courir des risques.

— J'aime bien cette description. Je ne sais pas si elle s'est toujours appliquée à moi, mais c'est le cas actuellement. Il faut que je passe quelques coups de fil. Et... Jordan ? Je trouve que tu fais preuve d'une loyauté étonnante en gaspillant ta journée à protéger une inconnue parce que ton ami te l'a demandé.

Malory prit les clés que lui tendait Tod et serra son ami dans ses bras.

— Je te dois une fière chandelle.

— Oui, mais je me contenterai de n'importe quelle forme d'explication.

— Je te raconterai tout dès que je le pourrai. Promis.

— Malory, cette histoire devient totalement dingo. D'abord, tu te fais virer, puis tu subtilises les dossiers de Pamela. Ensuite, tu déclines une réintégration au bercail assortie d'une augmentation notable. Et maintenant, tu veux vadrouiller dans La Galerie après la fermeture.

— Tu sais quoi ? fit-elle en jouant avec les clés. Ce n'est pas ça, le plus bizarre. Tout ce que je peux te dire, c'est que j'accomplis une chose importante, avec les meilleures intentions. Je ne souhaite pas nuire à La Galerie, ni à James. Ni à toi, bien sûr.

— Je n'en ai jamais douté.

— Je te rendrai les clés demain matin au plus tard.

Tod jeta un coup d'œil par la fenêtre et vit Flynn qui attendait sur le trottoir.

— Ça n'a rien à voir avec des fantasmes ou du fétichisme sexuel ?

— Non.

— Dommage. Bon, je m'en vais. Quoi que tu fasses, sois prudente.

— Oui. C'est promis.

Malory regarda Tod s'arrêter pour parler à Flynn, puis s'éloigner de sa démarche dansante. Quand Flynn l'eut rejointe, elle referma la porte à clé.

— Que t'a dit Tod ?

— Que si je t'attirais des ennuis, il me pendrait par les testicules et me couperait diverses autres parties du corps avec des ciseaux à ongles.

— Ouille. Original.

— N'est-ce pas ? Si j'avais eu l'intention de t'attirer des ennuis, cette idée m'en dissuaderait fortement.

— En fait, c'est plutôt moi qui risque de t'en attirer, des ennuis. Nous sommes hors la loi. Ta réputation de rédacteur en chef et d'éditeur du *Dispatch* est en jeu. Tu n'es pas obligé de faire ça.

— Si, je le suis. Les ciseaux à ongles, ce sont bien ces petits ciseaux un peu courbés à l'extrémité très pointue ?

— Oui.

Il soupira.

— C'est bien ce que je craignais. Par où commence-t-on ?

— Par en haut. Si l'on suppose que les clés représentées dans les tableaux sont à l'échelle, elles doivent mesurer entre huit et dix centimètres.

— C'est petit.

— Oui, assez.

Elle lui tendit un petit croquis de la clé.

— C'est un motif celte, une triple spirale appelée *triskèle*. Zoé a découvert le motif dans un des livres de Dana.

— Vous formez une belle équipe, toutes les trois.

— C'est l'impression qu'on a, oui. La clé est probablement en or massif. Nous la reconnaîtrons forcément si nous tombons dessus.

Flynn promena son regard autour de lui.

— Que de cachettes, ici, pour une clé, remarqua-t-il.

— Et encore, tu n'as pas vu les salles de stockage et d'expédition.

Ils commencèrent par les bureaux. Faisant abstraction de ses scrupules, Malory fouilla les tiroirs, épluchera les objets personnels. L'heure n'était pas à la délicatesse.

— Crois-tu réellement que des gens comme Rowena ou Pitte, ou je ne sais quel dieu chargé de ce boulot, scotcheraient la clé sous un tiroir ? demanda Flynn en la voyant à quatre pattes sous le bureau de James.

Elle lui fit la grimace.

— Nous ne pouvons négliger aucune éventualité.

Elle était si mignonne, songea-t-il, assise par terre avec sa mine boudeuse. Il se demanda si elle s'était habillée en noir parce qu'elle avait le sentiment que les circonstances s'y prêtaient. Cela ne l'aurait pas étonné.

— Tu as raison, mais ça irait plus vite si on pouvait s'occuper de ces « éventualités » avec toute la bande.

— Je ne veux pas qu'une horde de gens mettent La Galerie sens dessus dessous. Je suis déjà assez embêtée que tu sois là. Tu pourrais utiliser tout ce que tu vois ici dans un article.

Il s'accroupit à côté d'elle et lui adressa un regard glacial.

— C'est vraiment ce que tu penses ?

— Il ne me paraît pas insensé que l'idée m'ait traversé l'esprit. Tu es journaliste, après tout, répondit-elle en se relevant et en regardant derrière un tableau encadré. Je dois quelque chose à cet endroit, à James. Ce que je veux dire, c'est que La Galerie ne doit pas être impliquée là-dedans.

— Tu ferais mieux de rédiger une liste de ce que j'ai et n'ai pas le droit d'écrire.

— Il n'y a pas de quoi prendre la mouche.

— Si. J'ai investi beaucoup de mon temps et de mon énergie dans cette histoire, et je n'ai pas imprimé un mot. Ne doute pas de mon éthique, Malory, parce que tu doutes de la tienne. Et ne me dis pas ce que je peux ou ne peux pas écrire.

— Je voulais juste préciser que tout ça devait rester entre nous.

— Non. Tu voulais juste préciser que tu ne me faisais pas confiance et tu ne respectais pas celui que tu prétends aimer. Je vais fouiller la salle d'à côté. Je crois que nous travaillerons mieux séparément.

Comment, mais comment avait-elle pu tout gâcher ainsi ? se demanda Malory. Elle décrocha le dernier tableau du mur en s'obligeant à se concentrer sur sa tâche. Flynn était trop sensible. Elle avait formulé une demande parfaitement raisonnable, et s'il avait décidé de se vexer, tant pis pour lui.

Elle passa les vingt minutes suivantes à fouiller le bureau en se confortant dans cette conviction.

Pendant encore une heure, ils parvinrent à ne pas s'adresser la parole et à se battre froid. Puis ils passèrent au deuxième étage.

L'opération était fastidieuse et frustrante.

Quand Malory entra dans la salle où étaient entreposées toutes les acquisitions récentes, son cœur se serra. Autrefois, elle était en contact permanent avec ces tableaux et ces objets d'art. Elle eut soudain le sentiment qu'une partie d'elle-même lui avait été enlevée. Peut-être avait-elle eu tort de refuser la proposition de James. Peut-être avait-elle commis une énorme erreur.

Mais même si elle revenait à La Galerie, ce ne serait plus jamais la même chose.

Car sa vie avait changé. Irrévocablement. Et elle n'avait pas pris le temps de faire le deuil de La Galerie. Elle le fit, là, dans ce lieu qui avait autrefois été la partie la plus importante de sa vie.

Elle revisita mille souvenirs, précieux et anodins. La routine qui, à l'époque, ne signifiait rien et qui représentait tout, maintenant qu'elle lui avait été retirée.

Flynn ouvrit la porte.

— Où veux-tu continuer maintenant que…

Il s'interrompit lorsqu'elle se tourna vers lui. Les yeux secs mais le visage défait, elle tenait une sculpture de pierre dans ses bras comme elle aurait tenu un enfant.

— Qu'y a-t-il ?

— La Galerie me manque tant ! Cela me fait la même impression que si quelqu'un était mort.

Précautionneusement, elle reposa l'objet sur une étagère.

— J'ai acquis cette pièce il y a quatre mois, elle est en attente d'expédition. C'est un jeune artiste que j'ai découvert. Personne ne croyait en lui.

Elle passa un doigt sur la sculpture.

— Quelqu'un l'a achetée. Je ne connais même pas le nom de l'acquéreur. Elle ne m'appartient plus.

— Sans toi, elle n'aurait pas été vendue, ni même dénichée.

— Je sais, mais ce temps est révolu. Ma place n'est plus ici. Je suis désolée, pour tout à l'heure. Vraiment désolée de t'avoir froissé.

— Laissons tomber.

— Non.

Malory prit une profonde inspiration.

— Je ne peux nier que je nourris quelques inquiétudes quant à la façon dont tu finiras par parler de toute cette affaire dans le journal. Je ne prétends pas avoir une confiance absolue en toi. Ça entre en conflit avec l'amour que je te porte, et je ne peux pas l'expliquer. Pas plus que je ne peux expliquer pourquoi je sais que la clé ne se trouve pas ici. Pourquoi je l'ai su dès l'instant où Tod m'a remis le trousseau. Il faut que je continue à chercher, que je termine ce que j'ai commencé. Mais pas ici, Flynn. Il n'y a rien pour moi, ici.

16

Flynn ferma la porte de son bureau, indiquant ainsi qu'il écrivait et ne voulait pas être dérangé. Peu de gens prêtaient attention au message, mais c'était un principe.

Il laissa l'idée de l'article prendre forme spontanément, telle une rivière sinueuse qu'il canaliserait sous une forme plus disciplinée à la relecture.

Qu'est-ce qui définissait un artiste ? Les artistes étaient-ils les seuls à pouvoir créer de la beauté, les seuls individus capables d'engendrer une œuvre qui transmettait une énergie viscérale ?

S'il en était ainsi, est-ce que cela ne réduisait pas le reste du monde au public ? À des observateurs passifs dont la seule contribution consistait à applaudir ou à critiquer ?

Que devenait l'artiste, sans public ?

Ce n'était pas le genre d'article qu'il écrivait habituellement, mais ces idées lui trottaient dans la tête depuis le soir où Malory et lui avaient fouillé La Galerie. Il était temps que cela jaillisse. Il revoyait encore l'expression de Malory quand il l'avait surprise, une sculpture de pierre dans les bras, les yeux voilés par le chagrin. Durant les trois jours qui s'étaient écoulés depuis, elle l'avait tenu à l'écart, lui comme les autres. Elle se prétendait trop absorbée par sa quête, trop occupée à se débattre dans la pagaille qu'était devenue sa vie.

Du point de vue de Flynn, il n'y avait aucune vraie pagaille, dans la vie de Malory.

Quoi qu'il en soit, elle restait recluse.

Peut-être, avec cet article, espérait-il lui adresser un message.

Il fit rouler ses épaules, pianota sur son bureau jusqu'à ce que son esprit trouve les mots.

L'enfant qui apprenait à former son nom avec des lettres n'était-il pas un artiste, en quelque sorte ? En tenant un crayon dans son poing et en dessinant des lettres sur du papier, l'enfant ne créait-il pas un symbole de lui-même avec des courbes et des lignes ? « Voici qui je suis, disait-il, et personne d'autre n'est tout à fait pareil. »

L'art était dans l'expression et dans l'accomplissement.

Et la femme qui posait un pain de viande sur la table du dîner ? Aux yeux d'un chef cuisinier, c'était un repas quelconque, mais pour ceux que des instructions sur un sachet de soupe déshydratée laissaient perplexes, ce pain de viande servi avec une purée et des haricots verts relevait d'un art insigne et mystérieux.

— Flynn ?

— Je travaille, répondit-il sans lever la tête.

— Tu n'es pas le seul.

Rhoda referma la porte derrière elle, avança et s'assit. Elle croisa les bras sur sa poitrine et fixa deux yeux furieux sur Flynn à travers ses lunettes à monture carrée.

« Mais sans un public consentant et disposé à consommer l'art, il se transforme en restes figés bons à jeter », écrivit-il.

— Je ne suis pas d'accord.

Il leva la tête de son clavier.

— Quoi ?

— Tu as coupé cinq lignes de mon article.

Ses mains le démangeaient de prendre Rhoda par ses frêles épaules et de la jeter dehors.

— Tu avais dit qu'il devait en faire trente-cinq.

— Et ce que tu as écrit contenait trente lignes d'informations, et cinq de remplissage. C'était un bon article, Rhoda. Maintenant, il est encore meilleur.

— J'aimerais savoir pourquoi tu n'es jamais content de mon travail, pourquoi tu critiques toujours quelque chose. Tu ne corriges rien chez John ou Carla.

— John s'occupe de la rubrique sportive depuis plus de dix ans. Il en a fait une véritable science.

L'art et la science, songea Flynn en le notant rapidement pour penser à l'intégrer dans son article. Et le sport… Si l'on considérait la façon dont un lanceur, au base-ball, sculptait la terre sur le monticule avec son pied jusqu'à ce qu'elle ait exactement la forme, la pente qu'il…

— Flynn !

— Hein ? Quoi ?

Il revint à la réalité.

— Quant à Carla, je la corrige chaque fois que c'est nécessaire. Rhoda, j'ai quelque chose d'urgent à terminer. Si tu veux qu'on en discute plus à fond, prenons rendez-vous pour demain.

Elle pinça les lèvres.

— Si nous ne trouvons pas une solution maintenant, je ne reviendrai pas demain.

Au lieu d'aller chercher sa figurine de Luke Skywalker et d'imaginer le chevalier Jedi tirant son sabre de lumière et effaçant le rictus condescendant du visage de Rhoda, Flynn se cala dans son fauteuil.

Le moment était venu de frapper lui-même.

— D'accord. Pour commencer, laisse-moi te dire que j'en ai assez que tu menaces de nous quitter. Si tu n'es pas heureuse ici, si tu n'es pas satisfaite de la façon dont je dirige le journal, eh bien, pars.

Elle vira à l'écarlate.

— Ta mère n'aurait jamais…

— Je ne suis pas ma mère. Je suis le rédacteur en chef du *Dispatch*, depuis près de quatre ans. Et j'ai l'intention de le rester longtemps. Il va falloir t'y habituer.

Les yeux de Rhoda s'emplirent de larmes, et Flynn, qui avait tendance à perdre ses moyens en présence d'une femme qui pleure, fit de son mieux pour les ignorer.

— Rien d'autre? demanda-t-il froidement.

— Je travaillais déjà ici, que tu ne savais même pas encore lire ce fichu journal.

— C'est peut-être là que réside ton problème, justement. Tu préférais l'époque où ma mère était rédactrice en chef. À présent, tu t'obstines à me considérer comme un désagrément provisoire, et incompétent par-dessus le marché.

Visiblement sous le choc, Rhoda protesta :

— Je ne te trouve pas incompétent. Je pense seulement…

— … que je ne devrais pas me mêler de ton travail.

La voix de Flynn était redevenue aimable, mais son expression restait froide.

— Que je devrais écouter ce que tu me dis au lieu de l'inverse. Eh bien, n'y compte pas.

— Si mon travail ne te satisfait pas, je…

— Rassieds-toi! ordonna-t-il comme elle faisait mine de se lever.

Il connaissait son petit numéro. Elle sortirait en claquant la porte, piquerait sa colère, le fusillerait du regard à travers la baie vitrée et s'appliquerait à lui rendre son article suivant quelques minutes seulement avant le bouclage.

— Détrompe-toi. Je trouve que tu fais du bon travail. Évidemment, venant de moi, cette opinion n'a guère de poids, étant donné que tu n'as aucun respect pour mes aptitudes et mon autorité. Mais tu es journaliste, le *Dispatch* est le seul journal de la ville, et j'en suis le directeur. Aucun de ces facteurs n'étant susceptible de changer, la prochaine fois que je te demanderai trente-cinq lignes, donne-m'en trente-cinq bonnes, et nous n'aurons pas de problème.

Il tapota l'extrémité de son crayon sur le bureau pendant qu'elle le dévisageait, bouche bée. Il ne s'en était pas mal tiré du tout, songea-t-il.

— Autre chose ?

— Je vais prendre le reste de ma journée.

— Non.

Il reporta son attention sur son ordinateur.

— Je veux l'article sur l'extension de l'école sur mon bureau à 14 heures. Et referme la porte en sortant.

Flynn recommença à taper sur son clavier et sourit intérieurement en entendant la porte se refermer sans claquer. Il attendit trente secondes, puis se décala sur sa chaise pour jeter un coup d'œil par la baie vitrée. Rhoda était assise à son bureau, comme paralysée.

Il détestait ce genre de confrontation. Autrefois, cette femme lui donnait des boules de gomme en cachette quand il venait au journal après l'école. C'était éprouvant d'être un adulte, conclut-il en se frottant la tempe et en feignant de se concentrer sur son travail.

Cet après-midi-là, il s'échappa pendant une heure pour retrouver Brad et Jordan au café de Main Street. Le *Main Street Diner* n'avait guère changé depuis le temps où ils s'y réunissaient régulièrement après des matchs de football ou pour refaire le monde, c'est-à-dire essentiellement pour parler filles et projets d'avenir.

Comme autrefois, l'endroit sentait l'escalope de poulet frit, sa spécialité, et au bar, les desserts du jour étaient toujours exposés dans la vitrine de quatre étages.

En contemplant le hamburger qu'il avait machinalement commandé, Flynn se demanda si c'était le restaurant qui était resté figé dans le passé, ou lui.

— On échange ? proposa-t-il à Brad.

— Tu préfères mon sandwich club ?

— Oui.

Pour conclure le marché, Flynn troqua lui-même les assiettes.

— Si tu ne voulais pas de hamburger, pourquoi en as-tu pris un ?

— Parce que je suis victime de l'habitude et de la tradition.

— Et tu espères régler ça en mangeant mon sandwich ?

— C'est un début. J'ai aussi commencé à changer mes habitudes en sermonnant Rhoda, au journal, ce matin. Dès qu'elle se sera remise du choc, je suis sûr qu'elle se mettra à comploter pour m'assassiner.

— Et pourquoi voulais-tu le sandwich de Brad et pas le mien ? s'enquit Jordan.

— Je n'aime pas les sandwiches au rosbif.

Jordan réfléchit, puis échangea son assiette avec celle de Brad.

— Hé, les gars, ce n'est pas un peu fini, votre jeu d'assiettes musicales ? grogna Brad en contemplant le sandwich au rosbif, avant de se dire qu'il avait l'air très appétissant, finalement.

Flynn commença à grignoter le sandwich de Brad, tout en regrettant déjà son hamburger.

— Vous croyez qu'en passant toute sa vie dans sa ville natale, on reste trop attaché au passé et on devient résistant au changement ? Et est-ce que, par là même, cela inhibe votre capacité de fonctionner en adulte ?

— Je ne me doutais pas que ce rendez-vous allait virer à la discussion philosophique.

Rentrant néanmoins dans le jeu, Jordan réfléchit à la question en arrosant son hamburger de ketchup.

— On pourrait dire que rester ici signifie que tu t'y trouves bien, que tu y as créé des liens et des racines puissants. Ou que tu es juste trop paresseux et trop indolent pour te bouger les fesses.

— Je me plais à Pleasant Valley. Ça m'a pris un bout de temps pour l'admettre. Jusqu'à récemment, j'étais assez paresseux, c'est vrai. Mais la paresse est passée à l'arrière-plan, depuis quelques semaines.

— À cause des clés ou de Malory ? demanda Brad.

— Cela va ensemble. Les clés, c'est une aventure, non ? Comme Galaad et le Saint-Graal, Indiana Jones et le temple maudit...

— Tom et Jerry, ajouta Jordan.

— Exactement. Même combat.

— On ne court pas un danger mortel si on ne les découvre pas. Pas vraiment.

— Un an de vie, objecta Brad. C'est une sanction tout de même sévère, je trouve.

— Bon, peut-être, oui, concéda Flynn en piquant sa fourchette dans une feuille de salade. Mais j'ai du mal à concevoir que Rowena et Pitte puissent punir les filles.

— Ce ne sera sans doute pas eux qui se chargeront de la sale besogne, fit remarquer Jordan. Ils ne sont que les intermédiaires, en quelque sorte. Pourquoi imaginons-nous qu'ils ont le choix, d'ailleurs ?

— Tâchons de rester positifs, dit Flynn. L'idée de trouver les clés, et de ce qui se passera alors, est séduisante, non ?

— Sans compter qu'il est excessivement difficile d'arrêter de se casser la tête sur une énigme.

Flynn hocha la tête à l'adresse de Brad et remua sur son siège.

— Et puis, il y a la magie. Accepter que certaines formes de magie sont réelles. Pas une illusion, mais un véritable bouleversement de l'ordre naturel des choses. Franchement, ce n'est pas génial, ça ? C'est le genre d'idées auxquelles on renonce en devenant adulte. Cet épisode nous a redonné la foi.

— Tu n'envisages pas ça comme un fardeau ? demanda Jordan.

— Merci encore de nous remonter le moral. Mais c'est vrai que l'échéance approche. Il reste à peine plus d'une semaine. Si nous ne trouvons pas la clé, peut-être que nous le paierons, peut-être pas. Nous ne le saurons jamais.

— Tu ne peux pas écarter comme ça les conséquences potentielles d'un échec, protesta Brad.

— Je m'efforce de croire que personne ne va bousiller la vie de trois femmes innocentes parce qu'elles ont essayé et échoué.

— Si tu remontes à la genèse de l'histoire, trois femmes innocentes ont vu leur vie bousillée simplement parce qu'elles avaient eu le malheur de naître, déclara Jordan en versant du sel sur ses frites. Désolé, mon vieux.

— Ajoutons que les femmes du portrait ressemblent aux femmes que nous connaissons, reprit Brad en tapotant sur la table. Il y a une raison à cela, et cette raison les place au cœur de l'affaire.

— Je ne laisserai rien de mal arriver à Malory. Ni à aucune d'elles, répondit Flynn.

Jordan prit son verre de thé glacé.

— À quel point es-tu accro ?

— C'est une autre question. Je n'ai pas encore trouvé de réponse.

— On va t'aider, vieux frère, fit Jordan avec un clin d'œil à l'adresse de Brad. C'est à ça que servent les amis, non ? Comment ça se passe sur le plan sexuel ?

— Pourquoi est-ce que ça vient toujours en premier, avec toi ?

— Parce que je suis un garçon. Et si tu ne crois pas que le sexe figure aussi en haut sur la liste des filles, tu n'es qu'un pauvre niais.

— Voilà ma réponse : c'est fabuleux. Même en rêve, tu ne connaîtras jamais une expérience pareille avec une femme. Et en plus, ce n'est pas la seule chose qui fonctionne parfaitement entre nous. Nous avons de vraies conversations, avec et sans vêtements.

— Des conversations téléphoniques aussi ? demanda Brad. Qui durent plus de cinq minutes ?

— Oui. Pourquoi ?

— Pour rien. Je dresse la liste, c'est tout. Est-ce que tu lui as déjà préparé à manger ? Un vrai repas, avec des casseroles et tout le tralala ?

— Je lui ai juste préparé une soupe le soir où…

— Ça compte. Tu l'as déjà emmenée voir un film de filles ?

Flynn prit un morceau de sandwich en fronçant les sourcils.

— Je ne sais pas si on peut qualifier ça de film de filles. Bon, disons que oui, une fois, mais c'était…

— Pas d'explication. Tu dois répondre à cette partie du test par « vrai » ou « faux ». Maintenant, passons à la partie rédaction, reprit Jordan. Imagine ta vie dans… mettons, cinq ans. Ça marche ? demanda-t-il à Brad.

— Dans certains cas, il faut dix ans, mais je crois que nous pouvons être optimistes. Va pour cinq.

— Bon. Visualise ta vie dans cinq ans. Peux-tu l'imaginer sans elle ?

— Je ne vois pas comment je pourrais m'imaginer dans cinq ans, étant donné que je ne sais même pas ce que je ferai dans cinq jours.

Il le pouvait, pourtant. Il voyait sa maison, embellie par les travaux qu'il avait projeté d'y faire au début. Il s'imaginait en train de travailler au journal, de promener Moe, de bavarder avec Dana. Et partout, il y avait Malory. Malory qui descendait l'escalier, qui venait le chercher au journal, qui chassait Moe de la cuisine.

Il pâlit.

— Ouille…

— Elle y est, pas vrai ? demanda Jordan.

— Pour y être, elle y est.

— Félicitations, mon garçon, déclara Jordan en lui donnant une tape sur l'épaule. Tu es amoureux.

— Une seconde. Et si je ne suis pas prêt ?

— Pas de chance, répondit Brad.

En parlant de chance… songea Brad, qui décida que la sienne lui souriait quand, en sortant du restaurant, il aperçut Zoé, arrêtée à un feu rouge.

Elle portait de larges lunettes noires et remuait les lèvres d'une façon qui laissait penser qu'elle chantait en accompagnant la radio.

Ce n'était pas véritablement la harceler, s'il bondissait au volant de sa voiture pour la prendre en filature. Et cette queue de poisson à un camion fut purement accidentelle.

Il était raisonnable, voire essentiel, qu'ils apprennent à mieux se connaître. Il pouvait difficilement aider Flynn s'il ne connaissait pas les femmes auxquelles était lié son ami.

Simple logique.

Il n'y avait rien d'obsessionnel là-dedans. Ce n'était pas parce qu'il avait acheté un tableau où l'on voyait le visage de Zoé, ni parce qu'il était incapable de se le sortir de la tête, qu'il était obsédé.

On pouvait dire qu'il s'intéressait à elle, voilà tout.

Et s'il s'exerçait à formuler différentes phrases d'approche, c'était seulement parce qu'il connaissait la valeur de la communication. Pas du tout parce qu'il était nerveux à l'idée de parler à cette femme. Il leur parlait tout le temps, aux femmes.

Plus exactement, les femmes lui parlaient, se donnaient un mal fou pour attirer son attention. Il était considéré dans tout le pays comme un brillant parti – terme qu'il haïssait.

Si Zoé McCourt était incapable de soutenir cinq minutes de conversation polie avec lui, eh bien, tant pis pour elle.

Quand il s'arrêta derrière sa voiture dans une allée inconnue, il n'était plus qu'une boule de nerfs. Et le regard vaguement agacé qu'elle lui jeta dans son rétroviseur n'arrangea rien.

Se sentant stupide et insulté, il descendit de voiture.

— Tu me suis ? demanda-t-elle.

— Pardon ?

Sur la défensive, il répliqua d'une voix froide et sèche :

— Je crois que tu surestimes tes charmes. Flynn se fait du souci pour Malory. Je t'ai vue et je me suis dit que tu pourrais peut-être me donner de ses nouvelles.

Zoé continua à l'observer avec méfiance, tout en ouvrant son coffre. Son jean était assez moulant pour offrir une vision captivante d'un ferme postérieur féminin. Elle portait une courte veste rouge et un corsage à rayures qui s'arrêtait à près de trois centimètres de la ceinture de son jean.

Il remarqua avec fascination que son nombril était percé d'un minuscule anneau en argent. Il fourra les mains dans ses poches, comme pour réprimer toute tentation de le toucher.

— Je suis passée la voir tout à l'heure.

— Hein ? Qui ? Oh, Malory.

Il sentit sa nuque devenir brûlante et se maudit.

— Comment va-t-elle ?

— Elle a l'air fatiguée et un peu déprimée.

— Je suis désolé.

Il s'avança vers le coffre de la voiture.

— Attends, je vais te donner un coup de main.

— Je peux sortir ça toute seule.

— Je n'en doute pas, répondit-il en lui prenant des mains deux lourds cahiers d'échantillons de papier peint. Mais ce n'est pas une raison. Tu refais ta déco ?

Elle sortit un nuancier de peinture et une petite boîte à outils, dont il la délesta également.

— Nous avons signé une promesse de vente pour cette maison. C'est ici que nous allons installer nos commerces. Il y a pas mal de travaux à faire.

Brad se tourna vers la maison. Elle paraissait solide. Le terrain était bien placé, le stationnement correct.

— Elle a l'air saine, commenta-t-il. Vous avez fait vérifier les fondations ?

— Oui.

— L'électricité est-elle aux normes ?

Zoé prit les clés que lui avait données l'agent immobilier.

— Ce n'est pas parce que je suis une femme que je ne sais pas acheter une maison. J'en ai visité un bon nombre, et celle-ci m'a paru être la plus intéressante, avec le meilleur emplacement. La plupart des travaux ne sont que superficiels. De la cosmétique.

Elle ouvrit la porte.

— Tu n'as qu'à laisser ça par terre. Merci. Je dirai à Malory que tu as pris de ses nouvelles.

Brad continua à avancer, de sorte qu'elle dut reculer. Cela lui coûta, mais il s'interdit de laisser redescendre son regard vers le nombril de Zoé.

— Ça t'agace toujours qu'on veuille t'aider ?

— Ça m'agace qu'on s'imagine que je ne sais pas m'occuper de moi. Écoute, je n'ai pas beaucoup de temps pour tout ce que je suis venue faire. Il faut que je m'y mette.

— Je ne te dérangerai pas.

Il étudia le plafond, le plancher, les murs, en faisant le tour de l'entrée.

— Joli volume.

Il ne détecta aucune trace d'humidité.

— Quelle partie sera consacrée à ton commerce ?

— Le premier étage.

Il monta, presque amusé, maintenant, par le soupir qu'il la vit étouffer.

— Joli, l'escalier. Avec du pin blanc, on est sûr de ne pas se tromper.

Les pièces étaient bien agencées. Il nota quelques petits détails, puis songea soudain à l'éclairage. Cela devait être fondamental, dans un institut de beauté.

— Excuse-moi, j'ai besoin de ma boîte à outils.

— Hein ? Oh, pardon.

Il la lui tendit, puis passa son doigt sur la baguette écaillée qui encadrait la fenêtre.

— Tu sais, tu pourrais utiliser du cerisier, ici, pour faire un contraste. Des bois différents, qui laissent voir les veines naturelles, avec des tonalités chaleureuses. Tu ne comptes pas recouvrir les planchers, si ?

— Non, répondit-elle en sortant son mètre.

Pourquoi ne s'en allait-il pas ? Elle avait du travail. Et elle avait envie d'être toute seule dans cette merveilleuse maison, pour réfléchir aux couleurs, aux textures, aux teintes, aux odeurs. À tout.

Et il était là, dans ses pattes. Viril et sublime dans son costume sur mesure et ses chaussures de luxe, avec tout ce qu'il fallait pour la distraire.

Il émanait de lui le parfum d'un après-rasage raffiné, qu'il avait dû payer plus cher que ce que lui avaient coûté son jean et sa chemise. Et il s'octroyait le droit de se promener chez elle, de respirer son air, de lui donner l'impression d'être maladroite et inférieure.

— Quels sont tes projets, pour cette pièce ?

Elle nota ses mesures et continua à lui tourner le dos.

— Ce sera le salon principal. Pour la coiffure, la manucure et le maquillage.

Comme il ne répondait pas, elle jeta un coup d'œil par-dessus son épaule. Il contemplait fixement le plafond.

— Qu'est-ce qu'il y a ?

— Chez HomeMakers, nous avons de minirampes de spots à la fois gaies et très pratiques. Elles présentent l'avantage de pouvoir s'orienter dans toutes les directions. Tu veux créer un style rigolo ou plutôt élégant, ici ?

— Pourquoi pas les deux ?

— Des couleurs douces ou vives ?

— Vives ici, douces dans les cabines de soin. Écoute, Bradley…

— Aïe, j'ai l'impression d'entendre ma mère.

Accroupi devant un des albums d'échantillons, il lui adressa un petit sourire.

— Ça s'apprend dans un centre d'entraînement spécial, ce ton cinglant ?

— Il est interdit de divulguer ces informations aux hommes. Si je te le disais, il faudrait que je te supprime. Or je n'ai pas le temps. La maison sera à nous dans un mois, et je voudrais concevoir mes plans le plus vite possible pour pouvoir commencer les travaux.

— Je peux te donner un coup de main.

— Je sais ce que je fais et comment j'ai envie de le faire. Je ne vois pas pourquoi tu t'imagines…

— Hé, doucement. Mon Dieu, comme tu es susceptible ! N'oublie pas que je suis du métier.

Il tapota le logo HomeMakers sur le cahier d'échantillons.

— En outre, j'aime faire en sorte qu'une maison soit à la hauteur de son potentiel. Je peux t'aider pour la pose et le matériel.

— Je ne demande pas la charité.

Il reposa le cahier et se leva lentement.

— J'ai parlé de t'aider, pas de te faire la charité. Qu'est-ce qui te hérisse tant, chez moi ?

— Tout. C'est injuste, je le reconnais, ajouta-t-elle avec un haussement d'épaules, mais c'est vrai. Je ne comprends pas les gens comme toi, alors j'ai tendance à me méfier d'eux.

— Les gens comme moi ?

— Les riches, les privilégiés, ceux qui sont à la tête d'empires financiers. Je suis désolée. Je suis sûre que tu as des qualités, sinon tu ne serais pas l'ami de Flynn. Mais toi et moi, nous n'avons rien à nous dire. Et j'ai trop de pain sur la planche en ce moment pour jouer à ces petits jeux. Alors, déblayons le terrain, histoire de pouvoir passer à autre chose : je ne coucherai pas avec toi.

— D'accord. Dans ce cas, ma vie ne mérite plus d'être vécue.

Elle faillit sourire, mais elle se retint à temps.

— Tu vas me dire que tu n'espères pas coucher avec moi ?

Il prit le temps de réfléchir avant de répondre. Elle avait accroché la branche de ses lunettes de soleil dans le décolleté de son chemisier, et ses grands yeux dorés étaient plongés dans les siens.

— Tu sais aussi bien que moi que je ne peux pas répondre à cela de façon correcte. C'est la question piège par excellence. Dans la même catégorie, il y a aussi : « Est-ce que ça me grossit ? » ou « Est-ce que tu la trouves jolie ? ». Et si tu ne connais pas la réponse à ta question, ce n'est sûrement pas moi qui vais te renseigner.

Cette fois, elle dut se mordre l'intérieur des joues pour réprimer un petit rire.

— Disons simplement que je te trouve très séduisante. Et nous avons beaucoup plus de choses en commun que tu ne le crois, à commencer par un cercle d'amis. J'aimerais vous aider, Malory, Dana et toi, à vous installer. Aucune d'entre vous ne sera obligée de coucher avec moi en échange. En attendant, je vais te laisser te remettre au travail.

Il se dirigea vers l'escalier et lança avec désinvolture :

— Au fait, HomeMakers organise des promotions sur les papiers peints et les peintures le mois prochain. Quinze à trente pour cent sur tout le stock.

Zoé courut le rejoindre en haut de l'escalier.

— Quand, exactement ?

— Je te tiendrai au courant.

Donc, elle ne coucherait pas avec lui. Brad secoua la tête en regagnant sa voiture. Zoé avait eu tort de dire cela. Manifestement, elle ne savait pas que la seule chose à laquelle un Vane ne pouvait résister était un défi.

Son seul projet avait été de l'inviter à dîner. À présent, songea-t-il en examinant les fenêtres du premier étage, il ne lui restait plus qu'à échafauder une stratégie.

Zoé McCourt s'apprêtait à subir un siège.

Zoé avait d'autres choses en tête. Elle était en retard, comme toujours. Il semblait toujours y avoir une foule de choses à faire, à se rappeler ou à réparer avant qu'elle ne franchisse le seuil de sa maison.

— N'oublie pas de donner les cookies à la mère de Chuck, d'accord ?

Elle déposa Simon chez son copain, à cinq cents mètres de chez eux.

— J'aurais pu y aller à pied.

— C'est vrai, mais alors, je n'aurais pas pu faire ça...

Elle lui enfonça les doigts dans les côtes pour le faire crier.

— Maman !

— Simon ! dit-elle sur le même ton exaspéré.

Il descendit de voiture en riant et prit son sac sur le siège arrière.

— Sois gentil avec la mère de Chuck. Tu as bien le numéro de Malory ?

— Oui, j'ai le numéro de Malory. Et si je mets le feu à la maison en jouant avec des allumettes, j'appellerai les pompiers et je courrai dehors.

— C'est bien. Viens m'embrasser.

Il fit mine de traîner les pieds tandis qu'il s'approchait de la vitre de sa mère, la tête baissée pour cacher son sourire.

— Dépêche-toi, on pourrait nous voir.

— Dis-leur que je ne t'embrassais pas, que je te grondais.

Elle l'embrassa et résista à l'envie de le serrer dans ses bras.

— À demain. Amuse-toi bien, mon grand.

— Toi aussi, ma grande, répondit-il en filant vers la maison.

Zoé fit marche arrière dans l'allée, tout en s'assurant que son fils était bien rentré.

Puis elle prit la direction de l'appartement de Malory et de sa première nuit chez une copine depuis qu'elle était adulte.

17

Malory avait très bien compris leur manège. Ses nouvelles amies se faisaient du souci pour elle et ne voulaient pas la laisser seule. Mais Zoé s'était montrée tellement enthousiaste à la perspective de cette nuit entre filles que Malory n'avait pas pu refuser.

Le simple fait qu'elle eût préféré se calfeutrer toute seule dans sa caverne l'obligea à admettre qu'elle avait besoin d'être un peu bousculée.

Elle n'avait jamais été du genre à ruminer toute seule dans son coin. Auparavant, quand elle avait des soucis, elle sortait, voyait du monde, faisait des courses, organisait une fête.

L'idée de passer une soirée entre filles lui redonna de l'énergie. Elle acheta à manger, du bon vin et de jolies bougies parfumées aux agrumes, ainsi que des savons et des petites serviettes d'invités neuves.

Elle fit le ménage dans l'appartement qu'elle avait négligé, répandit du pot-pourri dans des coupelles et se pomponna avec le soin que mettent les femmes à se pomponner pour le bénéfice d'autres femmes.

Quand Dana arriva, elle avait préparé du fromage, des fruits et des crackers, allumé les bougies et mis de la musique.

— Mmm, drôlement élégant, tout ça. J'aurais dû m'habiller.

— Tu es formidable, déclara Malory.

Déterminée à être gaie, elle se pencha pour embrasser la joue de Dana.

— C'est gentil à vous de faire ça.

— De faire quoi ?

— De rester avec moi, de me remonter le moral. J'étais un peu abattue, ces derniers jours.

— On n'aurait pas cru que cette quête serait si épuisante, hein ?

Elle tendit à Malory un panier de provisions et posa son sac.

— J'ai apporté quelques vivres supplémentaires. Du vin, des biscuits salés, des truffes au chocolat et du pop-corn. Tu sais, les quatre grands groupes alimentaires.

Dana examina la sélection de DVD à côté de la télévision.

— Tu as loué tous les films pour filles jamais produits ?

— Tous ceux qui sont actuellement disponibles en DVD. Tu veux du vin ?

— Avec plaisir. Tu as changé de parfum ?

— Non, ce doit être les bougies.

— Agréable. Voilà Zoé. Prépare un autre verre.

Zoé entra par la porte du patio, les bras chargés de sacs.

— Des cookies, souffla-t-elle. Des huiles essentielles pour l'aromathérapie et du gâteau au café pour le petit déjeuner.

— Beau travail, déclara Dana en lui prenant un sac et en lui tendant un verre.

Puis, en se rapprochant de Zoé, elle demanda :

— Comment fais-tu pour que tes cils soient comme ça ? Tout noirs et recourbés ?

— Je te montrerai. C'est rigolo. Je suis passée à notre maison, aujourd'hui, pour prendre des mesures et regarder les échantillons sur place, à la lumière du jour. Je les ai tous dans la voiture, si vous voulez les voir. Bradley

Vane est venu pendant que j'y étais. Qui est-ce, exactement, ce type ?

— Un enfant gâté, mais qui est conscient des injustices sociales et qui ne la ramène pas, répondit Dana en attaquant le brie. Athlète hors pair, au lycée comme à la fac. Brillantes études de commerce, mention très bien, mais sans avoir l'esprit premier de la classe. À moitié fiancé deux fois, mais a toujours réussi à s'enfuir avant de faire le grand saut. L'ami de Flynn à peu près depuis le berceau. Corps magnifique, que j'ai eu la chance de voir à différentes étapes de son évolution. Tu t'intéresses à lui ?

— Non. Je n'ai pas beaucoup de chance en amour, alors pour l'instant, le seul homme de ma vie, c'est Simon. Oh, j'adore cette chanson.

Elle ôta ses chaussures et se mit à danser.

— Alors, Mal, comment ça va avec Flynn ?

— Je suis amoureuse de lui, ce qui est assez agaçant. J'aimerais bien savoir danser comme ça.

— Comme quoi ?

— Tout en jambes interminables et hanches ondoyantes.

— Eh bien, viens.

Zoé posa son verre de vin et tendit les mains vers Malory.

— Tu as deux solutions. Soit tu t'imagines que personne ne te regarde, soit tu t'imagines qu'un type incroyablement sexy te mate. Selon ton humeur. Et ensuite, tu te lâches.

— Comment se fait-il qu'on se retrouve toujours à danser entre filles ? demanda Malory en essayant de remuer ses hanches indépendamment du reste de son corps, comme semblait le faire Zoé.

— Parce qu'on est plus douées pour ça que les garçons.

— En réalité, dit Dana en prenant quelques grains de raisin, c'est une sorte de rituel social et sexuel. La femelle exécute son numéro, séduit, allume, tandis que le mâle observe, fantasme et choisit.

Dana avala un dernier grain de raisin et se leva. Ses hanches et ses épaules ondulèrent tandis qu'elle avançait vers Zoé, et elles entamèrent une danse que Malory trouva à la fois sexy et libérée.

— Là, je suis totalement hors jeu.

— Tu t'en sors très bien, assura Zoé. Laisse aller tes genoux. Et à propos de rituel, j'ai quelques idées. Mais…

Elle reprit son verre.

— Je crois qu'il nous faut un peu plus de vin avant que je ne les dévoile.

— Tu n'as pas le droit! protesta Dana. J'ai horreur que les gens fassent ça, annoncer quelque chose puis laisser durer le suspense. À quoi ça rime?

Elle prit le verre de Zoé et avala une petite gorgée rapide.

— Là, voilà, j'ai bu un peu plus. Raconte.

— D'accord. Asseyons-nous.

Se rappelant son rôle d'hôtesse, Malory apporta le plateau et le vin sur la table basse.

— Si ce rituel a quelque chose à voir avec l'épilation à la cire, il me faut beaucoup, beaucoup plus de vin.

— Aucun rapport, fit Zoé en riant. Mais j'ai une technique d'épilation à la cire quasiment indolore. Je te ferai un brésilien sans que tu verses une seule larme.

— Un brésilien?

— Un petit ménage autour de la zone du maillot. On ne te laisse qu'une bande minuscule, et tu peux porter le string le plus riquiqui sans avoir l'air… disons, négligé.

— Oh.

Instinctivement, Malory croisa les mains sur son entrejambe.

— Même pas sous morphine et menottée.

— Je te jure que ça ne fait pas mal, insista Zoé. Ce n'est qu'une question de coup de poignet. Enfin, revenons-en à nos moutons. Nous avons toutes lu, fait des recherches et essayé d'échafauder des théories et des idées pour aider Malory à trouver la première clé.

— Et vous avez été formidables toutes les deux. Du début à la fin. Mais… j'ai l'impression que j'ai raté quelque chose, un petit truc qui éluciderait tout.

— Nous avons peut-être toutes raté quelque chose, rétorqua Zoé. La légende elle-même. La mortelle s'accouple avec le dieu celte et devient reine : pouvoir de la femme. Elle a trois filles : encore des femmes. Et l'une des personnes chargées de veiller sur elles est une femme.

— Même chez les dieux, il y a à peu près cinquante pour cent d'hommes et cinquante pour cent de femmes, objecta Dana.

— Attends, laisse-moi finir. Les âmes des filles sont volées et enfermées par un homme, et il est dit que trois mortelles, trois femmes mortelles, doivent trouver les clés pour les libérer.

— Désolée, Zoé, mais je ne te suis pas. Tout ça, nous le savons déjà, remarqua Malory en prenant machinalement un grain de raisin.

— Je continue quand même. Les dieux, dans la tradition celte, sont plus proches des mortels que les dieux grecs ou romains, par exemple. Ils ressemblent davantage à des sorciers et des magiciens qu'à… quel est le terme ? … des êtres omniscients. C'est bien ça ? demanda-t-elle à Dana.

— Oui.

— Ils sont reliés à la terre, à la nature. Prenez les sorcières, par exemple. Il y a la magie noire et la magie blanche, mais les deux utilisent des forces et des éléments naturels. Et c'est là qu'intervient ma théorie.

Imaginez que nous ayons été choisies parce que nous sommes... eh bien, parce que nous sommes des sorcières?

Malory vérifia le niveau de vin dans le verre de Zoé et eut un froncement de sourcils réprobateur.

— Tu avais déjà commencé à boire avant de venir?

— Non, mais réfléchissez. Nous ressemblons aux demi-déesses. Peut-être sommes-nous, d'une façon ou d'une autre, issues de cette lignée, ou je ne sais quoi. Peut-être détenons-nous un pouvoir sans le savoir.

— La légende parle de mortelles pour retrouver les clés, lui rappela Malory.

— Les sorcières ne sont pas nécessairement immortelles. Elles possèdent simplement quelque chose de plus. Je me suis renseignée. Dans la Wicca, les sorcières traversent trois étapes. La jeune fille, la mère, la vieille femme. Et elles honorent les déesses. Elles...

— La Wicca est une nouvelle religion, Zoé.

— Mais aux racines anciennes. Et trois, c'est un chiffre magique. Nous sommes trois.

— Il me semble que je le saurais, si j'étais une sorcière, fit Malory en sirotant une gorgée de vin. Et si cela m'a échappé pendant presque trente ans, que suis-je censée en faire maintenant? Conjurer quelque chose? Jeter un sort?

— Transformer Jordan en cul de cheval. Pardon, fit Dana devant les yeux écarquillés de Malory. Je rêvais éveillée.

— Nous pourrions essayer, reprit Zoé. Ensemble. J'ai acheté certains accessoires.

Elle se leva d'un bond et ouvrit son sac.

— Des bougies rituelles. De l'encens. Du sel de table.

— Du sel de table?

Malory prit le petit flacon de sel et l'examina d'un œil perplexe.

— Ça permet de tracer un cercle protecteur pour éloigner les mauvais esprits, expliqua Zoé. J'ai aussi des baguettes de frêne. Enfin, des baguettes bricolées. En fait, j'ai acheté une batte de base-ball que j'ai découpée pour les fabriquer.

Dana s'esclaffa.

— Tu parles d'une sorcière! s'exclama-t-elle en prenant une baguette et en l'agitant dans les airs. Dis, ma sorcière bien-aimée, est-ce que ça ne devrait pas éparpiller une poudre magique?

— Reprends du vin, ordonna Zoé, avant de poursuivre: J'ai également des cristaux, de l'améthyste et du quartz rose. Et cette boule magique, fit-elle en brandissant un globe en cristal.

— Où as-tu trouvé toutes ces merveilles? s'étonna Malory.

— Dans la boutique *new age* de la galerie commerciale. Des cartes de tarot. Celtes, ça m'a paru de circonstance. Et…

— Un oui-ja! s'écria Dana. Ça alors, je n'en avais pas vu depuis mon enfance.

— Je l'ai trouvé au magasin de jouets. Ils n'en vendent pas, à la boutique *new age*.

— Un jour, quand j'étais petite, on a organisé une soirée pyjama entre filles. On s'est shootées au Pepsi et aux bonbons et on a allumé des bougies. On a toutes demandé le nom de celui qu'on épouserait. Moi, j'ai eu Ptzbah.

Dana poussa un soupir sentimental.

— C'était génial. Si on commençait par le oui-ja? En souvenir du bon vieux temps.

— D'accord, mais faisons les choses correctement. Il faut prendre ça au sérieux.

Zoé se leva, éteignit les lumières et coupa la musique.

— Je me demande si Ptzbah est encore là, murmura Dana en ouvrant la boîte.

— Attends. Préparons d'abord le cérémonial. J'ai un manuel.

Elles s'assirent en cercle par terre.

— Nous devons en premier lieu vider nos esprits, annonça Zoé. Visualiser l'ouverture de nos chakras.

— Je n'ouvre jamais mes chakras en public, fit Dana en pouffant.

Elle gloussa jusqu'à ce que Malory lui donne une tape sur le genou.

— Allumons les bougies rituelles. Les blanches pour la pureté. Les jaunes pour la mémoire. Les violettes pour la puissance.

Zoé se mordit la lèvre en enflammant précautionneusement les mèches.

— Placez les cristaux. L'améthyste pour… Zut.

Elle reprit son livre, tourna des pages.

— Ah, l'améthyste pour l'intuition. Et l'encens. Le quartz rose pour le pouvoir psychique et la divination.

— C'est joli, commenta Malory. Apaisant.

Zoé posa la planchette de oui-ja entre elles et plaça la flèche au centre.

— Et maintenant, concentrez votre esprit et votre énergie sur une seule question.

— Ça peut concerner l'amour de ma vie ? Je rêve de Ptzbah.

— Dana, gronda Zoé en réprimant son envie de rire. Ce n'est pas de la rigolade, le spiritisme. Nous voulons connaître l'emplacement de la première clé. C'est à Malory de poser la question, mais nous devons y réfléchir aussi, toi et moi.

— On devrait peut-être fermer les yeux, suggéra Malory en frottant ses doigts sur son pantalon et en inspirant profondément. Vous êtes prêtes ?

Elles posèrent les doigts sur la flèche et gardèrent le silence.

— Faut-il s'adresser à l'autre monde ou quelque chose comme ça ? chuchota Malory. Présenter nos respects, demander des conseils ?

Zoé souleva une paupière.

— Tu pourrais essayer de t'adresser à ceux qui sont de l'autre côté du Rideau des rêves.

— Bon, j'y vais. Ne faites pas de bruit, restons bien calmes. Concentrons-nous.

Malory attendit en silence dix secondes, puis déclara :

— J'appelle les esprits qui se trouvent derrière le Rideau des rêves, afin qu'ils m'aident et me guident dans ma… hum… ma quête.

— Dis-leur que tu es l'une des élues, chuchota Zoé.

— Chut, fit Dana.

— Je suis l'une des élues, je cherche la première clé. Le temps presse. Je vous prie de me montrer le chemin qui mène à la clé, afin que je puisse libérer les âmes de… Dana, arrête de pousser la flèche.

— Je ne la pousse pas. Je te le jure.

La bouche sèche, Malory ouvrit les yeux et regarda la flèche frémir sous leurs doigts.

— Les bougies, murmura Zoé. Mon Dieu, regardez les bougies.

Les flammes se dressaient, trio doré frangé de rouge. Un brusque courant d'air froid dans le salon les fit danser.

— C'est dingue ! s'exclama Dana. Complètement dingue !

— Elle bouge.

Sous ses doigts tremblants, Malory sentait remuer la flèche. Un froid glacial l'envahit, et le sang rugit dans sa tête tandis qu'elle la regardait glisser d'une lettre à l'autre et former ces mots : « Ta mort. »

Son cri était encore étranglé dans sa gorge lorsque la pièce fut soudain inondée de lumière et balayée par une bourrasque. Elle entendit crier et leva le bras pour se

protéger le visage, tandis qu'une silhouette se matériali-
sait dans un tourbillon d'air.

La planchette de oui-ja se fracassa comme du verre.

— À quoi jouez-vous ?

Rowena se dressait au milieu d'elles, le talon de sa
chaussure enfoncé dans un éclat de bois.

— Vous avez donc perdu tout bon sens pour ouvrir
la porte à des choses que vous ne pouvez pas comprendre et contre lesquelles vous ne savez pas vous
défendre ?

Elle poussa un soupir ennuyé et s'écarta avec grâce du
cercle, puis ramassa la bouteille de vin.

— J'aimerais un verre, s'il vous plaît.

— Comment êtes-vous arrivée ici ? Comment saviez-
vous ce que nous faisions ?

Malory se releva, les jambes en coton.

— Vous avez de la chance que je sois venue.

Rowena prit le sel et retourna le flacon sur les débris
de la planchette.

— Balayez le tout, ordonna-t-elle à Zoé. Puis brûlez-
le. J'apprécierais beaucoup un verre de vin.

Elle tendit la bouteille à Malory et s'assit sur le
canapé.

Indignée, Malory se rendit dans la cuisine à grandes
enjambées et sortit brusquement un verre du placard.
Elle revint et le fourra dans la main de Rowena.

— Je ne vous ai pas invitée chez moi.

— Bien au contraire, vous m'y avez invitée, moi et
tous ceux qui auraient pu décider de participer à la
séance.

— Alors, nous sommes des sorcières... murmura Zoé,
captivée.

L'expression de Rowena changea.

— Non, pas comme vous l'entendez.

Elle s'adressait à la jeune femme comme un professeur patient à une étudiante avide de savoir.

— Bien que toute femme recèle sa propre magie. Néanmoins, ensemble, vos pouvoirs sont multipliés par trois, et vous avez eu juste ce qu'il faut de ressources et de désir pour formuler une invitation. Je ne suis pas la seule à y avoir répondu, ajouta-t-elle en se tournant vers Malory. Vous avez perçu sa présence, n'est-ce pas ?

— Kane.

Malory frissonna à l'évocation du froid qui s'était insinué dans tout son corps.

— C'est lui qui a déplacé la flèche, pas nous. Il se moquait de nous.

— Il a menacé Malory, dit Zoé en bondissant sur ses pieds, son excitation retombée. Que comptez-vous faire pour l'empêcher de nuire ?

— Tout mon possible.

— Ce ne sera peut-être pas suffisant, intervint Dana en prenant la main de Malory. Je t'ai entendue crier, tout à l'heure. J'ai vu ton visage. Tu as éprouvé une chose que ni Zoé ni moi n'avons ressentie. C'était une vraie terreur. Une authentique douleur.

— C'était le froid. C'était… Je ne peux le décrire.

— L'absence de toute chaleur, murmura Rowena, de tout espoir, de toute vie. Mais Kane ne peut vous toucher que si vous l'y autorisez.

— L'y autoriser ? Mais comment a-t-elle…

Zoé s'interrompit et contempla la planchette brisée à ses pieds.

— Mon Dieu, je suis désolée. Mal, je suis vraiment désolée.

— Ce n'est pas ta faute. Pas du tout.

Malory prit la main de Zoé, et pendant un moment, elles furent réunies toutes les trois. En les voyant ainsi liées, Rowena sourit, le nez dans son verre.

— Nous cherchions des réponses, et tu as eu une idée. De mon côté, cela faisait plusieurs jours que je tournais en rond. Nous avons tenté quelque chose. Sans doute

288

n'était-ce pas le bon procédé, ajouta Malory en se tournant vers Rowena, mais cela ne vous donne pas le droit de nous critiquer ainsi.

— Vous avez absolument raison, et je m'en excuse.

Rowena se pencha pour étaler du brie sur un cracker, puis tapota la table sur laquelle était posé le tarot.

— Cela ne vous nuira en rien. Il est possible que vous acquériez de bonnes connaissances pour lire dans les cartes, voire un don.

— Vous… commença Zoé. Si vous n'étiez pas arrivée au moment où…

— C'est mon devoir, et mon souhait, de vous préserver du mal. Dans la mesure où je le peux. Je vais partir, à présent, vous laisser à votre soirée.

Rowena se leva et promena son regard autour d'elle.

— Vous avez un bel appartement, Malory. Il vous va bien.

Malory se sentit soudain ingrate et puérile, et elle proposa :

— Vous ne voulez pas rester un peu ? Terminer votre vin ?

Surprise, Rowena répondit :

— C'est très gentil à vous. J'accepte avec plaisir. Cela fait bien longtemps que je n'ai pas passé un peu de temps en compagnie d'autres femmes. Cela me manque.

Ce n'était même pas étrange, passé le premier instant de malaise, songea Malory, de partager un verre de vin chez elle avec une femme qui vivait depuis des milliers d'années.

Et il devint évident, au moment d'entamer les truffes, que les femmes, déesses ou mortelles, étaient les mêmes.

— Je ne m'occupe guère de mes cheveux, commenta Rowena quand Zoé lui fit un élégant chignon. La coiffure n'étant pas un de mes talents, j'ai tendance à les laisser sur les épaules. Il m'est arrivé de les couper, et je l'ai toujours regretté.

— Tout le monde ne peut pas avoir une coiffure toute simple comme vous et garder un air royal.

Rowena s'examina dans le miroir à main pendant que Zoé s'affairait derrière elle, puis elle pencha le miroir pour observer sa coiffeuse.

— J'adorerais avoir vos cheveux. Ils sont magnifiques.

— Ne pourriez-vous pas avoir les mêmes ? Après tout, si vous vouliez ressembler à telle ou telle personne, ne vous suffirait-il pas tout simplement…

Zoé claqua des doigts, et Rowena rit.

— Non. Ce n'est pas mon don.

— Et Pitte ? demanda Dana. Que sait-il faire, lui ?

— C'est un guerrier, pétri d'orgueil, d'arrogance et de volonté. Il est exaspérant et excitant.

Elle abaissa le miroir.

— Zoé, vous êtes une artiste.

— Bah, j'aime bien jouer avec les cheveux.

Elle se plaça devant Rowena et laissa retomber quelques mèches pour encadrer son visage.

— Sexy, saisissant, féminin. C'est l'air que vous dégagez, quelle que soit votre coiffure.

— Pardonnez-moi, mais je ne peux résister à l'envie de vous poser la question : qu'est-ce que cela fait d'être avec le même homme pendant… enfin, toute la vie, pourrait-on dire ? demanda Dana.

— Je n'en veux pas d'autre que lui.

— Allons, allons… Vous n'avez jamais trahi Pitte ?

— Oh, j'avoue qu'il m'est arrivé de fantasmer. Mais je ne l'ai jamais trompé. C'est l'homme de ma vie, dit simplement Rowena. Nous sommes liés l'un à l'autre, cœur, corps et âme. Il y a de la magie là-dedans, plus puissante que n'importe quel sortilège, plus redoutable que n'importe quelle malédiction.

Elle posa la main sur celle de Zoé.

— Vous avez aimé un garçon, et il vous a donné un fils. Pour cette raison, vous l'aimerez toujours, même s'il a été faible et vous a trahie.

— Simon est mon univers.

— Et vous en avez fait un univers de lumière et d'amour. Comme je vous envie votre enfant ! Quant à vous, dit-elle en se levant et en passant la main dans les cheveux de Dana, celui que vous avez aimé n'était plus un garçon, mais pas encore un homme. Pour cette raison, vous ne lui avez jamais pardonné.

— Pourquoi le ferais-je ?

— C'est une question que vous devez vous poser.

— Et moi ? demanda Malory.

Rowena s'assit sur l'accoudoir du canapé et lui toucha l'épaule.

— Vous aimez cet homme si soudainement et si éperdument que cela vous fait douter de votre propre cœur. Voilà pourquoi vous ne pouvez croire en lui.

— Comment puis-je croire en ce qui n'a pas de sens ?

— Tant que vous vous poserez la question, vous ne connaîtrez pas la réponse.

Elle se pencha et embrassa le front de Malory.

— Merci de m'avoir accueillie chez vous ce soir. Tenez, prenez ceci.

Elle tendit à Malory une pierre bleu pâle.

— Qu'est-ce que c'est ?

— Une petite amulette. Mettez-la sous votre oreiller ce soir. Vous dormirez bien. Je dois m'en aller, à présent.

Elle leur sourit, se leva et se dirigea vers la porte.

— Je me demande comment Pitte va trouver ma nouvelle coiffure, ajouta-t-elle en portant une main à ses cheveux. Bonne nuit.

Sur ce, elle ouvrit la porte et disparut dans la nuit.

Zoé resta pétrifiée trois secondes, puis elle courut vers la porte et plaqua son visage contre la vitre.

— Mince alors ! J'ai cru qu'elle allait partir en fumée, mais elle s'en va à pied, comme une personne normale.

— Elle a l'air plutôt normale, fit remarquer Dana. Pour une déesse qui a des milliards d'heures de vol.

— Mais elle est si triste !

Malory fit tourner la pierre bleue dans sa main.

— Derrière sa sophistication et sa désinvolture, on sent une terrible tristesse. Elle était sincère en disant qu'elle t'enviait Simon, Zoé.

— C'est bizarre, tout de même, fit Zoé en revenant vers les deux autres. Elle habite dans cette grande maison, avec tous ces objets somptueux…

Elle prit une brosse et un peigne, se campa derrière le canapé et entreprit de brosser les cheveux de Dana.

— Elle est ravissante, intelligente, riche, et elle a un homme qu'elle aime. Elle a voyagé et peint des tableaux extraordinaires.

Après avoir séparé plusieurs mèches sur la tête de Dana, elle se mit à lui tresser les cheveux.

— Et pourtant, elle envie une fille comme moi parce que j'ai un enfant. Croyez-vous qu'elle soit stérile ? Je n'ai pas osé lui poser la question, c'est tellement intime. Mais ça me laisse perplexe.

— Peut-être que Pitte ne veut pas d'enfants, suggéra Dana. Qu'est-ce que tu fabriques là-derrière, Zoé ?

— Je te fais une nouvelle coiffure. Je t'ajoute des minitresses. Ça devrait te donner un air jeune et branché. Et toi ?

— Et moi quoi ?

— Tu veux des enfants ?

Dana prit une poignée de pop-corn et réfléchit.

— Oui. J'aimerais bien en avoir deux. Si, d'ici à quelques années, je n'ai pas trouvé quelqu'un que je puisse supporter à long terme, je les ferai toute seule. En m'accouplant avec la science médicale.

— Tu ferais ça ? s'étonna Malory en piochant dans le

saladier. Élever un enfant toute seule ? Je veux dire, délibérément, ajouta-t-elle en regardant Zoé. Tu me comprends.

— Bien sûr que je le ferais, répondit Dana. Pourquoi pas ? Je suis en bonne santé, et je crois que je serais une bonne mère. J'ai plein de choses à apporter à un enfant. Il faudrait d'abord que je consolide ma situation financière, mais si je ne vois pas de bonhomme dans mon horizon personnel vers trente-cinq ans, je le ferai.

— Pas très romantique, commenta Malory.

— Possible, mais il faut envisager la démarche dans une perspective générale. Si l'on désire quelque chose profondément, rien ne doit nous empêcher de l'avoir.

Malory songea à son rêve, à l'enfant qu'elle avait tenu dans ses bras, à la lumière qui avait comblé son cœur, son univers.

— Même si l'on désire une chose ardemment, il y a des limites.

— Si tu le dis, fit Dana en haussant les épaules. Et toi, Zoé ? Si tu pouvais revenir en arrière, referais-tu le même chemin ? Ton parcours de mère, je veux dire.

— Je ne crois pas que je recommencerais tout. C'est dur. Ne pas pouvoir partager les soucis, les responsabilités... Mais le plus difficile, c'est de n'avoir personne qui ressente la même chose que toi vis-à-vis de l'enfant. Personne avec qui partager cette fierté, cet amour et ce... cet éblouissement.

— As-tu eu peur ? demanda Malory.

— Oui. Oh, oui. Et j'ai encore peur, parfois. Tu veux des bébés, toi, Mal ?

— Oui.

Elle frotta doucement la pierre entre ses doigts.

— Plus que je ne le croyais.

À 3 heures du matin, Dana et Zoé dormaient dans le lit de Malory, qui rangeait le salon, trop agitée pour se coucher dans le canapé. Trop de pensées, trop d'images voletaient dans son esprit.

Elle examina une fois encore la petite pierre bleue. Peut-être le charme opérerait-il ? Elle avait accepté des choses plus bizarres que de mettre un caillou sous son oreiller pour guérir son insomnie.

À moins que… à moins qu'elle n'ait rien accepté du tout, en réalité. Pas sincèrement, pas complètement.

Elle prétendait aimer Flynn et, pourtant, elle préservait bien à l'abri une petite partie d'elle-même et attendait que ce sentiment passe… tout en étant agacée et vexée qu'il ne tombe pas amoureux d'elle pour qu'ils soient sur un pied d'égalité.

« Chaque chose à sa place, hein, Malory ? songea-t-elle. Et une place pour chaque chose. Et si cela ne s'emboîte pas bien, à l'autre de changer. »

Elle poussa un soupir et se laissa tomber sur le canapé. Elle avait couru comme un diable après une carrière artistique parce que, même si elle savait que le destin ne lui avait pas donné le génie, elle ne pouvait admettre que toutes ces années d'études et de travail n'aient servi à rien.

Elle était restée à La Galerie parce que c'était confortable, raisonnable et pratique. Et sans l'arrivée de Pamela, elle y serait encore.

Quant à la maison que Zoé, Dana et elle achetaient ensemble, c'était elle qui avait le plus traîné les pieds, au début. Et combien de fois avait-elle remis en question sa décision, depuis ? Elle n'était même pas retournée à la maison pour faire des projets, n'avait même pas essayé de contacter des artistes ou des artisans pour sa future galerie.

En réalité, elle faisait tout pour ne pas s'engager.

Sa quête de la clé lui servait d'excuse pour ne pas entreprendre ces démarches. Oh, elle cherchait la clé, certes, elle y consacrait toute son énergie. Car s'il y avait une chose que Malory prenait au sérieux, c'étaient ses responsabilités.

Mais à présent, à 3 heures du matin, il était temps qu'elle reconnaisse un fait indéniable : sa vie avait beau avoir changé de mille façons étranges et fascinantes en l'espace de trois semaines, elle-même n'avait pas changé.

Elle mit la pierre sous son oreiller.

— Il me reste encore du temps, murmura-t-elle en s'allongeant et en fermant les yeux.

18

Quand elle se réveilla, l'appartement était silencieux. Elle resta un moment immobile, à étudier le rayon de soleil qui s'immisçait dans le salon à travers la fente des rideaux.

« C'est le matin », songea-t-elle. Elle ne se rappelait pas s'être endormie. Mieux, beaucoup mieux, elle ne se rappelait pas avoir cherché le sommeil.

Lentement, elle glissa la main sous son oreiller. Puis elle fronça les sourcils et s'assit pour le soulever. La pierre avait disparu. Elle la chercha dans les coussins, par terre, sous le canapé, avant de se rasseoir, perplexe.

Les pierres ne se volatilisaient pas comme cela.

Ou peut-être que si. Peut-être disparaissaient-elles une fois leur mission accomplie. Elle avait dormi d'une traite et se sentait en pleine forme, comme si elle revenait de longues et reposantes vacances.

— Merci, Rowena.

Elle s'étira, inspira profondément et sentit l'odeur de café.

À moins que le cadeau de Rowena n'inclût aussi le café du matin, quelqu'un d'autre était debout.

Le gâteau de Zoé était posé sur le plan de travail dans un joli plat, protégé par du film plastique. À côté se trouvaient la cafetière aux trois quarts pleine et le journal du jour bien plié.

Malory prit le mot coincé sous le plat et lut le message de Zoé, dont l'écriture était hérissée de majuscules.

Salut ! J'ai dû partir, j'avais une réunion parents-professeurs à 10 heures.

10 heures, songea Malory. Elle jeta un coup d'œil distrait à la pendule de la cuisine et constata avec stupeur qu'il était 11 heures.

— C'est impossible !

Je ne voulais pas vous réveiller, j'ai essayé de ne pas faire de bruit.

— Tu te déplaces comme un fantôme, ma parole, dit Malory à voix haute.

Dana doit être au travail à 14 heures. À tout hasard, j'ai réglé le réveil de la chambre sur midi pour qu'elle ait le temps d'émerger tranquillement.

J'ai passé une soirée fabuleuse. Je voulais juste vous dire, à toutes les deux, que quoi qu'il arrive je suis contente de vous avoir rencontrées. Je suis réellement heureuse que vous soyez mes amies.

La prochaine fois, on pourra peut-être se retrouver chez moi.
Baisers,

Zoé

« C'est la journée de tous les cadeaux », songea Malory, le sourire aux lèvres. Elle posa le mot en évidence pour Dana, se coupa une tranche de gâteau et se servit du café. Elle mit le tout sur un plateau avec le *Dispatch* et un verre de jus d'orange et l'emporta dans le patio.

L'automne amorçait subtilement son retour. Malory avait toujours aimé la discrète odeur de fumée qui arrivait avec cette saison, lorsqu'on commençait à deviner les teintes éclatantes qui empourpreraient les feuillages.

Elle avait pris du retard dans ses plantations, songeat-elle. Il était temps qu'elle aille chercher des chrysanthèmes en pot, ainsi que des citrouilles et des calebasses pour les fêtes.

Elle but son café à petites gorgées en survolant la une. Lire le *Dispatch* était une expérience totalement différente depuis qu'elle connaissait Flynn. Elle était émerveillée par la façon dont il jonglait avec les articles, les publicités, les photos, les polices de caractère, pour en faire un tout cohérent.

Elle grignota son petit déjeuner en parcourant le journal, puis sentit son cœur manquer un battement lorsqu'elle atteignit la chronique de Flynn, chapeautée par une photo de ce dernier.

Curieux, non, qu'elle l'ait toujours vue, semaine après semaine, sans vraiment y prêter attention ? Que pensait-elle, alors ? Beau gosse, beaux yeux, sans doute. Elle lisait sa chronique, était d'accord avec lui ou non. Elle n'avait jamais songé au travail et aux efforts que cela lui demandait, aux motivations qui le poussaient à s'intéresser à tel ou tel sujet.

Maintenant qu'elle le connaissait, maintenant qu'elle entendait sa voix prononcer les mots qu'elle lisait, c'était différent. Elle imaginait son visage et ses expressions, se plaisait à découvrir les rouages de son esprit souple.

« Qu'est-ce qui définit l'artiste ? » lut-elle.

Quand elle eut terminé la chronique, elle était de nouveau tombée amoureuse de lui.

Perché sur un coin de bureau, Flynn écoutait un de ses journalistes lui présenter une idée d'article sur un habitant de la commune qui collectionnait les clowns.

— Il en possède plus de cinq mille, tu te rends compte ?

Flynn hocha la tête. L'idée de cinq mille clowns réunis au même endroit et en même temps avait quelque chose de terrifiant. Il les imagina qui formaient une petite armée et livraient bataille avec des battes de base-ball en caoutchouc. Tous ces gros nez rouges, ces rires déments, ces immenses sourires effrayants…

— Pourquoi ?

— Hum ?

— Pourquoi a-t-il cinq mille clowns ?

— Ah.

Tim se balança en arrière sur sa chaise.

— Eh bien, son père a commencé la collection dans les années trente. C'est un truc de famille, disons. Mon bonhomme s'est mis à en collectionner quelques-uns aussi, dans les années soixante, et à la mort de son père il a hérité de tout. Certains de ses articles mériteraient d'être exposés dans un musée. Ces trucs-là, ça se vend une fortune sur eBay.

— OK. Fais-moi un sujet. Emmène un photographe. Je veux un cliché de la collection au complet avec le type au milieu, ainsi qu'un autre de deux ou trois pièces importantes, toujours avec lui. Qu'il te raconte l'origine de ses plus belles pièces ou quelques anecdotes. Fais jouer la relation père-fils, mais viens-en au nombre et demande-lui de te donner une fourchette de prix, du plus bas au plus élevé. Ça pourrait sortir dans le supplément du week-end.

— D'accord.

Flynn leva la tête et vit Malory debout entre les bureaux de la salle de rédaction, un pot géant de chrysanthèmes dans les bras. L'éclat de ses yeux lui donna l'impression que le reste de la salle était soudain complètement terne.

— Salut. Tu fais du jardinage ?

— Si on veut. Je te dérange ?

— Non, viens dans mon bureau. Qu'est-ce que tu penses des clowns ?

— Je déteste les clowns peints sur du velours noir.

— Bien vu. Tim ? appela-t-il. Si tu trouves des portraits de clowns sur du velours noir, prends des photos. Du sublime au ridicule. Ça peut être intéressant.

Une fois dans le bureau de Flynn, Malory posa le pot de fleurs sur le rebord de la fenêtre.

— Je voulais te…

— Attends.

Il leva un doigt, tout en se branchant sur sa radio reliée à la fréquence de la police.

— N'oublie pas ce que tu allais me dire, dit-il en passant la tête par la porte. Shelly, il y a un AR à un kilomètre de Crescent. La police et les secours y vont. Préviens Mark.

— AR ? répéta Malory quand il se tourna de nouveau vers elle.

— Accident de la route.

— Oh. Justement, ce matin, je me disais que ça ne devait pas être facile de tout combiner pour sortir le journal chaque jour…

Elle se pencha pour caresser Moe, qui ronflait.

— … tout en parvenant à avoir une vie privée, ajouta-t-elle.

— Si l'on peut dire.

— En tout cas, ta vie est épanouissante. Tu as des amis, de la famille, un travail qui te satisfait, une maison, un chien idiot. Je t'admire, dit-elle en se redressant.

— Hou, là là. Tu as dû passer une très bonne soirée, hier.

— Oui. Je te raconterai, mais je ne veux pas… me disperser.

Elle enjamba le chien, posa les mains sur les épaules de Flynn et l'embrassa longuement, avec fougue.

— Merci, dit-elle.

— De quoi ? demanda Flynn, la voix un peu rauque après ce baiser. Si tu es si reconnaissante, tu devrais me remercier encore.

— D'accord.

Cette fois, elle noua les mains derrière sa nuque et lui donna un baiser dans lequel elle mit toute sa passion, tout son amour.

Dans la salle de rédaction, une salve d'applaudissements retentit.

— Mon Dieu, il faut que j'installe des stores dans ce bureau.

Il alla fermer la porte, afin de créer un semblant d'intimité.

— Ça ne me dérange pas d'être le héros, mais tu devrais peut-être me dire quel dragon j'ai terrassé.

— J'ai lu ta chronique ce matin.

— Ah ? En général, quand ça leur plaît, les gens se contentent d'un « beau travail, Hennessy ». Je préfère ta formule.

— « Ce n'est pas seulement l'artiste qui tient le pinceau qui peint le tableau, cita-t-elle. Ce sont également ceux qui le regardent et y voient pouvoir et beauté, force et passion. Eux aussi donnent vie et couleur au coup de pinceau. » Merci.

— Il n'y a pas de quoi.

— Chaque fois que je commencerai à m'apitoyer sur mon sort parce que je n'habite pas à Paris et que je ne fais pas la pluie et le beau temps dans le domaine artistique, je relirai ton article et je me remémorerai ce que je possède. Ce que je suis.

— Ce que tu es ? Je te trouve extraordinaire.

— Aujourd'hui, moi aussi. Je ne m'étais pas sentie aussi en forme au réveil depuis des jours. C'est fou ce que ça fait du bien, une bonne nuit de sommeil. Ou une pierre bleue sous l'oreiller.

— Pardon ?

— Ce n'est rien, juste un petit cadeau que m'a fait Rowena. Elle est venue se joindre à nous, hier soir. Elle est arrivée à point nommé, d'ailleurs. Nous étions en train de nous servir d'une planche de oui-ja, toutes les trois.

— Non ?

— Si. Zoé a émis l'hypothèse que nous étions des sorcières qui s'ignoraient. Ce qui expliquerait pourquoi nous avons été choisies. Et… ça paraissait plausible, hier soir. Quoi qu'il en soit, c'était assez fou. Les flammes des bougies se sont élevées, une rafale de vent froid a soufflé. C'était Kane. Rowena nous a expliqué que nous avions ouvert une porte. Que nous l'avions invité, en somme.

— Bon sang, Malory ! Mais vous êtes complètement folles de jouer avec… avec des forces mystiques ! Il t'a déjà donné un avertissement. Ça aurait pu très mal tourner pour vous.

Il avait un tel visage, songea-t-elle. Un visage si formidable. Capable de passer de l'intérêt à l'amusement, puis à la colère, en une fraction de seconde.

— Rowena nous l'a clairement fait comprendre hier soir. Inutile de me le reprocher encore maintenant.

— Je n'ai pas eu l'occasion de te le reprocher plus tôt.

— C'est vrai.

Elle émit un grognement de protestation quand Moe, réveillé par la voix de Flynn, essaya de lui sauter dans les bras.

— Tu as parfaitement raison, nous n'aurions jamais dû jouer avec des forces que nous ne comprenons pas. Je le regrette, tu peux me croire, et n'ai aucune intention de réitérer l'expérience.

Flynn passa brièvement la main dans les cheveux de Malory.

— J'essaie d'amorcer une dispute. Tu pourrais au moins coopérer.

— Je suis trop heureuse aujourd'hui pour me disputer avec toi. Prenons date pour la semaine prochaine, d'accord ? Et puis, j'étais juste passée t'apporter les fleurs. Je ne veux pas t'interrompre trop longtemps dans ton travail.

Il jeta un coup d'œil aux chrysanthèmes. C'était la deuxième fois que Malory lui offrait des fleurs.

— En effet, je te trouve bien guillerette.

— J'ai toutes les raisons de l'être, non ? Je suis amoureuse, j'ai pris ce que je pense être de très bonnes décisions...

— Quelles décisions ? demanda-t-il en voyant une expression distraite se peindre sur son visage.

— C'est une question de choix, marmonna-t-elle. De moments de vérité. Pourquoi n'y ai-je pas songé plus tôt ? Peut-être s'agissait-il de ta maison, mais dans mon rêve, ma perception de la perfection l'a transformée, s'est arrangée pour que tout colle, en a fait plus ma maison que la tienne. À moins que cela n'ait rien à voir. Et qu'il s'agisse uniquement de toi.

— Mais de quoi parles-tu ?

— De la clé. Il faut que je fouille ta maison. Ça te pose un problème ?

— Euh...

Soudain impatiente, elle écarta son hésitation d'un geste.

— Écoute, si tu as quoi que ce soit de personnel ou de gênant dans un coin, comme des catalogues de cosmétiques ou des gadgets sexuels originaux, je te laisse les retirer. Ou je te promets de ne pas y prêter attention.

— Ces choses-là sont toutes soigneusement enfermées dans le coffre-fort. Je suis au regret de ne pouvoir t'en donner la combinaison.

Elle s'approcha de lui et fit remonter ses mains sur sa poitrine.

— Je sais que je te demande beaucoup. Je n'aimerais pas que quelqu'un fouille ma maison en mon absence.

303

— Il n'y a pas grand-chose de passionnant chez moi, tu sais. Mais je ne veux pas qu'ensuite tu exiges que j'achète de nouveaux sous-vêtements ou que tu te plaignes de mes serpillières.

— Je ne suis pas ta mère. Tu peux prévenir Jordan que j'arrive ?

— Il est parti je ne sais où, aujourd'hui.

Flynn sortit ses clés de sa poche.

— Tu seras encore là à mon retour ?

— Je peux faire en sorte d'être encore là.

— Bonne idée. Alors, j'appellerai Jordan pour lui demander de ne pas rentrer. Il pourra dormir chez Brad, ce soir, et je t'aurai pour moi tout seul.

Elle prit les clés et l'embrassa brièvement sur la bouche.

— J'ai hâte que tu m'aies pour toi tout seul...

L'étincelle coquine dans les yeux de Malory le fit sourire d'une oreille à l'autre pendant une heure après son départ.

Malory grimpa les marches du perron. Elle allait procéder à une fouille systématique, lente et minutieuse, décida-t-elle.

Elle aurait dû y penser plus tôt. Cela crevait les yeux.

Les tableaux exprimaient des périodes de changement, des tournants du destin. Or sa vie avait incontestablement changé depuis qu'elle était tombée amoureuse de Flynn. Quant à sa maison, cette maison, n'avait-il pas dit qu'il l'avait achetée lorsqu'il avait accepté sa destinée ? se dit-elle en y entrant.

Chercher à l'intérieur et au-dehors, se répéta-t-elle en restant debout dans l'entrée, afin de se laisser pénétrer par l'atmosphère de la maison. Ici et dans le jardin ?

Ou était-ce plus métaphorique, à savoir qu'elle avait commencé à voir en elle alors qu'elle se trouvait dans cette maison ?

Lumière et ombres. La maison en regorgeait.

Elle songea avec soulagement que l'ameublement spartiate de Flynn allait faciliter ses recherches.

Elle commença par le salon. Elle chercha sous les coussins du canapé, y trouva quatre-vingt-neuf *cents* en petite monnaie, un briquet Bic, une édition de poche d'un roman de Robert Parker et des miettes de cookies.

Incapable de s'en empêcher, elle sortit l'aspirateur et un chiffon à poussière et entreprit de faire le ménage à mesure qu'elle se déplaçait dans la maison. Ce programme deux en un l'occupa à la cuisine pendant plus d'une heure. Lorsqu'elle eut fini, elle transpirait et la cuisine étincelait, mais elle n'avait rien déniché qui ressemblât à une clé.

Elle passa à l'étage. Son rêve avait commencé et s'était terminé au premier étage, se rappela-t-elle. Peut-être cela signifiait-il quelque chose.

Elle tomba immédiatement sous le charme du bureau de Flynn. Il n'était pas bien rangé, était poussiéreux et renfermait assez de poils de chien dans les coins pour tricoter une couverture afghane. Mais les murs étaient lumineux, le bureau magnifique, et les photos encadrées montraient un intérêt pour l'art qu'elle n'avait pas soupçonné chez lui.

— Tu as tellement de facettes merveilleuses... murmura-t-elle en passant un doigt sur le bureau, impressionnée par la pile de dossiers, amusée par les figurines.

C'était un bel espace pour travailler et réfléchir, se dit-elle. Il se fichait de l'état de sa cuisine ou de sa salle de bains, son canapé n'était qu'un lieu où dormir ou bouquiner, mais il prenait soin de son environnement dès lors que ce qu'il y faisait comptait pour lui.

Beauté, vérité, courage. On lui avait dit qu'elle aurait besoin des trois. Dans son rêve, il y avait eu la beauté, représentée par l'amour, la maison, l'art. Puis la conscience que c'était une illusion. Et enfin, le courage de fracasser l'illusion.

L'amour forgerait-il la clé ?

Elle aimait Flynn. Elle admettait qu'elle l'aimait. Alors, où était cette fichue clé ?

Malory tourna sur elle-même, puis alla observer les cadres de plus près. Des pin-up.

Les photos dégageaient une énergie sexuelle mâtinée d'innocence. Les jambes de Betty Grable, la chevelure de Rita Hayworth, l'inoubliable visage de Marilyn Monroe…

Des femmes belles et talentueuses. Des déesses de l'écran.

Des déesses.

Les doigts tremblants, elle décrocha la première reproduction du mur.

Elle ne pouvait pas se tromper. C'était forcément là.

Pourtant, elle examina toutes les photos, puis toute la pièce, sans rien trouver.

Sans se laisser décourager, elle s'assit devant le bureau. Elle touchait au but, elle en était certaine, maintenant. Elle avait toutes les pièces du puzzle. Il lui suffisait de trouver la clé pour que tout s'emboîte.

Elle avait besoin de prendre un peu l'air pendant que tout cela mijotait dans son esprit. En attendant, elle ferait quelque chose qui ne réclamerait pas de réflexion.

Il était temps d'inverser les rôles, songea Flynn en s'arrêtant pour acheter des fleurs à Malory sur le chemin du retour. La douce morsure de l'automne imprégnait l'air, et les couleurs de la nouvelle saison commençaient déjà à empiéter sur le vert. Les collines alentour étaient teintées de roux et d'or.

Au-dessus de ces collines, ce soir-là, s'élèverait une lune pleine aux trois quarts.

Malory y pensait-elle, se demanda-t-il, et s'inquiétait-elle ?

Certainement. Une femme comme Malory ne se voilait pas la face. Pourtant, elle était heureuse, tout à l'heure, au journal. Et il avait envie que cela dure.

Il l'emmènerait dîner dehors. Peut-être à Pittsburgh. Un long trajet en voiture, un dîner chic, cela lui plairait, la distrairait.

Dès qu'il ouvrit la porte d'entrée, il comprit que quelque chose avait changé.

Cela sentait… bon.

Une fraîcheur légèrement citronnée, songea-t-il en s'approchant du salon. Légèrement épicée. Avec des tonalités féminines.

— Mal ?

— Je suis là ! À la cuisine !

Le chien le distança. Il se faisait déjà offrir un biscuit, une caresse et une ferme poussée vers le jardin lorsque son maître le rejoignit.

Flynn saliva dès qu'il entra dans la cuisine. Mais il n'aurait su dire si c'était dû au fumet qui émanait de la cuisinière ou à la femme en tablier blanc.

Seigneur, comment un tablier pouvait-il être sexy ?

— Salut. Qu'est-ce que tu fabriques ?

— Je fais la cuisine. Je sais, c'est un usage excentrique pour ce lieu, mais… Oh, des fleurs !

Ses yeux s'adoucirent, s'embuèrent presque.

— Elles sont belles.

— Toi aussi. Tu fais la cuisine, alors ?

Il écarta ses plans pour la soirée sans aucun scrupule.

— Cela aurait-il un rapport avec le dîner ?

— Possible.

Elle prit les fleurs et l'embrassa.

— J'ai décidé de t'éblouir avec mes talents culinaires et j'ai fait un saut à l'épicerie. Tu n'avais rien à manger ici.

— Des céréales. J'ai plein de céréales.

— J'ai vu cela.

Faute de vase, elle remplit d'eau une carafe en plastique dans laquelle elle mit les fleurs.

— Tu ne semblais pas non plus avoir un seul des ustensiles habituels que les gens normaux utilisent pour préparer les repas. Pas une seule cuillère en bois.

— Je ne comprends pas que l'on fabrique des cuillères avec du bois. L'homme ne doit pas avoir évolué tant que ça, s'il taille encore des outils dans des arbres.

Il prit une spatule posée sur le bar et fronça les sourcils.

— Il y a quelque chose de changé, ici.

— C'est propre.

Stupéfait, il promena son regard autour de lui.

— Mais oui, c'est propre ! Qu'est-ce que tu as fait ? Engagé une brigade d'elfes ? Ils prennent combien de l'heure ?

— Ils travaillent pour des fleurs.

Elle huma son bouquet et décida qu'il était charmant dans sa carafe en plastique.

— Tu as fait le ménage. C'est tellement… bizarre.

— Que veux-tu ? Je me suis laissé emporter.

Il lui prit la main et lui embrassa les doigts.

— Dois-je me sentir gêné ?

— Si tu ne l'es pas, moi non plus.

— Marché conclu.

Il l'attira à lui et frotta sa joue contre la sienne.

— Et tu as fait à dîner.

— J'avais besoin de me changer un peu les idées.

— Moi aussi. J'allais te sortir ma carte maîtresse « allons dîner quelque part dans un endroit chic », mais tu m'as pris de vitesse.

— Ne t'en fais pas, tu auras des tas d'occasions d'utiliser ton atout. Ranger et nettoyer m'aide à réfléchir, et il y avait justement une foule de choses à remettre en ordre, ici. Je n'ai pas trouvé la clé.

— J'avais deviné. Je suis désolé.

— Je sais que je touche au but, mais j'ai l'impression d'avoir raté une étape quelque part. Enfin, on en reparlera. Le dîner est presque prêt. Si tu nous servais un peu de vin rouge ? Ça ira bien avec le pain de viande.

— Bien sûr.

Il prit la bouteille qu'elle avait sortie, mais la reposa aussitôt.

— Un pain de viande ? Tu as fait un pain de viande ?

— Avec de la purée maison, que je suis en train de terminer, et des haricots verts. Un clin d'œil à ta chronique. J'ai supposé, étant donné l'exemple que tu as employé, que tu aimais les pains de viande.

— Je suis un garçon. Les pains de viande, c'est notre alimentation de base. Malory…

Ridiculement ému, il lui caressa la joue.

— J'aurais dû t'acheter plus de fleurs.

Elle éclata de rire et écrasa ses pommes de terre à l'eau.

— Celles-ci sont parfaites, merci. À vrai dire, c'est mon premier pain de viande. Je suis plutôt du genre à faire des pâtes ou des omelettes. Mais c'est Zoé qui m'a donné la recette. Elle m'a juré que c'était infaillible et adapté aux besoins des garçons. Elle prétend que Simon se shoote avec.

— J'essaierai de me souvenir de le mastiquer.

Il lui prit le bras pour la faire pivoter vers lui et, lentement, effleura sa mâchoire du bout des doigts. Puis il posa ses lèvres sur les siennes, doucement, tendrement.

Le cœur de Malory décrivit un saut périlleux long et paresseux. Sa spatule glissa de ses doigts ramollis, et tout en elle fondit au contact de ce baiser.

Flynn perçut ce frisson et cet abandon, cette reddition. Quand il s'écarta, le beau regard bleu de Malory était brouillé. Cette femme, réalisa-t-il, avait le pouvoir de donner à un homme l'impression d'être un dieu.

— Flynn.

Il sourit et lui embrassa le front.

— Malory.

— Je... j'ai oublié ce que je faisais.

Il se baissa pour ramasser la spatule.

— Je crois que tu écrasais des pommes de terre.

— Ah, oui. Les pommes de terre.

Toujours grisée par leur baiser, elle retourna à l'évier laver la spatule.

— C'est la chose la plus gentille qu'on ait jamais faite pour moi, déclara Flynn.

— Je t'aime, répondit-elle. Ne dis rien. Je ne veux pas qu'il y ait de malaise entre nous. J'ai énormément réfléchi à tout ça. Je sais que j'ai mis la charrue avant les bœufs dans cette histoire et que je me suis imposée à toi. Ce qui ne me ressemble pas du tout.

Elle parlait très vite, maintenant, et écrasait ses pommes de terre avec énergie.

— Malory...

— Je t'assure, ce n'est pas la peine de répondre. Cela me suffirait amplement, pour l'instant, que tu acceptes tout simplement mon amour, que, peut-être, ça te fasse un peu plaisir. Il me semble que l'amour ne doit pas être une arme, ni un poids. Ce qui fait sa beauté, c'est que c'est un cadeau, sans aucune condition. Exactement comme ce repas.

Elle sourit, malgré le trouble qu'éveillait en elle le regard de Flynn.

— Alors, si tu nous servais du vin avant qu'on se mette à table ?

— D'accord.

Ce qu'il allait dire pouvait attendre, songea Flynn. Sans doute était-ce censé attendre. Quoi qu'il en soit, les paroles qu'il avait en tête sonnaient faux comparées à la simplicité de celles de Malory.

Ils apprécieraient donc la compagnie l'un de l'autre et le dîner qu'elle avait préparé dans cette cuisine défraî-

310

chie et inconfortable, avec les fleurs dans la carafe en plastique. Ce commencement possédait des éléments de chacun d'eux – et il était intéressant de constater qu'ils se complétaient.

— Tu sais, si tu me dressais une liste de choses qui me manquent ici, je pourrais les acheter.

Elle haussa les sourcils, prit le verre qu'il lui tendait, puis sortit de la poche de son tablier un petit carnet.

— Il est déjà à moitié plein. J'avais prévu d'attendre que le dîner te mette dans de bonnes dispositions pour te le montrer.

Flynn feuilleta le carnet et constata que les articles étaient notés sous des intitulés spécifiques : alimentation, produits d'entretien, cuisine, salle de bains, buanderie.

Seigneur, cette femme était irrésistible.

— Faudra-t-il que je fasse un emprunt à la banque ?

— Vois ça comme un investissement.

Elle lui reprit le carnet, puis se concentra sur les pommes de terre.

— Au fait, j'aime beaucoup les tableaux, dans ton bureau.

— Les tableaux ? Ah, mes filles. C'est vrai, elles te plaisent ?

— Oui. Elles forment un ensemble nostalgique, élégant, sexy. C'est une très jolie pièce, ce qui, je l'admets, m'a soulagée, compte tenu du reste de la maison. Et j'ai bien cru y trouver la clé.

Elle égoutta les haricots verts et les mélangea à du basilic dans un petit saladier qu'elle lui tendit.

— Les filles. Toutes des déesses de l'écran. Déesses, clé.

— Bonne piste.

— Je l'espérais. Enfin…

Elle posa la purée sur la table, puis sortit le plat du four.

— Au moins, ça m'a permis de voir où tu travaillais. D'ailleurs, je continue à penser que je suis sur la bonne piste.

Elle s'assit et inspecta la table.

— J'espère que tu as faim.

À la première bouchée, Flynn poussa un soupir d'aise.

— Heureusement que Moe est dehors. Ce serait cruel de le tenter avec cette merveille, car il n'a aucune chance d'en avoir une miette. Mes compliments à l'artiste.

On pouvait prendre du plaisir, découvrit Malory, à regarder l'homme que l'on aimait manger ce que l'on avait préparé. Du plaisir à partager un repas sans prétention sur la table de la cuisine à la fin de la journée.

Cela ne l'avait jamais frustrée de dîner seule ou en compagnie d'une amie. Mais à présent, elle se voyait très bien partager cette heure du jour avec lui, soir après soir, année après année.

— Flynn, tu m'as dit qu'après avoir accepté l'idée que tu étais fait pour rester à Pleasant Valley, tu avais acheté cette maison. Pourquoi as-tu choisi celle-ci en particulier ?

— Son aspect général m'a plu, ses lignes, son grand jardin. Je ne sais pas pourquoi, un grand jardin, ça me donne l'impression d'avoir réussi dans la vie et d'être en sécurité.

Il réfléchit quelques secondes.

— Il va bien falloir que je refasse cette pièce tôt ou tard. Que j'achète des trucs pour tout le reste de la maison, aussi. Mais, bizarrement, je n'arrive pas à m'y mettre. Sans doute parce que je vis tout seul ici avec Moe.

Il leur resservit du vin.

— Si tu as des idées, je suis tout ouïe.

— J'ai toujours des idées, et tu ferais bien de te méfier avant de me lancer sur ce sujet. Mais ce n'était pas pour cela que je te posais la question. J'ai eu une vision pour la propriété que nous avons achetée, les filles et moi. Dès que j'ai posé le pied dans la maison, j'ai vu comment elle allait fonctionner, ce que je devais lui ajouter, ce que je pouvais lui apporter. Et depuis, je n'y suis plus retournée.

— Tu as été très occupée.

— Ce n'est pas à cause de cela. Délibérément, je n'y suis pas retournée. C'est inconcevable. En général, quand j'ai un projet, je suis pressée de tout mettre en branle, de commencer à faire des petites choses, de dresser des listes… Là, j'ai sauté le pas, j'ai signé le contrat, mais je ne suis pas passée à l'étape ultérieure.

— C'est un engagement important, Mal.

— D'habitude, me jeter dans la bataille ne me fait pas peur. Pourtant, là, ça m'a impressionnée. Mais j'y retournerai demain. Apparemment, les précédents propriétaires ont laissé des tas de choses dont ils ne voulaient plus dans le grenier. Zoé m'a demandé d'y jeter un coup d'œil avant de le débarrasser.

— Quel genre de grenier est-ce ? Un grenier sombre et angoissant, ou un grand grenier rigolo de grand-mère ?

— Aucune idée. Pour tout t'avouer, je n'y suis jamais montée. J'ai un peu honte, je ne connais que le rez-de-chaussée, ce qui est totalement absurde étant donné que je suis propriétaire d'un tiers de la maison. Ou, du moins, je le serai bientôt. Mais j'ai pris des résolutions. Tout ça va changer. Même si, je dois l'admettre, le changement, ce n'est pas mon fort.

— Tu veux que je t'accompagne ? J'aimerais bien la connaître, cette maison.

— J'espérais que tu le proposerais.

Elle tendit le bras par-dessus la table pour lui presser la main.

— Merci. Sinon, puisque tu m'as demandé des idées pour ta maison, je te suggère de commencer par la salle de séjour, qui constitue par définition l'endroit où l'on est censé séjourner, à savoir demeurer longtemps.

— J'espère que tu ne vas pas recommencer à insulter mon canapé ?

— Je ne pense pas être suffisamment inspirée pour formuler l'insulte que mérite ce canapé. Mais tu pourrais installer une vraie table basse, des lampes, un ou deux tapis pour définir l'espace, des rideaux…

— Je peux commander tout ça par correspondance ?

Elle lui décocha un regard sévère.

— Tu essaies de me faire peur, mais ça ne marche pas. Et puisque tu m'as généreusement proposé de m'aider demain, je vais te rendre service en échange : je me ferai une joie de t'aider à transformer ton séjour en pièce à vivre.

Flynn résista à la tentation de se resservir une troisième fois.

— C'était un piège ? Une ruse pour me traîner dans un magasin de meubles ?

— Absolument pas, mais ça en a pris l'air, pas vrai ? Je vais te confier deux ou trois idées pendant qu'on fait la vaisselle, tu veux ?

Elle se leva et entreprit de débarrasser la table, mais il posa la main sur la sienne pour l'arrêter.

— Allons tout de suite dans le séjour. Tu pourras me montrer ce que tu reproches à ma déco sobre et minimaliste.

— Après la vaisselle.

— Non, non, non. Maintenant.

Il commença à l'entraîner hors de la cuisine et rit en la voyant froncer les sourcils tandis qu'elle coulait un regard vers la table.

— La vaisselle sera toujours là tout à l'heure. Crois-moi. Ça ne peut pas faire de mal de modifier un tantinet l'ordre logique des choses.

— Oh, si. Bon, alors juste cinq minutes. La consultation express. Premièrement, je trouve que tu as très bien réussi les murs. C'est une pièce de belles proportions, et cette couleur soutenue la met bien en valeur, ce que tu pourrais compléter par des touches d'autres couleurs vives dans les rideaux, par exemple, et... Qu'est-ce que tu fais ? demanda-t-elle comme il commençait à déboutonner son chemisier.

— Je te déshabille.

— Hé, minute ! fit-elle en lui tapant sur les doigts. Je prends un supplément pour les consultations de décoration nue.

— Envoie-moi la facture, répondit-il avant de la soulever de terre.

— Ce n'était pas un piège, par hasard ? Une ruse pour me déshabiller et faire de moi ce que tu veux ?

— Absolument pas, mais ça en a pris l'air, pas vrai ? rétorqua-t-il en la renversant sur le canapé.

19

Il la fit rire en lui mordillant le menton, s'amusa à lutter pour la garder plaquée sous son corps tandis qu'elle se tortillait pour se libérer.

— Tu es encore meilleure que le pain de viande.

— Si tu ne trouves pas de plus beau compliment, c'est toi qui feras la vaisselle.

— Tes menaces ne m'intimident pas, affirma-t-il en faisant glisser ses doigts vers les seins de Malory. Il y a un lave-vaisselle quelque part dans cette cuisine.

— En effet. Et tu avais stocké un sac de croquettes pour chiens dedans.

— Ah, je les cherchais partout, murmura-t-il en lui embrassant le lobe de l'oreille.

— Elles sont désormais dans le garde-manger, à leur place.

Elle tourna légèrement la tête, pour présenter son cou à ses lèvres.

— Tu n'es manifestement pas au courant qu'il existe des récipients très pratiques, parfois même décoratifs, pour stocker des articles comme les croquettes pour chiens.

— Pas possible ? J'irai en acheter dès lundi. Mais en attendant, retirons ceci.

Il tira sur son chemisier, puis émit un grognement approbateur en passant un doigt sur la dentelle saumon de son soutien-gorge.

— J'aime ça. On va le laisser à sa place encore un petit peu.

— Tu sais, on pourrait continuer en haut. J'ai fait le ménage sous les coussins de ton canapé, et je sais maintenant ce que ce monstre est capable d'engloutir. Nous pourrions bien être les victimes suivantes.

— Je te protégerai.

Il embrassa la dentelle et la peau si douce. Les énormes coussins s'enfoncèrent sous leur poids, les enveloppèrent presque. Malory fit mine de lutter, de résister, et ce jeu érotique les excita tous les deux.

Puis elle lui retira sa chemise.

— Voilà, nous sommes à égalité, maintenant.

Elle adorait sentir sa peau sous ses mains, ses épaules solides, ses muscles souples. Et, par-dessus tout, elle adorait sentir les mains de Flynn sur elle, douces ou impérieuses, nonchalantes ou impatientes.

Dans la lumière du crépuscule et la tiédeur du canapé, Malory ferma les yeux et se laissa submerger par les sensations.

Elle gémit son nom quand son corps se cambra sous le sien et soupira lorsqu'elle crut se dissoudre sous ses caresses.

Flynn voulait tout lui donner. Tout ce qu'elle souhaitait, tout ce dont elle avait besoin, tout ce qu'elle n'imaginait même pas désirer.

Jamais personne ne lui avait offert ainsi un amour inconditionnel. Et cela ne lui avait pas manqué, car, avant sa rencontre avec Malory, il ignorait jusqu'à son existence.

Et maintenant, il tenait dans ses bras la femme qui le lui donnait.

Elle était son miracle, sa magie. Sa clé.

Il pressa ses lèvres contre son épaule, sa gorge, savoura ces émotions nouvelles et indescriptibles lorsque les bras de Malory se nouèrent autour de lui.

Les mots se bousculaient dans son esprit, mais aucun n'était capable d'exprimer ce qu'il ressentait. Il trouva sa bouche et la couvrit de la sienne, saisit ses hanches et la prit tout entière.

Totalement détendue, presque assoupie, Malory se blottit contre lui, s'abandonnant à cette merveilleuse brume qui suit l'amour. Les tâches ménagères attendraient, toute la vie, s'il le fallait. Elle s'en moquait, tant qu'elle pouvait rester lovée là, contre le cœur de Flynn, et le sentir battre.

Elle se demanda pourquoi ils ne dérivaient pas tranquillement ainsi vers le sommeil, nus, les membres emmêlés, dans ce nuage doux et soyeux de béatitude.

Elle s'étira voluptueusement sous la main de Flynn qui lui caressait le dos.

— Mmm… si on restait là toute la nuit, comme deux ours dans une caverne ?

— Tu es heureuse ?

Elle leva le visage pour lui sourire.

— Bien sûr ! Tellement heureuse que je ne pense même pas à la table à débarrasser ni aux restes à ranger.

— Tu n'étais pas heureuse, ces derniers jours.

— Non, c'est vrai.

Elle cala sa tête plus confortablement contre son épaule.

— J'avais l'impression de ne plus savoir où j'en étais. Autour de moi, tout se bousculait et évoluait si vite que je n'arrivais pas à suivre. Puis j'ai compris que si moi, je ne changeais pas, je n'irais nulle part.

— Il y a certaines choses que j'aimerais te dire, si tu peux gérer encore quelques changements.

Alarmée par son ton sérieux, elle s'arma de courage.

— D'accord.

— C'est à propos de Lily.

318

Il la sentit se raidir et devina qu'elle s'ordonnait de se détendre.

— Ce n'est peut-être pas le moment le mieux choisi pour me parler d'une autre femme. Surtout d'une femme que tu as aimée et failli épouser.

— Je crois que si. Lorsque nous avons commencé à sortir ensemble, nous étions en phase sur tous les points : professionnellement, socialement, sexuellement…

Son confortable cocon totalement déchiqueté, Malory se mit à frissonner.

— Flynn…

— Écoute-moi jusqu'au bout. Cela a été la plus longue relation que j'aie connue avec une femme. Une histoire solide, avec des projets. Je croyais que nous étions amoureux. Ça a duré un an.

— Je sais qu'elle t'a blessé et j'en suis désolée pour toi, mais…

— Silence, gronda-t-il gentiment en lui tapant sur le crâne avec son doigt. Elle ne m'aimait pas, ou si elle m'aimait, son amour comportait des impératifs particuliers. On ne pouvait donc pas parler de cadeau.

Il se tut un instant, cherchant ses mots avec soin.

— Ce n'est pas facile d'admettre qu'on ne remplit pas tous les critères, que quelque chose empêche la personne qu'on veut de vous aimer.

— J'imagine que non…

— Et même quand on l'admet, quand on comprend que ça ne fonctionnait pas vraiment, en fait, qu'il manquait quelque chose aussi de la part de l'autre, que l'ensemble de la relation était bancal, ça vous sape. Ça vous fait drôlement hésiter avant de courir ce genre de risque une nouvelle fois.

— Je comprends.

— Et au bout du compte, on ne va plus nulle part, poursuivit-il, reprenant son expression. Jordan m'a dit

319

une chose l'autre jour qui m'a amené à réfléchir. Je me suis demandé si j'avais réellement imaginé ce que serait la vie avec Lily. Tu sais, me représenter ce que serait notre couple au bout de quelques années. Je voyais le futur immédiat, le départ pour New York, notre installation là-bas, nos carrières à tous les deux. Et c'était à peu près tout. Je n'ai jamais pu voir au-delà de cette vague image. Je ne nous imaginais pas dix ans plus tard. Et quand elle m'a quitté, je n'ai pas eu de mal à imaginer ma vie sans elle. C'est mon ego, mon amour-propre, qui a souffert. J'étais vexé, en colère. Et j'en ai conclu que je n'étais pas fait pour les histoires d'amour et le mariage.

Le cœur de Malory se serra.

— Tu n'es pas obligé de m'expliquer tout ça.

— Je n'ai pas terminé. Ensuite, j'ai mené une vie plutôt chouette. Elle me convenait bien. Jusqu'à ce que Moe te saute dessus. Là, ça a commencé à changer. Ce n'est pas un secret, tu m'as attiré tout de suite, et j'espérais bien qu'on finirait nus sur ce canapé tôt ou tard. Mais au départ, je ne voyais pas plus loin, pour nous deux.

Cette fois, ce fut lui qui lui releva le visage. Il voulait plonger les yeux dans les siens. Voir son expression.

— Je te connais depuis à peine un mois, et à bien des égards, nous n'abordons pas les choses du même point de vue. Mais je vois ma vie avec toi, aussi bien qu'on voit son petit monde à travers une fenêtre. Je nous imagine très bien dans un an, ou dans vingt ans, avec tout ce qu'on aura construit.

Il fit glisser ses doigts le long de sa joue.

— Ce que je ne vois pas, c'est comment je pourrais continuer ma vie sans toi.

Il regarda ses yeux s'embuer, ses larmes couler.

— Je t'aime, dit-il en essuyant une larme avec son pouce. Je ne sais pas ce qui va se passer ensuite. Je sais seulement que je t'aime.

Le cœur de Malory s'emplit d'un flot d'émotions si éclatantes et si fastueuses qu'elle se demanda pourquoi elles n'explosaient pas hors de son corps en une gerbe multicolore. Terrifiée à l'idée de se décomposer, elle fit un effort pour sourire et murmura :

— J'ai une chose importante à te demander.

— Tout ce que tu voudras.

— Promets-moi de ne jamais te débarrasser de ce canapé.

Il rit et enfouit son nez dans son cou.

— Tu le regretteras.

— Oh, non. Je ne regretterai rien.

Avec les deux femmes qui étaient si vite devenues ses amies et associées, Malory s'assit sur la terrasse de la maison qui serait bientôt la leur.

Le ciel s'était couvert depuis son arrivée. Des nuages s'amoncelaient, formant des superpositions de gris.

L'orage menaçait, songea-t-elle en s'étonnant d'être séduite à l'idée de se trouver dans la maison avec la pluie qui martelait le toit. Mais elle avait envie de rester un peu assise dehors pendant que l'électricité s'accumulait dans l'air et que les premières bourrasques faisaient ployer les arbres.

Et surtout, elle voulait partager son allégresse avec ses amies.

— Il m'aime.

Elle ne se lasserait jamais de le dire.

— Flynn m'aime.

— Comme c'est romantique ! fit Zoé, qui renifla et sortit de son sac un mouchoir en papier.

— Oh, oui. Mais il y a quelque temps, vous savez, je n'aurais pas trouvé sa déclaration romantique du tout. J'aurais prévu les choses de façon très précise : bougies, musique, moi et l'homme de mes rêves dans un endroit élégant. Ou dehors, face à un paysage inoubliable. Il aurait fallu que ce soit bien organisé.

Elle secoua la tête avec un petit rire de dérision.

— Voilà pourquoi je sais que c'est pour de bon. Parce que ce n'était pas la peine de créer toute une ambiance. Il suffisait que ça arrive. Que ce soit Flynn.

— Eh bien, dis donc. J'ai un peu de mal à associer toutes ces étoiles dans tes yeux avec Flynn, commenta Dana en posant son menton sur son poing. C'est chouette, bien sûr, parce que je l'adore. Mais c'est Flynn, mon crétin préféré. Je ne peux pas me le représenter en héros romantique.

Elle se tourna vers Zoé.

— Qu'est-ce qu'elle a bien pu mettre dans son pain de viande ? Il faudra que tu me donnes la recette.

Zoé sourit et tapota le genou de Malory.

— Je vais la relire aussi, dit-elle. En tout cas, je suis sincèrement heureuse pour toi, pour vous deux.

— Dis, tu vas t'installer chez lui ? demanda soudain Dana en s'égayant. Ça obligerait Jordan à dégager vite fait.

— Désolée, nous n'en sommes pas encore là. Pour l'instant, nous savourons simplement le bonheur d'être amoureux. Et cela, les filles, c'est tout nouveau pour moi : je ne dresse aucune liste, je n'organise aucun emploi du temps. Je suis le mouvement. Mon Dieu, j'ai l'impression que je serais capable de déplacer des montagnes ! Ce qui m'amène à la suite de mon discours. Je regrette de n'avoir participé à aucun projet à propos de la maison et des travaux à réaliser ici.

— Je me demandais si tu allais te désister, avoua Dana.

— Je suis désolée. Je suppose qu'il fallait que je comprenne toute seule ce que je faisais et pourquoi. À présent, je le sais. Je vais démarrer ma propre affaire parce que, plus on repousse le moment de réaliser ses rêves, moins ils ont de chances de se concrétiser. Je vais me lancer dans un partenariat avec deux femmes que j'aime énormément. Non seulement je ne les laisserai pas tomber, mais je ne me laisserai pas tomber non plus.

Elle se leva et, les mains campées sur les hanches, se tourna vers la maison.

— Je ne sais pas si cela marchera, mais je suis prête à essayer. Je ne sais pas si je trouverai la clé durant le temps qu'il me reste, mais là aussi, j'aurai essayé.

— Même si tu ne réussis pas, la clé a déjà accompli des miracles, déclara Zoé en venant la rejoindre. Sans elle, tu ne serais pas avec Flynn. Nous ne serions pas ensemble, et nous n'aurions pas cette maison. Grâce à cela, j'ai l'occasion d'accomplir quelque chose d'extraordinaire pour moi et pour Simon. Sans vous deux, je n'aurais jamais pu le faire.

— Bon, je vous préviens, on ne va pas faire un gros câlin groupé, les filles, décréta Dana en se joignant néanmoins à elles. Mais je ressens les mêmes choses que vous. Moi non plus, sans notre rencontre, je n'aurais jamais pu me lancer dans cette aventure. Mon imbécile de frère s'est dégoté une superbe nana qui est amoureuse de lui. Et tout cela grâce à la clé.

Elle leva les yeux vers le ciel. Quelques gouttes de pluie commençaient à crever les nuages.

— Et maintenant, allons nous mettre à l'abri.

Une fois dans la maison, Malory demanda :

— On monte ensemble au grenier ?

— Bien sûr, répondit Zoé en quêtant du regard l'approbation de Dana.

— Allons-y, fit celle-ci. Tu as bien dit que Flynn devait passer, Mal ?

— Oui, il va prendre une heure dans l'après-midi.

— Eh bien, nous en profiterons pour charger la mule s'il y a du bazar à descendre du grenier.

323

— J'ai trouvé de très jolies choses, là-haut, leur dit Zoé avec enthousiasme, tandis qu'elles montaient l'escalier. À première vue, on dirait des vieilleries bonnes pour la décharge, mais je crois qu'avec un peu d'imagination, on pourra en récupérer. Par exemple, il y a un vieux fauteuil en rotin. Rafistolé et repeint, il serait formidable sur la terrasse. J'ai aussi déniché deux lampadaires. Les abat-jour sont affreux, mais il suffit de les changer.

Elle se tut en arrivant sur le palier du premier étage. La pluie qui ruisselait sur la fenêtre laissait des traînées de poussière. Le cœur de Malory se mit à battre comme un poing contre ses côtes.

— C'est ça, chuchota-t-elle.

— Oui. C'est ça.

Dana promena son regard autour d'elle.

— Dans quelques semaines, ce sera à nous… et à la banque.

— Non, je veux dire, c'est ça. C'est l'endroit de mon rêve ! C'est la maison. Comment ai-je pu être assez bête pour ne pas m'en rendre compte ?

Sous l'effet de l'excitation, sa voix grimpait dans les aigus, les mots se bousculaient dans sa bouche.

— Ce n'était pas chez Flynn, mais ici. Chez moi. En moi. Je suis la clé. N'est-ce pas ce qu'a dit Rowena ?

Elle pivota face aux deux autres, les yeux brillants.

— Beauté, vérité, courage. Cela nous représente, toutes les trois, et cette maison. Quant au rêve, c'était mon fantasme, mon idée de la perfection. Cela ne pouvait être qu'ici.

Elle appuya une main contre son cœur, comme pour l'empêcher de sauter hors de sa poitrine.

— La clé est ici. Dans cette maison.

L'instant suivant, elle se retrouva seule. La cage d'escalier derrière elle s'emplit d'une lumière bleue diaphane. Telle une brume, la lumière flotta vers elle, rampa sur le sol jusqu'à ses pieds, et bientôt, Malory sentit sa main glacée enserrer ses chevilles. Pétrifiée, elle voulut crier, mais sa voix était creuse et caverneuse.

Le sang battant à ses tempes, elle examina les pièces à sa droite et à sa gauche. La brume bleue surnaturelle s'enroulait sur elle-même et remontait le long des murs, sur les fenêtres, cachant même le jour et les éclairs.

« Fuis ! chuchota son esprit avec frénésie. Cours ! Sors d'ici avant qu'il ne soit trop tard. »

Ce n'était pas son combat. Elle n'était qu'une femme ordinaire qui menait une vie ordinaire.

Elle s'agrippa à la rampe, posa le pied sur la première marche. Elle voyait encore la porte d'entrée à travers ce rideau bleu qui dévorait la lumière du jour. De l'autre côté de la porte se trouvait le monde réel. Son monde. Elle n'avait qu'à ouvrir cette porte et sortir, et tout se remettrait en place.

C'était ce qu'elle désirait, non ? Une vie normale. Son rêve ne la lui avait-il pas montrée ? Le mariage, la famille. Du pain perdu au petit déjeuner et des fleurs sur le buffet. Une jolie vie faite de plaisirs simples, bâtie sur l'amour et l'affection.

Cette vie l'attendait, derrière la porte.

Elle redescendit les marches, comme en transe, s'approcha de l'entrée. Elle voyait à travers la porte la perfection de cette journée d'automne, les arbres et leurs feuilles roussies par le soleil couchant, l'air vif et piquant. Et bien que son cœur continuât à galoper dans sa poitrine, un sourire rêveur se dessina sur ses lèvres alors qu'elle tendait la main vers la poignée.

— Ce n'est pas bien.

Elle entendit sa propre voix, méconnaissable, sans timbre, calme.

— C'est encore un piège.

Une partie d'elle-même frissonna sous le choc tandis qu'elle se détournait de la porte, de la vie parfaite qui l'attendait derrière.

— C'est ce qui est dehors qui n'est pas réel, mais ici, ça l'est. Cette maison nous appartient, maintenant.

Stupéfaite d'avoir failli abandonner ses amies, elle appela Dana et Zoé. Où étaient-elles ? Quelle illusion les avait séparées d'elle ? Inquiète pour ses amies, Malory remonta précipitamment les marches qui menaient au premier. Sa course déchira les brumes bleues, qui se reformèrent derrière elle.

Pour s'orienter, elle se dirigea vers la fenêtre du palier et chassa ces brumes glacées en décrivant des moulinets avec ses bras. Le froid engourdissait ses doigts. Dehors, la tempête continuait à faire rage, le ciel noir déversait des torrents de pluie. Sa voiture était dans l'allée, exactement là où elle l'avait laissée. Sur le trottoir d'en face, une dame s'abritait sous un parapluie rouge et courait vers une maison.

C'était réel, se dit Malory. C'était la vraie vie, désordonnée et sale. Et elle la retrouverait. Elle retrouverait son chemin vers cette vie. Mais d'abord, elle avait une mission à accomplir.

Des frissons lui parcoururent le corps lorsqu'elle tourna à droite. Elle aurait aimé avoir un pull, une lampe de poche. Ses amies. Flynn. Elle s'obligea à ne pas se précipiter, à ne pas courir à l'aveuglette.

La pièce dans laquelle elle entra était un labyrinthe de couloirs. Tant pis. Ce n'était qu'un leurre supplémentaire destiné à la troubler et à l'effrayer. La clé était quelque part dans cette maison, ainsi que ses amies. Elle les trouverait.

Elle avança, la gorge chatouillée par la panique. Elle n'entendait plus un bruit. Même ses pas étaient amortis par le brouillard bleuté. Qu'y avait-il de plus effrayant pour le cœur humain que d'être gelé, perdu et seul ?

Kane utilisait ses propres peurs contre elle, comprit-elle. Mais il ne pouvait la toucher que si elle l'y autorisait.

— Vous ne me ferez pas courir, cria-t-elle. Je sais qui je suis et où je suis, et vous ne me ferez pas courir.

À travers l'air étouffé par la brume, elle entendit quelqu'un crier son nom. S'en servant comme d'un guide, elle se retourna.

Le froid s'intensifia, les volutes bleues se chargèrent d'humidité. Ses vêtements collaient à sa peau glacée. Cet appel devait être encore un piège, songea-t-elle. Elle n'entendait plus rien, à présent, que les battements de son cœur.

Peu importait la direction qu'elle choisissait. Elle pouvait tourner en rond indéfiniment ou rester parfaitement immobile, cela ne changerait rien. Il ne s'agissait plus de trouver son chemin, ni de se perdre, réalisa-elle soudain, mais d'un combat entre deux volontés.

La clé était là. Elle voulait la trouver. Il voulait l'en empêcher.

— Ce doit être humiliant de vous mesurer à une mortelle. De gaspiller votre pouvoir pour quelqu'un comme moi. D'autant que tout ce que vous arrivez à créer, c'est cette pitoyable lumière bleue.

Un éclat furieux et rougeoyant ourla la brume. Le cœur de Malory battit plus vite, et elle serra les dents. Peut-être n'était-il pas prudent de défier un sorcier, mais cela donnait des résultats : un peu plus loin, à l'endroit où les lumières bleues et rouges se fondaient, se précisait une autre porte.

Le grenier, songea-t-elle. Certainement. Ce n'étaient plus des couloirs illusoires, mais la véritable substance de la maison.

Malory se concentra sur cette porte et s'en approcha. Quand les brumes remuèrent, s'épaissirent, tourbillonnèrent, elle n'y prêta pas attention et garda à l'esprit l'image de la porte. Enfin, le souffle court, elle plongea une main à travers la brume et referma les doigts sur la vieille poignée en verre.

Un flot de chaleur bienvenu se déversa sur elle au moment où elle ouvrit la porte. Elle commença à monter, dans l'obscurité, les arabesques de brume bleue flottant sur ses talons.

Flynn conduisait à travers l'orage, penché en avant pour percer le rideau de pluie que ses essuie-glaces parvenaient à peine à chasser.

À l'arrière, Moe geignait comme un bébé.

— Allons, gros froussard, ce n'est que de la flotte.

Un éclair zébra le ciel noir, suivi d'un grondement de tonnerre pareil à un coup de canon.

— Bon, d'accord, un son et lumière.

Les éléments se déchaînaient. Pourtant, lorsqu'il avait quitté le bureau, il avait cru qu'il n'aurait à affronter qu'un petit orage. Mais il empirait à chaque tour de roue. Les collines étaient recouvertes d'un brouillard épais comme de la laine. Et tandis que les gémissements de Moe se transformaient en plaintes pitoyables, Flynn se mit à s'inquiéter pour Malory, Dana et Zoé.

Avaient-elles été surprises par l'orage ? Non, elles devaient être à l'abri dans la maison. Le manque de visibilité l'obligea à ralentir. Bien qu'il roulât lentement, la voiture dérapa et fit un écart.

— On va s'arrêter et attendre que ça se calme, dit-il à Moe.

Un frisson d'anxiété remonta le long de son échine tandis qu'il se rangeait contre le trottoir. Le bruit de la pluie qui tambourinait sur le toit de la voiture semblait marteler l'intérieur de son cerveau.

— Ce n'est pas normal, grommela-t-il au bout d'une minute.

Il redémarra, les mains agrippées au volant, la voiture secouée par de violentes bourrasques. Pendant les minutes suivantes, tandis que son corps se couvrait d'une sueur froide, il eut l'impression de livrer un combat.

Un vague soulagement le parcourut lorsqu'il reconnut les voitures dans l'allée. Elles allaient bien. Elles étaient à l'intérieur. Aucun problème. Il était idiot.

— Je t'avais bien dit qu'il n'y avait pas de souci à se faire, lança-t-il à Moe. Bon, de deux choses l'une : soit tu te ressaisis et tu viens à l'intérieur avec moi, soit tu restes ici, à couiner et trembler. À toi de voir, vieux.

Son soulagement fut de courte durée. Lorsqu'il se gara et qu'il leva les yeux vers la maison, il eut le souffle coupé.

Si cet orage avait un centre, il se trouvait ici. Des nuages noirs bouillonnaient au-dessus de la maison, s'engouffraient par toutes les ouvertures, semblaient vouloir aspirer l'édifice dans leur fureur. Des éclairs s'abattaient sur la pelouse, telles des lances de feu. L'herbe était noircie par endroits.

— Malory !

Flynn n'aurait su dire s'il avait prononcé son nom, s'il l'avait crié ou si son esprit l'avait simplement hurlé, mais il ouvrit la portière et se précipita dans la violence redoutable de la tempête.

Le vent le fouetta, brutal comme un coup de poing, si intense qu'il sentit le goût du sang dans sa bouche. Un éclair jaillit juste devant lui, et une âcre odeur de brûlé assaillit ses narines. Aveuglé par les cataractes d'eau, il se courba en deux et courut vers la maison.

La poignée glacée de la porte refusa de tourner sous ses doigts. Il poussa un grognement, prit son élan et essaya de défoncer la porte d'un coup d'épaule. Une fois, deux fois. À la troisième tentative, il réussit.

Il entra et se retrouva dans une brume bleutée.

— Malory ! cria-t-il en écartant de son visage ses cheveux trempés. Dana !

En sentant quelque chose lui frotter la jambe, il fit volte-face, les poings serrés. Mais ce n'était qu'un gros chien mouillé.

— Moe, bon sang ! Je n'ai pas le temps de...

Il s'interrompit en entendant Moe émettre un râle, puis un aboiement mauvais, avant de se ruer vers l'escalier.

Flynn courut sur ses talons.

Et se retrouva dans son bureau, au journal.

— Si je veux couvrir correctement la foire aux plantes aromatiques, il me faut la une du supplément du week-end, plus une colonne pour annoncer le calendrier des événements, déclara Rhoda d'un ton agressif, les bras croisés sur sa poitrine. L'interview du cinglé des clowns par Tim devrait être en page deux.

Flynn contemplait le visage irrité de la journaliste. Il sentait l'odeur du café qu'il tenait à la main et celle de l'eau de toilette familière de Rhoda. Derrière lui, Moe ronflait.

— J'hallucine.

— Je te prie de ne pas me parler sur ce ton, rétorqua Rhoda.

— Non, c'est une hallucination. Je ne suis pas ici. Toi non plus.

— Il serait temps que tu me traites avec un peu plus de respect. Tu n'es directeur de ce journal que parce que ta mère a voulu t'empêcher d'aller faire des bêtises à New York. Mais tu n'as jamais été et tu ne seras jamais un bon journaliste !

Flynn lui jeta sa tasse à la figure.

Rhoda poussa un petit cri, et il fut de nouveau noyé dans le brouillard bleuté.

Ébranlé, il se retourna en entendant Moe aboyer. À travers les volutes de brume, il vit Dana à genoux, les bras jetés autour de Moe.

— Mon Dieu ! Ô mon Dieu, Flynn !

Elle se leva d'un bond et lui sauta au cou.

— Je ne les trouve pas. Je ne les trouve plus. J'étais là, et puis je n'y étais plus, et me revoilà.

L'hystérie faisait trembler sa voix.

— On était là toutes les trois, juste là, et tout à coup, on n'y était plus.

— Stop. Stop.

Il détacha ses bras de son cou et la secoua.

— Respire un grand coup.

— Pardon. Pardon.

Elle frissonna, puis se frotta le visage.

— J'étais à la bibliothèque, mais en réalité, je n'y étais pas. C'était impossible que j'y sois. J'avais l'impression d'être hébétée, d'agir normalement sans pouvoir mettre le doigt sur ce qui n'allait pas. Puis j'ai entendu Moe aboyer, et je me suis souvenue. Nous étions ici. Je suis revenue, au milieu de ce… je ne sais quoi, et je n'ai plus vu les autres nulle part.

Elle s'efforça de se calmer.

— La clé. Malory a dit que la clé était ici. Je crois qu'elle a raison.

— Pars. Sors d'ici. Attends-moi dans la voiture.

Elle inspira profondément, frissonna encore.

— Je suis terrorisée, mais je ne les abandonnerai pas ici. Ni toi, d'ailleurs. Mon Dieu, Flynn, ta bouche ! Tu saignes.

Il s'essuya les lèvres du revers de la main.

— Ce n'est rien. D'accord, on reste ensemble.

Il lui prit la main.

Ils l'entendirent en même temps. Le martèlement de poings sur du bois. Précédés de Moe, ils se précipitèrent à l'étage. Debout devant la porte du grenier, Zoé tambourinait dessus.

— Par ici ! cria-t-elle. Elle est là-haut ! Je sais qu'elle est là-haut, mais je n'arrive pas à passer.

— Recule, ordonna Flynn.

— Tu vas bien ? demanda Dana en prenant son amie par le bras. Tu es blessée ?

— Non. J'étais chez moi, Dana, en train de faire la cuisine en écoutant là radio. Mon Dieu, est-ce que ça a duré longtemps ? Combien de temps avons-nous été séparées ? Combien de temps Malory est-elle restée là-haut toute seule ?

20

Elle avait peur. Cela la fortifia de l'admettre, de l'accepter. Savoir qu'elle n'avait jamais eu aussi peur de toute sa vie et de se rendre compte qu'elle était décidée à ne pas céder à l'affolement.

La lumière bleue et crue absorbait déjà la chaleur. Des langues de brume rampaient sur les poutres apparentes du plafond, le long des murs, partout sur le sol poussiéreux.

Elle voyait la vapeur blanche de son souffle.

C'était réel, se dit-elle. C'était une preuve de vie. Une preuve qu'elle existait.

Le grenier consistait en une vaste pièce dotée d'une fenêtre étroite à chaque extrémité. Elle le reconnaissait. Dans son rêve, c'était son atelier. Il y avait des lucarnes au plafond et de grandes fenêtres. Ses tableaux étaient posés contre des murs repeints d'un blanc cassé lumineux. Le sol avait été décapé et était égayé par un joyeux arc-en-ciel de gouttelettes et d'éclaboussures de peinture. Dans son rêve, il y faisait bon.

Malory frissonna. Des cartons étaient entassés par terre au milieu de vieux fauteuils, de lampes cassées, de débris d'autres vies. Mais elle voyait nettement le potentiel de ce grenier, tout ce que l'on pouvait en tirer.

Et tandis qu'elle l'imaginait, il prit forme sous ses yeux. Chaleureux, baigné de lumière, gai. Là, sur la table où étaient posés sa palette, ses couteaux et ses pinceaux, trônait le petit vase blanc rempli des mufliers roses qu'elle avait cueillis dans le jardin ce matin-là.

Elle se rappela être sortie après le départ de Flynn pour le journal, se rappela avoir cueilli ces fleurs tendres et suaves pour lui tenir compagnie pendant qu'elle travaillerait. Pendant qu'elle peindrait dans son atelier, songea-t-elle, rêveuse, où l'attendaient des toiles vierges. Et elle savait comment les remplir.

Elle s'avança vers la toile dressée sur le chevalet, prit sa palette et commença à mélanger les peintures.

Le soleil entrait à flots par les fenêtres. Plusieurs étaient ouvertes. Une jolie musique, intense et passionnée, sortait de la chaîne stéréo. Ce qu'elle avait l'intention de peindre, aujourd'hui, demandait de la passion.

Elle le voyait déjà dans son esprit, elle sentait déjà la puissance de son œuvre se rassembler et gronder en elle à la façon d'un orage.

Elle leva son pinceau, le plongea dans la couleur et s'apprêta à commencer son tableau.

Son cœur était léger, son allégresse presque insoutenable. Elle n'aurait pu la contenir si elle ne l'avait pas transférée sur la toile.

L'image était gravée dans son esprit, impérissable. Avec des gestes vifs et précis, elle entreprit de lui donner vie.

— Vous savez que cela a toujours été mon rêve le plus cher, dit-elle sur le ton de la conversation, tout en travaillant. Depuis toujours, j'ai voulu peindre. Posséder le génie, la vision, le don nécessaires pour devenir une grande artiste.

— À présent, tu les possèdes.

Elle changea de pinceau et jeta un coup d'œil à Kane, avant de se tourner de nouveau vers sa toile.

— C'est exact, dit-elle.

— Tu as été avisée, tu as fini par prendre la bonne décision. Tenir une galerie ?

Il rit et écarta l'idée d'un geste de la main.

— Où réside la puissance, là-dedans ? Quelle gloire y a-t-il à vendre ce que d'autres ont créé alors que tu peux créer toi-même ? Tu peux être et posséder tout ce que tu désires, ici.

— Oui, je comprends. Vous m'avez montré la voie. Que puis-je avoir d'autre ? demanda-t-elle avec convoitise.

— Veux-tu l'homme ? Ici, il t'est livré, tel un esclave à aimer.

— Et si je n'avais pas fait le choix de rester ici ?

— Les hommes sont des créatures capricieuses. Comment pourrais-tu jamais être sûre de lui ? Désormais, tu as le pouvoir de peindre ton monde comme tu peins cette toile. À ta guise.

— La célébrité ? La fortune ?

Kane fit la moue.

— Ainsi en va-t-il toujours avec les mortels. L'amour, affirment-ils, est ce qui compte plus encore que la vie. Mais c'est la gloire et la richesse qu'ils désirent en réalité. Eh bien, prends tout.

— Et vous, que prendrez-vous ?

— J'ai déjà pris ce que je voulais.

Elle hocha la tête, choisit un autre pinceau.

— Excusez-moi, je dois me concentrer.

Et elle peignit dans la plaisante chaleur du soleil pendant que la musique allait *crescendo*.

Flynn donna un vigoureux coup d'épaule dans la porte, puis referma les doigts autour de la poignée et s'apprêta à recommencer. Mais la poignée tourna aisément entre ses mains.

Il se tourna vers les filles.

— Restez là, toutes les deux.

— Économise ta salive, conseilla Dana en se pressant derrière lui.

On aurait dit maintenant que la lumière, plus dense, palpitait. Elle semblait vivante. Les grognements de Moe se transformèrent en grondements féroces.

Flynn vit Malory, debout au fond du grenier. Le soulagement lui procura un élancement dans le cœur.

— Malory ! Le Ciel soit loué !

Il s'élança vers elle, mais heurta la muraille de brume solide.

— C'est une barrière ! s'écria-t-il fiévreusement, en s'y heurtant de nouveau. Elle est enfermée derrière.

— Je crois que c'est nous qui sommes enfermés à l'extérieur, dit Zoé en appuyant ses mains contre le brouillard. Elle ne nous entend pas.

— Mais il faut qu'elle nous entende.

Dana chercha autour d'elle un objet avec lequel casser le mur.

— Elle doit être ailleurs, dans sa tête, comme nous l'étions tout à l'heure. Il faut qu'elle nous entende et que le charme soit rompu.

Moe était de plus en plus agité. Il bondissait pour mordre le mur de brume, le déchirer avec ses pattes. Ses aboiements résonnaient, claquaient comme des coups de feu, mais Malory, impassible, continuait à leur tourner le dos.

— Il doit exister un autre moyen, déclara Zoé.

Elle se laissa tomber à genoux, tâtonna le long du mur de brume.

— Il gèle, là-bas, on la voit qui grelotte. Il faut absolument la sortir de là.

— Malory !

Saisi d'une rage impuissante, Flynn martela le mur jusqu'à ce que ses mains soient écorchées.

— Je ne laisserai pas une chose pareille arriver. Il faut que tu m'entendes. Je t'aime, Malory, bon sang, je t'aime ! Écoute-moi !

— Attends ! murmura Dana en lui agrippant l'épaule. Elle a réagi. Je l'ai vue bouger. Continue à lui parler comme ça, Flynn.

Il fit un effort pour garder son calme et appuya son front contre la muraille.

— Je t'aime, Malory. Il faut que tu nous donnes une chance, qu'on voie ce qu'on peut faire de cet amour. J'ai besoin de toi à mes côtés, alors sors de là ou laisse-moi entrer.

Malory pinça les lèvres devant l'image qui prenait forme sur la toile.

— Vous n'avez pas entendu quelque chose ? demanda-t-elle distraitement.

— Il n'y a rien.

Kane sourit aux trois mortels, de l'autre côté de la brume.

— Rien du tout. Que peins-tu là ?

Elle agita un doigt malicieux dans sa direction.

— Oh, non ! Je n'aime pas qu'on regarde mon travail tant qu'il n'est pas terminé. Nous sommes dans mon monde, lui rappela-t-elle sans cesser de peindre. Nous suivons mes règles.

Il haussa les épaules.

— Comme il te plaira.

— Allons, ne boudez pas, j'ai bientôt fini.

Elle travaillait vite, maintenant, ordonnant à l'image présente dans son esprit de s'incarner sur la toile. Ce serait son chef-d'œuvre, songea-t-elle. Rien de ce qu'elle ferait ne serait jamais aussi important.

— L'art ne réside pas seulement dans l'œil de celui qui le crée, dit-elle. Mais dans le sujet, dans l'intention, dans ceux qui voient et donnent vie et couleur au coup de pinceau.

Son pouls s'accéléra, mais sa main resta calme et sûre. Pendant une fraction de seconde, elle chassa toute pensée de son esprit, à l'exception des couleurs, des textures, des formes.

Et quand elle recula, elle exultait.

— C'est la plus belle œuvre que j'aie jamais accomplie, déclara-t-elle. Je ne l'égalerai peut-être jamais. Je me demande ce que vous allez en penser.

Elle fit signe à Kane de venir voir.

— La lumière et l'ombre, annonça-t-elle en s'écartant du chevalet. Regarder en soi et au-dehors. De l'intérieur de soi à l'extérieur, et jusqu'à la toile. Je vous présente *La Déesse chantante*.

C'était son visage qu'elle avait peint, celui de la première sœur de verre. Elle se tenait dans une forêt illuminée d'une éclatante lumière dorée, adoucie par des ombres vertes. La rivière glissait en scintillant sur les rochers, tel un flot de larmes.

Assises par terre derrière elle, ses sœurs la contemplaient, les mains jointes.

Venora – car elle savait qu'il s'agissait de Venora, la première sœur – tenait sa harpe, et sur son visage tourné vers le ciel on pouvait presque deviner la chanson qu'elle chantait.

— Pensiez-vous que je me contenterais d'une froide illusion alors que j'ai une chance d'avoir la réalité ? Pensiez-vous que j'échangerais ma vie, et l'âme de Venora, contre un rêve ? Vous méconnaissez les mortels, Kane.

Il bondit vers elle, en proie à une folle fureur, et elle pria le Ciel pour ne pas s'être surestimée.

— La première clé est à moi.

Malory tendit la main vers le tableau, la plongea dans la toile. Un éclair de chaleur remonta violemment le long de son bras tandis qu'elle refermait les doigts autour de la clé qu'elle avait peinte aux pieds de la première déesse. La clé qui luisait dans le rai de lumière, à la façon d'une épée mordorée.

Elle sentit sa forme, sa substance. Puis, avec un cri victorieux, elle l'arracha au tableau.

— C'est mon choix. Et allez donc en enfer.

Les brumes se liquéfièrent tandis que le sorcier maléfique la maudissait. Au moment où il levait la main pour la frapper, Flynn et Moe passèrent à travers le mur. Moe bondit, sans cesser de produire des aboiements suraigus.

Kane s'évanouit, telle une ombre dans la nuit.

Flynn aida Malory à se relever, et le soleil reparut à travers les étroites fenêtres. Dehors, la pluie qui s'écoulait des avant-toits produisait une petite musique. La pièce était redevenue un grenier, plein de poussière et d'objets mis au rebut.

Le tableau que Malory avait créé, animée par l'amour, la vérité et le courage, avait disparu.

— Tu es là, te voilà !

Flynn enfouit son visage dans les cheveux de Malory tandis que Moe se jetait sur eux.

— Tout va bien, puisque tu es là.

— Je sais, je sais.

Elle se mit à pleurer doucement, en regardant la clé encore serrée entre ses doigts crispés.

— Je l'ai peinte, dit-elle en la montrant à Dana et à Zoé. J'ai la clé.

Sur ses instances, Flynn conduisit directement Malory à Warrior's Peak. Dana et Zoé les suivirent.

Flynn mit le chauffage au maximum et enveloppa Malory dans une couverture qui sentait Moe à plein nez. Mais elle continua à grelotter.

— Il te faudrait un bain brûlant. Du thé. Une soupe. Je ne sais pas, moi.

Il passa dans ses cheveux une main qui tremblait encore.

— Du cognac.

— Je m'occuperai de moi, promit-elle, dès que nous aurons porté la clé là où est sa place. Tant que je l'aurai avec moi, je ne pourrai pas me détendre.

Elle la serra contre sa poitrine.

— Je n'arrive pas à croire que je la tiens dans ma main.

— Moi non plus. Si tu m'expliquais, on pourrait essayer de comprendre tous les deux.

— Kane a tenté de semer la confusion dans mon esprit. Il m'a d'abord séparée de Zoé et Dana pour que je me sente perdue, seule et terrorisée. Mais manifestement, son pouvoir a des limites. Il n'a pas pu nous conserver toutes les trois, ni toi, dans ces illusions. Pas tous en même temps. Nous sommes liés les uns aux autres, et nous sommes plus forts qu'il ne l'imaginait. Enfin, je crois.

— Ça paraît plausible.

— Je l'ai fait enrager, juste ce qu'il faut, je pense. Je savais que la clé était dans la maison.

Elle resserra la couverture autour d'elle.

— Comment le savais-tu ?

— Le grenier. C'est là que j'ai pris ma décision, dans le rêve, lorsqu'il m'a montré toutes les choses auxquelles j'aspirais tant. J'ai compris que c'était l'endroit de mon rêve dès que j'y suis montée avec Dana et Zoé. L'atelier se trouvait au grenier. C'était forcément là que j'avais fait mon choix.

Elle ferma les yeux et poussa un soupir.

— Tu es fatiguée. Repose-toi, nous parlerons plus tard.

— Non, ça va. C'était tellement bizarre, Flynn. La façon dont il reformait le rêve, dont il essayait de me glisser dedans. Je lui ai laissé croire qu'il avait réussi. J'ai réfléchi à l'indice et j'ai vu le tableau dans ma tête. Je savais comment le peindre, comment donner chaque coup de pinceau. Le troisième tableau du triptyque.

Elle se tourna vers lui.

— La clé n'était pas dans le monde qu'il avait créé pour moi. Mais elle était dans ce que moi, je créais, si j'avais le courage de le faire. Si je parvenais à en voir la beauté et à le rendre réel. Kane m'a donné le pouvoir d'insérer la clé dans cette illusion.

De la forger, songea-t-elle, avec amour.

— Il doit être fou de rage.

Elle éclata de rire.

— Tant mieux. Je t'ai entendu, aussi.

— Hein ?

— Je vous ai entendus m'appeler. Tous, mais surtout toi. Je ne pouvais pas répondre, et j'en étais désolée parce que je savais que vous étiez inquiets pour moi. Mais je ne pouvais pas lui laisser voir que j'entendais.

Il couvrit sa main de la sienne.

— Je n'arrivais pas à aller jusqu'à toi. Je n'avais jamais connu une telle frayeur, jusqu'à ce que je puisse te rejoindre.

— Au début, je craignais que ce ne soit encore un de ses pièges. J'avais peur de craquer si je me retournais vers toi… Tes pauvres mains.

Elle souleva sa main et pressa doucement les lèvres contre ses articulations ensanglantées.

— Mon héros. Mes héros, corrigea-t-elle en regardant Moe.

Elle garda la main de Flynn dans la sienne tandis qu'ils franchissaient le portail de Warrior's Peak.

Rowena sortit, les mains jointes devant elle. Malory vit briller des larmes dans ses yeux tandis qu'elle venait à leur rencontre.

— Vous allez bien ? Tout va bien ?

Elle toucha la joue de Malory, et le froid dont elle n'avait pu se défaire se transforma soudain en une bienheureuse chaleur.

— Oui, je vais bien. J'ai…

— Pas encore.

Elle plaça ses paumes sous celles de Flynn, les souleva.

— Il restera une cicatrice, déclara-t-elle. Là, sous la troisième phalange de la main gauche. Un symbole, Flynn. Héros et guerrier.

Elle ouvrit elle-même la portière arrière pour laisser sortir Moe, qui l'accueillit avec de grands coups de langue.

— Là, là, bon chien, farouche et courageux.

Elle le serra contre elle, puis s'accroupit pour l'écouter attentivement aboyer et grogner.

— Oh, oui, c'était une sacrée aventure.

Elle se releva, posa la main sur la tête de Moe et sourit à Dana et Zoé, qui les avaient rejoints.

— Pour vous tous, ajouta-t-elle. Entrez, je vous en prie.

Moe ne se le fit pas dire deux fois. Il se précipita vers la maison. Pitte se dressait sur le seuil. Rowena éclata de rire et passa son bras sous celui de Flynn.

— J'ai un cadeau pour le loyal et valeureux Moe, si vous le permettez.

— Bien sûr. Écoutez, nous apprécions votre hospitalité, mais Malory est épuisée et...

— Je vais bien. Je t'assure.

— Nous ne vous retiendrons pas longtemps, dit Pitte en leur faisant signe de se rendre dans la salle où se trouvait le tableau. Nous vous sommes immensément redevables. Quoi qu'il advienne par la suite, nous n'oublierons jamais ce que vous avez fait.

Il releva le visage de Malory et la couva d'un regard intense qui accentua encore sa beauté. Puis Rowena prit sur une table un collier tressé de couleur vive.

— Cet objet est destiné à un cœur pur et valeureux. Les couleurs sont symboliques. Rouge pour le courage, bleu pour l'amitié, noir pour la protection.

Elle s'accroupit, ôta à Moe son vieux collier élimé et le remplaça par le nouveau. Le chien resta sagement assis, avec la dignité vaillante d'un soldat à qui l'on remet une médaille.

— Voilà. Tu es magnifique.

Rowena lui embrassa la truffe, avant de se relever.

— Continuerez-vous à me l'amener de temps en temps ? demanda-t-elle à Flynn.

— Bien sûr.

— Kane vous a sous-estimés. Tous. Il a sous-estimé votre cœur, votre esprit, votre volonté.

— On ne l'y prendra certainement plus, fit remarquer Pitte.

Mais Rowena secoua la tête.

— L'heure est à la joie. Vous êtes la première, annonça-t-elle à Malory.

— Je sais. Je voulais vous remettre la clé tout de suite.

Elle s'apprêtait à donner la clé à Rowena quand elle se figea soudain.

— Une seconde. Vous voulez dire que je suis la première mortelle à avoir jamais trouvé une clé ?

Rowena se tourna vers Pitte. Il s'approcha d'un coffre ouvragé situé sous la fenêtre et en souleva le couvercle. La lumière bleue qui en surgit noua l'estomac de Malory. Mais celle-ci était différente de la brume, réalisa-t-elle. Celle-ci était chaude, bienveillante.

Puis Pitte prit dans le coffre un écrin de verre vibrant, et sa gorge se serra.

— L'écrin des âmes...

— Vous êtes la première, répéta Pitte en posant l'écrin sur un socle de marbre. La première mortelle à remettre la première clé.

Il se retourna et se campa à côté de l'écrin. Il était redevenu le soldat, songea Malory, le guerrier qui montait la garde. Rowena se plaça de l'autre côté.

— C'est à vous de le faire, dit doucement Rowena. Vous êtes depuis toujours destinée à le faire.

Malory serra la clé plus fort dans son poing. Sa poitrine, si gonflée qu'elle en devenait douloureuse, paraissait incapable de contenir les galops de son cœur. Elle essaya d'inspirer profondément, mais son souffle était saccadé. Lorsqu'elle approcha de l'écrin, les lumières semblèrent emplir sa vision tout entière, puis la pièce. Puis le monde.

Elle ordonna à ses doigts de ne pas trembler. Elle n'accomplirait pas ce geste d'une main hésitante. Une main de mortelle…

Elle glissa la clé dans la première des trois serrures ouvragées. Et elle la tourna.

Il y eut un son, à peine plus fort qu'un murmure, puis la clé sembla se dissoudre entre ses doigts.

La première serrure s'effaça. Il n'en restait plus que deux.

— Elle est partie. Elle a disparu.

— C'est encore un symbole, pour nous, expliqua Rowena en posant délicatement une main sur l'écrin. Pour elles. Il en reste deux à délivrer.

— Devons-nous…

Les âmes pleuraient dans cet écrin, songea Dana. Elle pouvait presque les entendre, et cela lui brisait le cœur.

— Devons-nous choisir maintenant laquelle de nous deux sera la suivante ?

— Pas aujourd'hui. Reposez vos esprits et vos cœurs. Il y a du champagne dans le salon. Pitte, tu t'occupes de nos invités ? J'aimerais dire quelques mots en privé à Malory. Ensuite, nous vous rejoindrons.

Elle souleva l'écrin et le reposa délicatement dans le coffre. Lorsqu'elles furent seules, elle se tourna vers Malory.

— Pitte a raison. Nous ne pourrons jamais nous acquitter de la dette que nous avons envers vous.

— J'ai accepté de chercher la clé, et j'ai été payée, corrigea Malory. Cela me semble même mal, maintenant, d'avoir pris cet argent, ajouta-t-elle en contemplant le coffre et en imaginant l'écrin à l'intérieur.

— L'argent ne signifie rien pour nous. D'autres l'ont pris et n'ont rien fait. D'autres ont essayé et échoué. Vous trois, vous avez fait quelque chose de courageux et d'intéressant avec l'argent.

Elle s'approcha de Malory et prit ses mains dans les siennes.

— Cela me fait plaisir. Mais notre dette envers vous ne peut pas se chiffrer en dollars.

— Vous les aimez, murmura Malory en montrant le coffre.

— Comme des sœurs. De jeunes et adorables sœurs. Et maintenant… j'ai l'espoir de les revoir. Je peux vous offrir un cadeau, Malory. C'est mon droit. Vous avez refusé ce que vous offrait Kane.

— Ce n'était pas réel.

— Cela peut le devenir. Je peux le rendre réel. Ce que vous avez ressenti, ce que vous avez su faire, ce que vous aviez en vous. Je peux vous donner le pouvoir que vous aviez dans cette illusion.

Étourdie, Malory chercha des mains l'accoudoir du fauteuil, puis s'y assit lentement.

— Vous pouvez me donner le talent de peindre…

— Je comprends le besoin que vous avez d'avoir cette beauté en vous, de la sentir jaillir.

Elle rit.

— Ou de lutter pour la faire sortir, ce qui est tout aussi exaltant. Vous pouvez l'avoir. C'est mon cadeau.

Pendant un moment, l'idée enivra Malory comme le vin, la séduisit comme l'amour. Puis elle vit Rowena qui la regardait, si calme, si placide, un léger sourire aux lèvres, et elle comprit.

— Vous me donneriez votre don. C'est ce que vous voulez dire. Vous me donneriez votre talent, votre vision.

— Ils seraient à vous.

— Non, ils ne seraient jamais à moi. Et je le saurais toujours. Je… j'ai peint ces personnages parce que je les voyais. De même que je les ai vus dans mon premier rêve, lorsque je suis entrée dans le tableau. Et j'ai peint la clé, je l'ai forgée, j'ai pu le faire, parce que j'avais assez d'amour en moi pour y renoncer. J'ai choisi la lumière plutôt que l'ombre. N'est-ce pas ?

— En effet.

— Ayant fait ce choix, sachant que c'était le bon, je ne puis prendre ce qui vous appartient. Mais je vous remercie, ajouta-t-elle en se relevant. Je me réjouis de savoir que je peux être heureuse en faisant ce que je fais. Je vais créer une boutique merveilleuse, une affaire prospère. Et construire une très belle vie.

— Je n'en doute pas. Prendrez-vous ceci, alors ?

Rowena lui montra quelque chose et sourit quand Malory laissa échapper un cri.

— *La Déesse chantante*.

Elle courut vers la toile posée sur une table.

— Le tableau que j'ai fait pendant que Kane…

— C'est vous qui l'avez peint, déclara Rowena en venant poser une main sur son épaule. Peu importe la magie dont il a usé, la vision était la vôtre, et c'est votre cœur qui a trouvé la réponse. Mais si posséder ce tableau vous est douloureux, je peux le ranger.

— Non, pas du tout, c'est un cadeau magnifique. C'était une illusion, Rowena, mais vous l'avez apportée dans ma réalité. Ce tableau est concret. Il existe.

Elle inspira profondément, recula et soutint le regard de Rowena.

— Pouvez-vous… En avez-vous fait autant pour les émotions ?

— Vous voulez savoir si vos sentiments pour Flynn sont réels ?

— Non. Je sais qu'ils le sont. Ce n'est pas une chimère. Mais les siens, à mon égard… si c'est une sorte de récompense… c'est injuste pour lui, et je ne puis l'accepter.

— Vous renonceriez à lui ?

— Oh, non, riposta Malory d'un ton combatif. Mon Dieu, non ! Mais j'agirais en connaissance de cause et je ferais tout pour qu'il tombe amoureux de moi. Si je peux trouver une clé magique, je dois bien pouvoir convaincre Michael Flynn Hennessy que je suis faite pour lui ! Car je sais que c'est vrai, ajouta-t-elle.

— Je vous aime beaucoup, Malory, dit Rowena en souriant. Et je vous promets une chose : quand Flynn reviendra dans cette pièce, ce qu'il éprouvera sera l'exact reflet de son cœur. Le reste ne dépend que de vous. Attendez ici, je vais le chercher.

— Rowena ? Quand débutera le deuxième tour ?

— Bientôt. Très bientôt.

Laquelle serait la suivante, de Zoé ou de Dana ? se demanda Malory en étudiant *La Déesse chantante*. Et que risquerait-elle ? Que gagnerait-elle ou perdrait-elle dans sa quête ?

— Je t'apporte un peu de ce merveilleux champagne, dit Flynn en la rejoignant, deux flûtes à la main. Tu rates toute la fête. Pitte a éclaté de rire, pour de vrai. Un grand moment, je t'assure.

— J'ai juste besoin d'une ou deux minutes.

Elle posa le tableau et prit une flûte.

— Qu'est-ce que c'est ? Une toile de Rowena ?

Il passa un bras autour de ses épaules, et elle le sentit se raidir lorsqu'il comprit.

— C'est le tien, n'est-ce pas ? C'est le tableau que tu as exécuté dans le grenier. Avec la clé, là.

Il effleura la clé en or, qui n'était plus que peinte, à présent, au pied de la déesse.

— C'est extraordinaire, murmura-t-il.

— D'autant plus extraordinaire qu'en plongeant dans la peinture, on en sort une clé magique.

— Non, je voulais parler de... tout. C'est magnifique, Malory. Mon Dieu, c'est bouleversant. Tu as renoncé à ça. C'est toi qui es extraordinaire, ajouta-t-il doucement, en se tournant vers elle.

— Je peux garder le tableau. Rowena, par je ne sais quel tour de passe-passe, l'a fait venir ici pour me l'offrir. Ça signifie énormément, pour moi, de l'avoir. Flynn...

Elle dut avaler une petite gorgée de champagne, mettre un peu de distance entre eux. Malgré ce qu'elle avait dit à Rowena, elle se rendait compte que ce qu'elle s'apprêtait à faire risquait de lui coûter beaucoup plus qu'un don pour la peinture.

— Ça a été un drôle de mois, pour nous tous.

— Plutôt, oui.

— Tout ce qui s'est passé, ou presque, échappe à l'entendement. Mais... ça m'a fait changer. Et j'aime à penser que c'est en bien, ajouta-t-elle en soutenant son regard.

— Si tu as l'intention de me dire que maintenant que tu as enfoncé la clé dans la serrure, le charme est rompu et que tu ne m'aimes plus, eh bien, c'est vraiment dommage pour toi.

— Que veux-tu dire?

— Que tu ne te débarrasseras pas comme ça de moi, de mon horrible canapé et de mon corniaud sentimental, Malory.

— Ne me parle pas sur ce ton, dit-elle en posant sa flûte. Et ne crois pas une seconde pouvoir proclamer que je ne me débarrasserai pas de toi, parce que c'est toi qui ne te débarrasseras pas de moi.

Il posa sa flûte à côté de la sienne.

— Tiens donc?

— Parfaitement. Je viens de vaincre un dieu celte maléfique. Tu ne seras qu'un jeu d'enfant pour moi.

— Tu veux te battre?

— Essaie un peu.

Ils s'empoignèrent avec la même ardeur. Sa bouche collée à celle de Flynn, Malory laissa échapper un soupir étranglé. Elle rejeta la tête en arrière, mais garda les mains nouées autour de son cou.

— Je suis faite pour toi, Flynn. Je suis exactement la femme qu'il te faut.

— Ça tombe très bien, parce que je suis fou de toi. Tu es ma clé, Mal. La seule clé qui ouvre toutes les serrures.

— Tu veux savoir de quoi j'ai envie, là ? D'un bain bien chaud, d'une soupe et d'une sieste sur un horrible canapé.

— C'est ton jour de chance, alors.

Plus tard, Rowena appuya la tête contre l'épaule de Pitte en regardant s'éloigner les voitures.

— C'est une belle journée, lui dit-elle. Je sais que la quête n'est pas terminée, mais c'est une belle journée.

— Nous avons encore un peu de temps avant de commencer la suite.

— Quelques jours, puis viendront les quatre semaines. Kane les surveillera de plus près, maintenant.

— Nous aussi.

— La beauté l'a emporté. À présent, la vérité et le courage seront mis à l'épreuve. Nous pouvons si peu de choses, en vérité, pour les aider. Mais ces mortels sont forts et intelligents.

— D'étranges créatures, commenta Pitte.

— Oui, admit-elle en lui souriant. D'étranges et fascinantes créatures.

Ils rentrèrent dans la maison. Au bout de l'allée, le portail en fer forgé se referma lentement. Les guerriers qui le flanquaient monteraient la garde pendant la phase suivante de la lune.